Beginning Swedish

By

W. G. JOHNSON

UNIVERSITY OF ILLINOIS

AUGUSTANA BOOK CONCERN

ROCK ISLAND, ILLINOIS

AUGUSTANA BOOK CONCERN
Printers and Binders
ROCK ISLAND, ILLINOIS
1939

PREFACE

Beginning Swedish is intended for elementary classes in high schools and colleges. The contents, which have been selected and arranged on the basis of classroom experience, are limited to the fundamentals of the language which a student can master in his first year.

Teachers who use the text should note:

1. On the basis of an extensive word count in recent and contemporary literature, approximately a thousand of the commonest words and other expressions have been selected as the vocabulary. A few useful classroom expressions have been added to this list.
2. Some of the symbols of the International Phonetic Alphabet have been used to aid the student in mastering pronunciation.
3. The plural forms of verbs which are no longer used in speech have been designated as "literary plurals." Provision for the student's becoming familiar with these has been made in some of the drills and readings.
4. At the suggestion of several colleagues, a number of English-to-Swedish translation exercises have been included.

In preparing this book, I have found these works especially helpful:

Danell, Gideon. *Svensk ljudlära.*

Gjerdman, Olof, och Henningsson, Hilma. *Svensk uttals- och välläsningslära.*

Lyttkens och Wulff. *Svensk ordlista.*

Noreen, Adolf. *Vårt språk.*

Since the material in an elementary text must be limited, students who have mastered the material in BEGINNING SWEDISH might well be referred to these books of reference.

To Mrs. Johnson, Professor A. A. Stomberg of the University of Minnesota, Miss Alice M. Johnson of Bethel College, Mrs. Ruth Peterson of South High School, Minneapolis, and Dr. E. W. Olson of the Augustana Book Concern, the author is especially grateful for encouragement and help. They are, however, in no way responsible for the imperfections of the text. The sketches have been prepared by Miss Eloise Isley, formerly a member of my classes in Swedish and in 1939–1940 a fellow of the American Scandinavian Foundation. The Swedish Traffic Association, the Swedish Travel Information Bureau, and the American Swedish News Exchange have kindly supplied photographs.

Urbana, June, 1939.

TO THE STUDENT

The study of Swedish will help you to acquire the fundamentals of the language and to become acquainted with Swedish life and culture.

Reading these books, either in entirety or in part, will help you to become familiar with Sweden and Swedish life:

Franck, Harry. *A Scandinavian Summer.*
Rothery, Agnes. *Sweden, the Land and Its People.*
Stomberg, A. A. *A History of Sweden.*
Johnson, Amandus. *The Swedish Settlements on the Delaware.*
Benson, Adolph B. (editor). *Swedes in America, 1638–1938.*
Childs, Marquis. *Sweden, the Middle Way.*
Social Work and Legislation in Sweden (New Sweden Tercentenary Publications).
Streyffert, T. *The Forests of Sweden.*
Knös, B. and Sandberg, Fred. *Education and Organization of Cultural Research in Sweden.*
Henriksson. *The Nobel Prizes and Their Founder, Alfred Nobel.*
Ahlberg, H. *Swedish Architecture in the Twentieth Century.*
Laurin, Carl G. and others. *Scandinavian Art.*

Two American magazines are especially useful:

The American Swedish Monthly, New York.
The American Scandinavian Review, New York.

You will learn from these books and magazines that Sweden has made outstanding contributions to many fields, such as agriculture, archeology, architecture, botany, business, chemistry, engineering, forestry, fine and applied arts, literature, medicine, mining, physics, political and social sciences, and zoology. You will learn, too, that the Swedes have played an important part in the development of our own country.

You will need a copy of *Sjung, svenska folk* (Bonnier's, 561 Third Avenue, New York, about thirty-five cents), a collection of Swedish songs with music. If you can, buy a copy of Cohrs' *Atlas över Sverige.* These dictionaries are worth owning:

Wenström och Harlock. *Svensk–engelsk ordbok.* School edition. New spelling.
Kärre, Lindkvist, Nöjd och Redin. *Engelsk–svensk ordbok.* School edition.

CONTENTS

LESSON I

Pronunciation. The Swedish Alphabet. A Phonetic Alphabet for Swedish.

1. Pronunciation. You can learn to pronounce Swedish correctly only by imitating the pronunciation of people who speak the language well. Therefore, imitate your instructor's pronunciation not only while the individual sounds are being considered but also throughout the entire course. The more faithfully and accurately you imitate, the greater will be your mastery of Swedish sounds. If you have the opportunity to do so, listen to short-wave broadcasts from Sweden, and attend Swedish church services, Swedish talkies, and lectures given in Swedish. If you can, supplement these contacts with spoken Swedish by making use of phonograph records such as the set prepared by Dr. Olof Gjerdman and Miss Hilma Henningsson for P. A. Norstedt och Söner, Stockholm.

In the next few lessons you will be told that certain Swedish sounds are "like" or "resemble" certain English or German sounds. These are at best approximations, for Swedish and English (or German) sounds are not exactly identical. The statements will be helpful, but your instructor's pronunciation is your primary model.

2. The Swedish Alphabet. Imitate your instructor's pronunciation of the names of the twenty-nine letters of the alphabet:

LETTERS	NAME	PRONOUNCED	LETTERS	NAME	PRONOUNCED
A, a	a	[ɑ:]	F, f	äff	[äf:]
B, b	be	[be:]	G, g	ge	[ge:]
C, c	se	[se:]	H, h	hå	[hå:]
D, d	de	[de:]	I, i	i	[i:]
E, e	e	[e:]	J, j	ji	[ji:]

LETTERS	NAME	PRONOUNCED
K, k	kå	[kå:]
L, l	äll	[äl:]
M, m	ämm	[äm:]
N, n	änn	[än:]
O, o	o	[ω:]
P, p	pe	[pe:]
Q, q	ku	[kɯ:]
R, r	ärr	[ær:]
S, s	äss	[äs:]
T, t	te	[te:]
U, u	u	[ɯ:]
V, v	ve	[ve:]
W, w	dubbelt ve	[dub:əlt ve:]
X, x	äks	[äk:s]
Y, y	y	[y:]
Z, z	säta	[sä·ta‘]
Å, å	å	[å:]
Ä, ä	ä	[ä:]
Ö, ö	ö	[ø:]

The phonetic symbols will be explained in the lessons on vowels and consonants. The memorization of the alphabet may be postponed until those lessons have been studied. *Always use the Swedish names of the letters in spelling Swedish words.*

3. A Phonetic Alphabet for Swedish. Although spelling and pronunciation correspond much more in Swedish than they do in English, many Swedish words are not pronounced as the spelling would suggest. Some of the symbols of the International Phonetic Alphabet have, therefore, been used in this book to aid you in acquiring as accurate a Swedish pronunciation as possible.

PHONETIC SYMBOLS		SWEDISH KEY WORDS
[ɑ:]	like *a* in f*a*ther	far [fɑ:r]; fader [fɑ·dər‘]
[a]	like *a* in *a*rm	kalla [kal·a‘]; tall [tal:]
[b]	like *b* in *b*it	bo [bω:]; blåsa [blå·sa‘]
[d]	like *d* in *d*in	både [bå·də‘]; dröja [dröj·a‘]
[e:]	like *i* (prolonged) in h*i*t	ek [e:k]; sten [ste:n]
[e]	like *i* in h*i*t	hemma [hem·a‘]; sett [set:]
[ə]	neutral *e*, like *e* in mann*e*r or in German Gab*e*	gosse [gɔs·ə‘]; finner [fin:ər]
[f]	like *f* in *f*ix	finna [fin·a‘]; vifta [vif·ta‘]
[g]	like *g* in *g*o	gata [gɑ·ta‘]; tag [tɑ:g]
[h]	like *h* in *h*oe	hela [he·la‘]; hög [hø:g]
[i:]	like *i* in mach*i*ne	lita [li·ta‘]; vit [vi:t]
[i]	like *i* in b*i*dden	vilken [vil·kən‘]; vitt [vit:]
[j]	like *y* in *y*ield	ja [jɑ:]; familj [famil:j]
[k]	like *k* in *k*in	kall [kal:]; märka [mær·ka‘]

PHONETIC SYMBOLS		SWEDISH KEY WORDS
[l]	like *l* in *l*ive	lita [li·ta‘]; dal [dɑ:l]
[m]	like *m* in *m*an	man [man:]; som [sɔm:]
[n]	like *n* in ma*n*	man [man:]; söner [sø·nər‘]
[ŋ]	like *ng* in si*ng*	ung [uŋ:]; tänka [täŋ·ka‘]
[ω(:)]	like *o* in m*o*ve	bo [bω:]; blomma [blωm·a‘]
[p]	like *p* in *p*it	plocka [plɔk·a‘]; hoppas [hɔp·as‘]
[r]	like *r* in th*r*ee	tre [tre:]; vänner [vän:ər]
[ḍ]	See section 16.	bord [bω:ḍ] — *Listen carefully while your instructor pronounces these words.*
[ḷ]	See section 16.	sorl [så:ḷ]
[ṇ]	See section 16.	barn [bɑ:ṇ]
[ṭ]	See section 16.	bort [bɔṭ:]
[ʃ̣]	See section 16.	fors [fɔʃ̣:]
[s]	like *s* in *s*it	se [se:]; älska [äl·ska‘]
[t]	like *t* in *t*ick	möta [mø·ta‘]; tro [trω:]
[ɯ:]	peculiar to Swedish. See section 8.	ut [ɯ:t]; tusen [tɯ:sən]
[u]	like *u* in p*u*t	undra [un·dra‘]; lust [lus:t]
[v]	like *v* in *v*ain	väl [vä:l]; tolv [tɔl:v]
[y(:)]	like *ü* in German *ü*ber	ny [ny:]; syskon [sys·kɔn‘]
[å:]	like *o* in g*o*	månad [må·nad‘]; åker [å:kər]
[ɔ]	shorter, open version of [å:]	slott [[slɔt:]; gång [gɔŋ:]
[ä(:)]	like *e* in m*e*t	äta [ä·ta‘]; präst [präs:t]
[æ(:)]	like *a* in h*a*t	ära [æ·ra‘]; herre [hær·ə‘]
[ø:]	like ö in German böse	möta [mø·ta‘]; över [ø:vər]
[ö]	like *ö* in German können	öppna [öp·na‘]; gömma [jöm·a‘]
[œ(:)]	like *e* in h*e*r	höra [hœ·ra‘]; börja [bœr·ja‘]
[ʃ]	like *sh* in *sh*ow (or like *wh* in *wh*en. See section 13.)	själv [ʃäl:v]; skön [ʃø:n]
[ç]	like *ch* in cat*ch*	kär [çæ:r]; kyrka [çyr·ka‘]
[au]	like *ou* in h*ou*se	augusti [augus:ti]
[äɯ]	*ä* plus ɯ	Europa [äɯrω:pa]

In this book the pronunciation of a word to which the spelling is not the key will be indicated by means of these phonetic symbols.

If : is enclosed within parentheses, the vowel is long in some words but short in others. For example, the *o* in *bo* is long [bω:]; the *o* in *blomma* is short [blωm·a‘]. In this book : or · indicates that the preceding vowel or consonant is long.

LESSON II

Quantity. Stress. Intonation.

4. Quantity. This term refers to the relative time required for the pronunciation of a sound. Both vowels and consonants may be long. A long sound occurs only in strongly stressed syllables. In such a syllable, either the vowel or the consonant immediately following must be long. In weakly stressed syllables, only short sounds occur. In this book a long sound is indicated by a colon (:) or a raised period (·) placed immediately after the long sound.

A vowel in a primarily stressed syllable is long if it is final: *begå* [begå:].

A vowel in a primarily stressed syllable is long if followed by one consonant (except *j*, *x*, and often final *m* and *n*). Such a vowel usually remains long even where the addition of endings results in a consonant group, if the consonant group is not a double consonant:

brun [brɯ:n], brown;	*brunt* [brɯ:nt], neuter singular form of *brun*
bo [bω:], live (dwell);	*bott* [bωt:], lived

For long final *m* or *n*, see section 19.

A vowel before the combinations *rd*, *rl*, *rn* and sometimes *rt* is long:

bord [bω:ḍ], table	*sorl* [så:ḷ], murmur
barn [bɑ:ṇ], child	*svårt* [svå:ṭ], difficult

By a long consonant is meant a sound such as *dd* in mi*dd*ay. In a primarily stressed syllable, a consonant is long, if the preceding vowel is short:

LONG VOWEL, SHORT CONSONANT	SHORT VOWEL, LONG CONSONANT
fina [fi·na‘], fine	*finna* [fin·a‘], to find
lika [li·ka‘], as, equally	*lilla* [lil·a‘], little, small
kal [kɑ:l], bald	*kall* [kal:], cold
kalt [kɑ:lt], bald (neuter form)	*kallt* [kal:t], cold (neuter)
vit [vi:t], white	*vitt* [vit:], white (neuter)

5. Stress. The relative emphasis or force with which a syllable is pronounced is called stress. A word pronounced by itself (not in a phrase or sentence), will have one syllable stressed more than any other. In the majority of words, the principal stress (indicated by : or · in this book) is placed on the first syllable. In words beginning with the prefixes *be-*, *för-* and *ge-*, the principal stress is placed on the syllable following the prefix. In many loan-words from French and Latin and in words ending in *-eri*, the principal stress is placed on the last syllable. In nouns with the suffixes *-essa* and *-inna* and in verbs ending in *-era*, the principal stress is placed on the first syllable of the ending.

byggnad, building [byg·nad‘]	*besöka*, visit [besø:ka]	*minut*, minute [minɯ:t]	*prinsessa*, princess [prinsäs·a‘]
mamma, mama [mam·a‘]	*föräldrar*, parents [fœräl:drar]	*student*, student [studän:t]	*addera*, add [ade:ra]
	gehör, respect [jehœ:r]	*skafferi*, pantry [skaf′əri:]	*lärarinna*, teacher [læ′rarin·a‘]

The various degrees of stress[1] and the symbols used to indicate them are:

SYMBOL

: Principal stress (or acute accent) which appears in:

(a) One-syllable words or words which originally consisted of one syllable: *ny* [ny:], new; *åker* [å:kər], field (Old Scandinavian *akr*).

(b) One-syllable words with the postpositive article added: *boken* [bω:kən], the book.

(c) Words with the prefixes *be-*, *för-*, and *ge-*.

(d) Many loan-words and in words ending in *-eri*.

[1] In Lyttkens och Wulff, *Svensk ordlista*, the degree of stress a syllable receives is indicated by one of these numbers: 4, 3, 2, 1, or 0. In BEGINNING SWEDISH, 4= :, 3= ·, 2= ‘, and 1= ′, while 0 or weakest stress is not indicated.

SYMBOL

· Principal stress (or grave accent) which always occurs with a secondary stress (‘) on a later syllable and which appears in:

(a) Compound words with a strong secondary stress on the second component part: *kanske* [kan·ʃə‘], maybe; *mormor* [mωr·mωr‘], maternal grandmother; *kärlek* [çæ·ḷe‘k], love.

This stress also occurs in words the second component part of which is one of these suffixes: *-aktig*, *-bar*, *-dom*, *-faldig*, *-het*, *-sam*, and *-skap*.

(b) Simple words of more than one syllable with strong or weak secondary stress on a later syllable: *flicka* [flik·a‘], girl.

‘ Strong secondary stress.

ʹ Weak secondary stress.

No symbol indicates weakest stress.

When : or · is placed after a vowel, the vowel is long and the syllable containing it receives principal stress; when one of them is placed after a consonant, the consonant is long and the syllable receives principal stress. In many compound words, the final vowel remains somewhat long even when ‘ is used to indicate strong secondary stress.

6. Intonation or Musical Accent. The musical accent which is one of the most distinctive features of the Swedish language is perhaps the most difficult phase of the language for the student to grasp. The most effective method of learning the musical accent is imitation of the instructor's intonation and not learning a long and elaborate set of rules with lists of exceptions. Some general facts may be of assistance, however.

Swedish has two types of musical accent, the one similar to that of English, the other peculiar to Swedish and Norwegian. The type similar to musical accent in English is variously labeled as Type I, Tone I, Single-tone, and Acute. The other is called Type II, Tone II, Double-tone, or Grave.

Type I, generally found in one-syllable words and in a number of words with two or more syllables, is characterized by one stress and falling tone. Imitate your instructor's intonation of these words:

bok [bω:k]	*fågel* [få:gəl]	*böcker* [bök:ər]	*nätterna* [nät:əṇa]
tro [trω:]	*giver* [ji:vər]	*högre* [hø:grə]	*berätta* [berät:a]
vit [vi:t]	*åker* [å:kər]	*vacker* [vak:ər]	*berättade* [berät:adə]

Notice that in these two-syllable words, the first syllable has principal stress and the second weakest stress. The tone on the first syllable is high, but it is low on the second. In words of three or more syllables, the primarily stressed syllable receives the high tone, the others low tone. Type I is used in:

(a) All monosyllabic words (See first column above).
(b) Most words ending in *-el*, *-en*, or *-er* (See second column).
(c) Monosyllabic nouns with the postpositive definite article: *boken* [bω:kən], the book.
(d) The present indicative forms ending in *-er:* *reser* [re:sər], travels.
(e) Words with the principal stress on some syllable other than the first (See last column above).
(f) Most loan-words: *student* [studän:t], student.
(g) Comparatives ending in *-re* (not *-are*): *längre* [läŋ:rə], longer.
(h) The names of the days: *måndag* [mɔn:dɑ(g)], Monday.

In the phonetic transcription the acute intonation will be indicated by a colon : placed after the long sound in the syllable receiving the principal stress.

Type II, found only in words of more than one syllable, is characterized in two-syllable words by a middle tone on the primarily stressed syllable (the first) which falls to low tone on the first syllable but rises to a high tone on the secondarily stressed (second) syllable. In words having three or more syllables, the primarily stressed syllable has the middle tone; all the others with the exception of the last syllable have low tone. The last syllable has high tone. Imitate your instructor's intonation of these words:

tala [tɑ·la‘] *flickor* [flik·ωr‘] *talade* [tɑ·ladə‘] *gossarna* [gɔs·aṇa‘]
köpa [çø·pa‘] *köpte* [çø·pte‘] *kallade* [kal·adə‘] *gladare* [glɑ·darə‘]
gata [gɑ·ta‘] *sjöman* [ʃø·man‘] *flickorna* [flik·ωṇa‘] *oftare* [ɔf·tarə‘]

In the phonetic transcription, the grave intonation is indicated by a raised period · after the long sound in the syllable receiving principal stress and an inverted comma ‘ after the syllable receiving strong secondary stress.

Some words spelled in the same way differ in meaning according to their intonation:

anden [an:dən], the duck *anden* [an·dən‘], the breath, spirit
slutet [slɯ:tət], the end *slutet* [slɯ·tət‘], closed

7. Stress and Intonation in Connected Speech. In sentences, many words such as articles, auxiliary verbs, conjunctions, prepositions, and pronouns, and sometimes other parts of speech, are not stressed. In connected speech, words are stressed according to the purpose, mood, and meaning of the speaker. In general, a word keeps its decided acute or grave characteristic in a sentence only if emphasized. Turn to Lesson V and listen carefully while your instructor pronounces the classroom expressions.

LESSON III

The Vowels. The Diphthongs.

8. The Vowels. This diagram indicates the relative position of the tongue in articulating the individual vowel sounds.

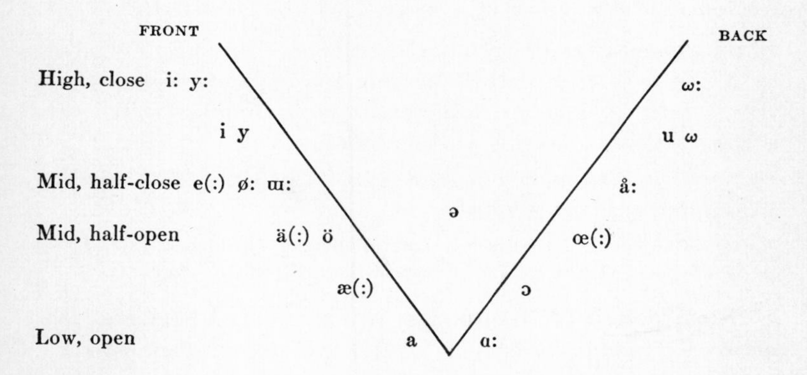

Most Swedish vowels are *rounded;* that is, they are pronounced with the lips puckered or brought together at the corners of the mouth. *Unrounded* vowels are pronounced with the lips in a position of rest. Watch your instructor's lips when he pronounces these two series:

Rounded: The vowels represented by *y*, *ö*, *u*, *å*, and *o* and long *a* [ɑ:] (somewhat rounded).

Unrounded: Short *a* [a] and the vowels represented by *i*, *e*, and *ä*.

The majority of Swedish vowels are articulated with definite lip movements.

Swedish vowels are pure vowels; that is, each vowel represents one sound. Several of the so-called English vowels are

Beginning Swedish, 2.

really diphthongs (combination of two vowels). In *mine*, for example, *i* represents a combination of *a* and *i*.

PHONETIC SYMBOLS	THE VOCALIC SOUNDS
[i:]	Long *i* like *i* in mach*i*ne.
[i]	Short *i* like *i* in b*i*dden.
[y:]	Long *y* like *ü* in German *ü*ber.
[y]	Short *y* like *ü* in German f*ü*nf. To produce *y*, round your lips and pronounce long Swedish *i* [i:].
[e:]	Normal long *e*, reminiscent of *i* (prolonged) in d*i*d.
[e]	Normal short *e*, less prolonged.
[ə]	*e* in relatively unstressed positions like *e* in broth*e*r or *e* in German Gab*e*.
[ä:]	Normal long *ä* like *e* in m*e*n.
[ä]	Normal short *ä*, less prolonged.
[æ:]	A sound like that of *a* in h*a*t. Represented in spelling by *ä* before *r* (or *rd, rl, rn,* and sometimes *rt*).
[æ]	Short version of [æ:]. In spelling, represented by *e* or *ä* before *r* plus a consonant (except before *rd, rl, rn,* and sometimes *rt*). See [æ:] above.
[ø:]	Normal long *ö* like *ö* in German b*ö*se.
[ö]	Normal short *ö* like *ö* in German k*ö*nnen.
[œ:]	Resembles *e* in h*e*r. In spelling, represented by *ö* before *r* (or *rd, rl, rn,* and sometimes *rt*).
[œ]	Less prolonged version of [œ:]. Represented by *ö* before *r* plus a consonant (except before *rd, rl, rn,* and sometimes *rt*).
[ɑ:]	Long *a* like *a* in f*a*ther.
[a]	Short *a* like *a* in *a*rm.
[å:]	Long *å* like *o* in g*o*.
[ɔ]	Short *å*, a shorter, more open version of [å:]. Represented in spelling by *å* and *o*.
[ɯ:]	Long *u* peculiar to Swedish. Lips rounded (but not protruded) and almost closed.
[u]	Short *u* like *u* in p*u*t.

PHONETIC SYMBOLS	THE VOCALIC SOUNDS
[ω:]	Long *o* (in spelling) like *o* in m*o*ve.
[ω]	Short *o* (in spelling) less prolonged than [ω:].

Note that [å:] and [ɔ] are often represented by *o* in spelling.

9. Soft and Hard Vowels. Swedish vowels are either soft or hard vowels:

Soft: *i, y, e, ä,* and *ö*
Hard: *a, å, o,* and *u*

Memorize this classification as the pronunciation of either *g, k,* or *sk* in a stressed syllable is affected by the appearance of a soft vowel immediately following the consonant.

10. Umlauted Vowels. A number of the Swedish vowels are called umlauted or modified vowels:

m*a*n (man)	m*ä*n (men)	f*o*t (foot)	f*ö*tter (feet)
*u*ng (young)	*y*ngre (younger)		

Thus, *ä, ö,* and *y* are modified forms of *a, o,* and *u.* Notice that there are umlaut vowels in English, too.

11. Diphthongs. A combination of two vowels is called a diphthong. Swedish has only two, *au* and *eu.* These may also be pronounced as separate vowels.

[au]	*au* like *ou* in h*ou*se.
[äɯ]	*eu ä* plus ɯ.

When a vowel precedes *j,* the result may be called a half-diphthong. See the following drill.

DRILL

Imitate your instructor's pronunciation of the following words:

[i:]	[i]	[y:]	[y]
hit [hi:t]	vilken [vil·kən‘]	ny [ny:]	nytta [nyt·a‘]
vila [vi·la‘]	frisk [fris:k]	lysa [ly·sa‘]	yngre [yŋ:rə]
fri [fri:]	lilla [lil·a‘]	bry [bry:]	nyss [nys:]
liten [li·tən‘]	viss [vis:]	byn [by:n]	byggnad [byg·nad‘]
mina [mi·na‘]	min [min:]	hyr [hy:r]	lycka [lyk·a‘]

[e:]	[e]	[ə]	[ä:]
se [se:]	hem [hem:]	fötter [föt:ər]	läsa [lä·sa‘]
heta [he·ta‘]	vecka [vek·a‘]	vinter [vin:tər]	gräva [grä·va‘]
mena [me·na‘]	eld [el:d]	fader [fɑ·dər‘]	äga [ä·ga‘]
redan [re·dan‘]	enda [en·da‘]	kaffe [kaf·ə‘]	vägar [vä·gar‘]
brev [bre:v]	hemma [hem·a‘]	rike [ri·kə‘]	träd [trä:d]

[ä]	[æ:]	[æ]	[ø:]
män [män:]	lära [læ·ra‘]	närmast [nær·mas‘t]	höger [hø:gər]
efter [äf·tər‘]	bära [bæ·ra‘]	herr [hær:]	möta [mø·ta‘]
svenska [svän·ska‘]	här [hæ:r]	herre [hær·ə‘]	röda [rø·da‘]
räcka [räk·a‘]	när [næ:r]	märka [mær·ka‘]	söka [sø·ka‘]
händer [hän:dər]	nära [næ·ra‘]	märke [mær·kə‘]	dö [dø:]

[ö]	[œ:]	[œ]	[ɑ:]
trött [tröt:]	höra [hœ·ra‘]	dörr [dœr:]	tal [tɑ:l]
följa [föl·ja‘]	öre [œ·rə‘]	större [stœr:ə]	sak [sɑ:k]
öster [ös:tər]	rör [rœ:r]	mörk [mœr:k]	var [vɑ:r]
östra [ös·tra‘]	tör [tœ:r]	dörrar [dœr·ar‘]	bra [brɑ:]
höst [hös:t]	hörn [hœ:ṇ]	björk [bjœr:k]	svar [svɑ:r]

[a]	[å:]	[ɔ]	[ɯ:]
kasta [kas·ta‘]	båt [bå:t]	norr [nɔr:]	ut [ɯ:t]
land [lan:d]	gå [gå:]	Stockholm [stɔk·hɔl‘m]	ful [fɯ:l]
natt [nat:]	son [så:n]	gång [gɔŋ:]	minut [minɯ:t]
vandra [van·dra‘]	må [må:]	blott [blɔt:]	jul [jɯ:l]
man [man:]	åka [å·ka‘]	blått [blɔt:]	hus [hɯ:s]

[u]	[ω:]	[ω]	[au], [äɯ]
gubbe [gub·ə‘]	tro [trω:]	flickor [flik·ωr‘]	augusti [augus:ti]
kung [kuŋ:]	noga [nω·ga‘]	blomma [blωm·a‘]	aula [au:la]
full [ful:]	bror [brω:r]	ost [ωs:t]	Europa [äɯrω:pa]
uppe [up·ə‘]	trogen [trω·gən‘]	bott [bωt:]	
stund [stun:d]	moder [mω·dər‘]	trodd [trωd:]	

[aj]	[oj]	[äj]	[öj]
maj [maj:]	boj [boj:]	ej [äj:]	nöjd [nöj:d]
kajen [kaj:ən]	hojta [hoj·ta‘]	nej [näj:]	böjd [böj:d]
		hej [häj:]	slöjd [slöj:d]

LESSON IV

The Consonants.

12. Introduction. Swedish has these consonants: *b, c, d, f, g, h, j, k, l, m, n, p, q, r, s, t, v, w, x,* and *z*. Three sounds are not represented in the alphabet by special letters: [ŋ] or the *äng*-sound; [ʃ] or the *sje*-sound; and [ç] or the *tje*-sound.

q, w, and *z*, which appear in loan-words and in proper names, represent the sounds of *k* [k], *v* [v], and *s* [s] respectively; *qu*, which appears in some names, is pronounced [kv]. Imitate your instructor's pronunciation of these words:

Holmquist [hɔl·mkvis't]	Wallin [vali:n]	zigenare [siʃe:narə]
Lundquist [lun·dkvis't]	Wahl [vɑ:l]	zon [sɯ:n]

x has the sound of *ks: växa* [väk·sa'], *läxa* [läk·sa'].

The consonants *b, f, h, m, p,* and *v* do not differ greatly in sound from the corresponding English consonants. Imitate your instructor's pronunciation of these words:

[b]	[f]	[h]	[m]	[p]	[v]
bil [bi:l]	fyra [fy·ra']	hög [hø:g]	mina [mi·na']	par [pɑ:r]	liv [li:v]
brev [bre:v]	haft [haf:t]	halv [hal:v]		pris [pri:s]	vi [vi:]
bjud [bjɯ:d]	film [fil:m]	hus [hɯ:s]	ämna [äm·na']	upp [up:]	hav [hɑ:v]

13. New Symbols. The *äng*-sound [ŋ], the *sje*-sound [ʃ], the *tje*-sound [ç] and *j* [j] need special consideration.

The *äng*-sound is pronounced:

[ŋ] like *ng* in *sing*. It is not pronounced like *ng* in *linger*. In spelling, [ŋ] is represented by *ng*, by *g* before *n*, by *n* before *k*, and by *n* before another consonant (in a number of loan-words).

The *sje*-sound is pronounced:

[ʃ] like *sh* in *shelf* or (in southern Sweden) like *wh* in *when*. In spelling, [ʃ] is represented by *sj*, *sk* (before a stressed soft vowel and in the word *människa*, human being), *skj*, *stj*, *-ti* (when *-ti* follows a vowel or *r* and precedes *o*), *ch*, occasionally in loan-words by *j* and *g*, etc.

The *tje*-sound is pronounced:

[ç] like *ch* in *church*. In spelling, this sound is represented by *tj*, *kj*, and by *k* (before a stressed *i*, *e*, *y*, *ä*, or *ö*).

j is pronounced:

[j] like *y* in *yield* in the great majority of words. In spelling, [j] is represented by *g* (before a stressed soft vowel) and *j*.

[ʃ] like *sh* in *shelf* in a number of loan-words.

Imitate your instructor's pronunciation of these words:

[ŋ]	[ʃ]	[ç]	[j]
finger [fiŋ:ər]	sjuk [ʃɯ:k]	kyrka [çyr·ka']	ja [jɑ:]
ringa [riŋ·a']	sjö [ʃø:]	känna [çän·a']	börja [bœr·ja']
bänk [bäŋ:k]	station [sta(t)ʃω:n]	kök [çø:k]	familj [famil:j]
regn [räŋ:n]	ske [ʃe:]	tjog [çå:g]	nej [näj:]
lugn [luŋ:n]	kanske [kan·ʃə']	tjugo [çɯ·gə']	*but*
skänka [ʃäŋ·ka']	särskild [sæ·rʃil'd]	kär [çæ:r]	journal [ʃuṇɑ:l]

14. G, k, and sk. These three are generally pronounced like *g* in *g*et, *k* in *k*in, and *sk* in *sk*in. Before a stressed soft vowel (*i*, *e*, *y*, *ä*, or *ö*) *g*, *k*, and *sk* are pronounced [j], [ç], and [ʃ] respectively. After *l* and *r* at the end of a syllable and in *Sverige* [svær:jə] (Sweden), *g* is pronounced [j]. When *k* or *sk* precedes *j*, the sound represented is [ç] and [ʃ] respectively. *g* before *j* is silent, as we shall see in section 20.

[g]	[j]	[k]	[ç]
gata [gɑ·ta']	gäst [jäs:t]	kan [kan:]	köp [çø:p]
grad [grɑ:d]	gör [jœ:r]	tak [tɑ:k]	kilo [çi:lω]
slog [slω:g]	giv [ji:v]	klass [klas:]	kjortel [çω·ṭəl']
vägg [väg:]	ge [je:]	ko [kω:]	See also the
gå [gå:]	svalg [sval:j]	kål [kå:l]	drill in sec-
gul [gɯ:l]	berg [bær:j]	bok [bω:k]	tion 13.

[sk]	[ʃ]
sko [skω:]	skön [ʃø:n]
skatt [skat:]	sky [ʃy:]
skriv [skri:v]	skär [ʃæ:r]
frisk [fris:k]	skicka [ʃik·a']
Skåne [skå·nə']	skänka [ʃäŋ·ka']
friska [fris·ka']	skjorta [ʃω·ṭa']

Note that long *k* is written *ck: icke* [ik·ə'], *not.* Note also that *ge*, the name of the letter, is, contrary to the rule, pronounced with a hard *g* [ge:].

15. Dentals. Swedish *d*, *l*, *n*, *s* and *t* are dental sounds. They are produced with the tip (and fore part of the blade) of the tongue vibrating against the upper teeth. In contrast, note that the English *d*, *l*, *n*, *s*, and *t* are produced higher up and farther back.

[d]	like *d* in *d*eck	[s]	like *s* in *s*ome
[l]	like *l* in da*l*e	[t]	like *t* in *t*ent
[n]	like *n* in ma*n*		

s is voiceless in Swedish; it is not pronounced like *s* in ea*s*y.

Imitate your instructor's pronunciation of these words:

[d]	[l]	[n]	[s]	[t]
då [då:]	lat [lɑ:t]	natt [nat:]	se [se:]	tag [tɑ:g]
dock [dɔk:]	tal [tɑ:l]	annan [an·an']	dess [däs:]	lätt [lät:]
bad [bɑ:d]	lille [lil·ə']	andra [an·dra']	deras [de·ras']	vinter [vin:tər]
dröm [dröm:]	klar [klɑ:r]	brant [bran:t]	slut [slɯ:t]	punkt [puŋ:kt]

16. Supradentals. These are produced with the tip of the tongue vibrating against the teeth-ridge or upper gums. The most important supradental sound is the standard Swedish *r*, a trilled *r* resembling the *r* in th*r*ee. In southern Sweden, however, the *r* is not a supradental but is produced with the back of the tongue against the soft palate or by the vibration of the uvula between the palate and the tongue.

When *d*, *l*, *n*, *s*, and *t* are preceded by *r*, assimilation of *r* takes place in the speech of those who use the tongue-tip *r*. In producing the new sounds (represented in this book by [ḍ], [ḷ], [ṇ], [ʂ], and [ṭ], the speaker articulates the sounds with the tip of the tongue drawn back to the position of tongue-tip *r*. The resulting thick sounds are decidedly different from those of the dental *d*, *l*, *n*, *s*, and *t*. Listen carefully while your instructor pronounces these words:

[ḍ]	[ḷ]	[ṇ]	[ṭ]
bord [bω:ḍ]	härlig [hæ·ḷi(g)‘]	gärna [jæ·ṇa‘]	bort [bɔṭ:]
lärd [læ:ḍ]	förlora [fœḷω:ra]	barn [bɑ:ṇ]	snart [snɑ:ṭ]
fjärde [fjæ·ḍə‘]	kärlek [çæ·ḷe‘k]	hörn [hœ:ṇ]	starta [stɑ·ṭa‘]

[ʂ]	*Compare:* *Dentals:*	*Supradentals:*
värst [væʂ:t]	bod [bω:d], *store*	bord [bω:ḍ], *table*
person [pæʂω:n]	fat [fɑ:t], *saucer*	fart [fɑ:ṭ], *speed*
förstå [fœʂtå:]	stat [stɑ:t], *state*	start [stɑ:ṭ], *start*

Notice that the *r*'s in the words with supradentals are not heard.[1]

Swedes who use the southern or uvular *r* do not use [ḍ], [ḷ], [ṇ], [ṭ], and [ʂ]. They pronounce *bord* [bω:rd], *förlora* [fœrlω:ra], *gärna* [jæ·rna‘], *bort* [bɔr:t], and *värst* [vær:st], with the *r*'s definitely heard.

17. C. This letter does not represent a sound of its own. It represents:

[s] like *s* in *s*ail when followed by a soft vowel (*i*, *y*, or *e*).

[k] like *c* in *c*at when followed by a hard vowel (*a*, *å*, *o*, or *u*) or by another consonant, and in the formal pronuncia-

[1] American teachers whose students find it difficult to distinguish carefully between the dentals and supradentals will find these comments by Dr. Olof Gjerdman of the University of Uppsala useful:

> Sångare, predikanter, föredragshållare o.s.v. hör man icke sällan uttala *rd*, *rt*, *rn*, *rs* med rullat tungspets-*r*+vanligt tunt *d*, *t*, *n*, *s*, i stället för med tjockt *d*, *t*, *n*, och det *sj*-artade *rs*-ljudet. Ett sådant uttal kan i mindre högtidlig stil verka "bokspråk," men det är vida att föredraga framför så många ungdomars och även äldre personers "barnsliga" *bått*, *gåden*, *gadiner*, *gaderob*, *gäna*, *systen*, *föståss*, *ja vass* o.d. för *bort*, *gården*, *gardiner*, *garderob*, *gärna*, *systern*, *förståss*, *ja vars*. Förbindelsen *rl* uttalas antingen som *r* + tunt vanligt *l* eller—i de trakter, där tungspets-*r* begagnas—därjämte utan *r* men med ett tjockt *l* besläktat med de tjocka *d*, *t*, *n*, för *rd*, *rt*, *rn*.
>
> —*Svensk uttals- och välläsningslära*, 23.

tion of *ch* in *och* [ɔk:] (and). Long *k* is regularly written *ck*, except in *och*. The colloquial pronunciation of *och* is [å:].

[ʃ] like *sh* in *sh*elf, when followed by an *h* (except in *och*).

Imitate your instructor's pronunciation of these words:

[s]	[k]	[ʃ]
multiplicera [mul′tiplise:ra]	Carl [kɑ:l̥]	choklad [ʃωklɑ:d]
accent [aksän:t]	böcker [bök:ər]	chef [ʃä:f]
central [säntrɑ:l]	clown [klau:n]	chaufför [ʃɔfœ:r]

18. Unvoicing. *b*, *d*, *g*, and *v* are usually pronounced [p], [t], [k], and [f] before *s* and *t*. Imitate your instructor's pronunciation of these words:

Jacobs [jɑ:kɔps] — sagt [sak:t]
snabbt [snap:t] — dags [dak:s]
guds [gut:s] — behövs [behöf:s]

19. Long m and n. Long *m* and long *n* are not always represented in spelling by *mm* and *nn*. Between vowels, long *m* usually and long *n* regularly are represented by *mm* and *nn*. In final position, long *m*, however, almost always is represented by *m*, and long *n* sometimes is represented by *n*.

Study these words:

män [män:], *men* — dröm [dröm:], *dream*
männen [män:ən], *the men* — drömmen [dröm:ən], *the dream*
but — *but*
son [så:n], *son* — sommar [sɔm·ar‘], *summer*
sonen [så:nən], *the son* — somrar [sɔm·rar‘], *summers*

20. Silent Consonants. Initial *d*, *g*, *h*, and *l* are silent before *j*.

djur [jɯ:r] — gjort [jω:ʈ] — hjälp [jäl:p] — ljus [jɯ:s]
djup [jɯ:p] — gjorde [jω·ɖə‘] — hjärta [jæʈ·a‘] — ljud [jɯ:d]

Initial *g* and *k* are not silent before *n*. Compare *knä* [knä:] and *knee; gno* [gnω:] and *gnat*.

g is silent in the colloquial pronunciation of any form of *morgon* [mɔr·ɔn‘], morning; in the adjectival ending *-ig* (e.g., *livlig* [li·vli‘], lively) and often in the ending *-igt* (e.g., *trevligt* [tre·vlit‘], pleasant or pleasantly); and in the colloquial pronunciation of forms of *en dag*, a day.

l is silent in *värld* [væ:ḍ], world, and *karl* [kɑ:r], man.

d is silent in *trädgård* [trä·gå‘ḍ], garden, and in *äldst* [äl:st], oldest.

n is usually silent when it follows [ŋ] or *m* and precedes *d*, *s*, or *t*. Examples: *lugnt* [luŋ:t]; *jämnt* [jäm:t].

Other silent consonants will be noted as they occur.

LESSON V

Classroom Expressions. Colloquial and Formal Swedish. Punctuation. Capitalization. Syllabication.

WRITE:	PRONOUNCE, IMITATING YOUR INSTRUCTOR:	TRANSLATE:
God morgon.	[gω: mɔr·ɔn‘]	Good morning.
God dag.	[gω: dɑ:]	Hello.
Hur mår ni?	[hɯ:r må:r ni:]	How are you?
Mycket bra, tack.	[myk·ə‘ brɑ:, tak:]	Very well, thank you.
Inte vidare bra.	[in·tə‘ vi·darə‘ brɑ:]	Not very well.
Vad är det?	[vɑ: ä: dä:]	What is that?
Det är en bok.	[dä: ä: en: bω:k]	That is a book.
Vad är detta?	[vɑ: ä: dät·a‘]	What is this?
Detta är ett klass-rum.	[dät·a‘ ä: et: klas·-rum‘]	This is a classroom.
Vem är det?	[vem: ä: dä:]	Who is that?
Det är en student.	[dä: ä: en: studän:t]	It is a student.
Vilken läxa har vi?	[vil·kən‘ läk·sa‘ hɑ:r vi:]	Which lesson do we have?
Vi har femte läxan.	[vi: hɑ:r fäm·tə‘ läk·san‘]	We have the fifth lesson.
Svara på svenska.	[svɑ·ra‘ på: svän·-ska‘]	Answer in Swedish.
Fröken Berg, vill ni vara snäll och lä-sa?	[frø:kən bær:j, vil: ni: vɑ·ra‘ snäl: å: lä·sa‘]	Please read, Miss Berg.
Läs nästa sats, herr Ström.	[lä:s näs·ta‘ sat:s, hær: ström:]	Read the next sentence, Mr. Ström.

WRITE:	PRONOUNCE, IMITATING YOUR INSTRUCTOR:	TRANSLATE:
Översätt nästa sats, fröken Lund.	[ø·vəʂät‘ näs·ta‘ sat:s, frø:kən lun:d]	Translate the next sentence, Miss Lund.
Fortsätt, herr Dahl.	[fω·ṭsät‘, hær: dɑ:l]	Continue,Mr.Dahl.
Skriv satsen på svarta tavlan.	[skri:v sat:sən på: svaṭ·a‘ tɑ·vlan‘]	Write the sentence on the blackboard.
Vad betyder det?	[vɑ: bety:dər dä:]	What does that mean?
Hur säger man . . . på svenska? engelska?	[hɯ:r säj:ər man: . . . på: svän·ska‘? äŋ:əlska]	How does one say . . . in Swedish? English?
Man säger . . .	[man: säj:ər . . .]	One says . . .
Hur stavar ni . . .?	[hɯ:r stɑ·var‘ ni: . . .]	How do you spell . . .?
Det var bra.	[dä: vɑ: brɑ:]	That was good.
Det var inte bra.	[dä: vɑ: in·tə‘ brɑ:]	That was not very good.
Vad sade ni?	[vɑ: sɑ: ni:]	What did you say?
Säg det om igen.	[säj: dä: ɔm: ijän:]	Repeat that.
Förstår ni vad jag sade?	[fœʂtå:r ni: vɑ: jɑ: sɑ:]	Do you understand what I said?
Ja, det förstår jag.	[jɑ:, dä: fœʂtå:r jɑ:]	Yes,I understand it.
Nej, det förstår jag inte.	[näj: dä: fœʂtå:r jɑ: in·tə‘]	No, I do not understand it.
Tack så mycket!	[tak: så: myk·ə‘]	Thank you!
Adjö, fru Alm.	[ajø:, frɯ: al:m]	Good-bye, Mrs. Alm.

In the phonetic transcription, each word is reproduced as an independent word. Notice, however, when your instructor pronounces each expression aloud, that only the words which are stressed retain their decided acute or grave intonation.

For example:

God morgon.	[gω: mɔr·ɔn‘]	becomes	[gω′ mɔr·ɔn‘]
God dag.	[gω: dɑ:]	becomes	[gω′ dɑ:]
Det var bra!	[dä: vɑ: brɑ:]	becomes	[dä vɑ brɑ:]

The only effective means of learning intonation in connected speech is deliberate imitation of the instructor's intonation.

Since the most important unit of speech is the sentence, you should commit entire sentences to memory. Begin by learning the classroom expressions.

21. Colloquial and Formal Swedish. In Swedish, as in English, there are various standards of usage. Of these, you need from the beginning to be aware of the two broad standards, the *colloquial* and the *formal.* By colloquial Swedish is meant the conversational Swedish used by educated people. It is used not only in conversation but also in informal speeches, often in dialog in literary prose, and in friendly letters. Formal (or literary) Swedish is used in newspapers, textbooks, business letters, learned journals, sermons, public addresses, legal documents, literary prose, etc. Formal Swedish is much more conservative than colloquial Swedish in the retention of old grammatical forms, diction, pronunciation, etc. Compare, for example:

LITERARY PLURALS OF VERBS		COLLOQUIAL PLURALS
vi gå	*we go*	vi går
vi gingo	*we went*	vi gick
vi komma att gå	*we shall go*	vi kommer att gå
vi skola gå	*we will go*	vi ska(ll) gå
vi ha(va) gått	*we have gone*	vi har gått
vi skola ha(va) gått	*we shall have gone*	vi ska(ll) ha gått

The colloquial plural is identical with the singular; the "literary plural" forms are not used in conversational Swedish.

Formal speech often differs from colloquial speech in diction or choice of words. For example, formal Swedish uses *blott* (only) while colloquial Swedish uses *bara* (only). Colloquial Swedish prefers the short indefinite singular nouns *far, mor*, and *bror* to the more formal *fader* (father), *moder* (mother), and *broder* (brother). These are merely a few of the many divergences in vocabulary. Others will be noted as they occur.

The pronunciation of many common words varies according to the standard of usage involved. For example,

FORMAL	COLLOQUIAL	FORMAL	COLLOQUIAL
och [ɔk:], *and*	[å(:)]	de [de:], *they*	[di:]
säger [säg:ər], *says*	[säj:ər]	vad [vɑ:d], *what*	[vɑ:]
sade [sɑ·də‘], *said*	[sɑ:]	dem [däm:], *them*	[dɔm:]

Throughout this book, your attention will be called to colloquialisms. You will want to master them, as your spoken Swedish should be conversational and not bookish.

22. Punctuation. Punctuation marks are used in Swedish much as in English. The following differences should be noted, however. Commas are generally placed between clauses of all kinds:

Han såg bara båten, och han låtsade, att det var hans båt.	He saw only the boat, and he pretended that it was his boat.
Jag hoppas, du skriver snart.	I hope you will write soon.
Men männen, som bodde i närheten, ville inte hjälpa honom.	But the men who lived in the neighborhood did not want to help him.
Solen har gått ned, alltså är det afton.	The sun has set; therefore, it is evening.

In a series, a comma is placed after each member except the next to the last:

Anna, Ingrid, Tora och Edla sovo.	Anna, Ingrid, Tora, and Edla were sleeping.

A colon is used before a direct quotation:

Prästen sade: "Jag kan inte komma."	The minister said, "I can not come."

If the direct quotation comes first, it is set off with a comma:

"Jag kan inte komma," sade prästen.	"I can not come," said the minister.

Notice the omission of the period after these abbreviations:

hr (herr), Mr. *dr* (doktor), Dr.

23. Capitalization. Use a capital in:

(a) The first word of a sentence. Example: *Det var han!* (It was he).

(b) Proper names. Example: *Anna Nilsson.*

(c) Titles in direct address, salutations: *Bästa Herr Broberg!* (Dear Mr. Broberg).

(d) Names of the Deity: *Gud* (God), *Herren* (the Lord), *Frälsaren* (the Saviour), den *Högste* (the Most High).

(e) The first part of compound names like *Förenta staterna* (United States).

(f) *I* (archaic plural *you*) and *Ni* (you), *Eder* or *Er* (you, your) in correspondence.

Do *not* use a capital in:

(a) The names of the days, the holidays, and the months: *måndag* (Monday); *jul* (Christmas); *påskdagen* (Easter Day); *januari* (January).

(b) The names of peoples: *svenskar* (Swedes); *amerikaner* (Americans).

(c) Adjectives and nouns derived from proper names: *luthersk* (Lutheran); *amerikansk* (American).

24. Syllabication. Compound words are divided according to their component parts. Examples: *klassrum, klass-rum,* classroom; *middag, mid-dag,* noon; *vänlighet, vän-lig-het,* friendliness. Suffixes such as *-aktig, -bar, -dom, -het, -lig, -sam,* and *-skap* are treated as component parts in dividing a word into syllables.

In simple words, a consonant between two vowels goes with the second vowel. Example: *lä-ra.* If there are two or more consonants between two vowels, the final consonant goes with the second vowel. Examples: *fin-na; tyck-te.*

sj, *sch*, *sk* (if representing the *sje*-sound—see section 13), or any other group of consonants representing the *sje*-sound go with the vowel following: *människa*, *män-ni-ska* [män·iʃa‘], human being.

ng (if representing the *äng*-sound) and *x* go with the preceding vowel: *ringa*, *ring-a*, to ring; *växa*, *väx-a*, to grow.

DRILL

Write out these words, dividing them into syllables: fader; gata; liten; öga; amerikan; annan; läxan; ingen; unge; ansjovis; pröva; lärare; byxor; förstå; föräldrar; addera; skänka; skafferi; prinsessa; väninna; flicka.

LESSON VI

Review. Cardinal Numerals. Proper Names.

A

Recite the Swedish alphabet.

B

Divide each word into syllables (in writing):

bita	blomma	drömma	andra	måndag	klassrum
dina	byggnad	lilla	läxorna	springer	mindre
vägar	hänga	allra	Anna	yngre	växande
vilade	början	gubbe	ansjovis	betyda	sjunger
lärare	annan	bottnar	finger	söndag	försöka

C

On which syllable is the principal stress placed in each of these words?

lärare	behålla	förlora	skafferi	prinsessa
arbetar	besöka	förstå	speceri	lärarinna
mamma	betyda	förlåta	studera	väninna
duktig	bekant	föräldrar	addera	dividera

D

Which vowels are long and which are short in C? Why?

E

Which vowels are soft? Which are hard? What effect does a soft vowel following *g*, *k*, or *sk* in a stressed syllable have on the *g*, *k*, or *sk?* Rewrite these words in phonetic transcription:

gack	göra	kaffe	kyss	ske	skaka
gifta	bege	känd	Kina	skall	skepp
glad	gata	kära	komma	skal	skänka
grad	förgöra	karl	kök	sky	skär
gömma	gubbe	klok	kunna	skog	skriva
gömd	gul	köpa	käke	skola	skuta

F

Which consonants are long and which are short in E? Why?

G

Rewrite these words in phonetic transcription:

flicka	värld	djur	knacka	ljud	härlig
högt	bord	ljus	regn	sköna	jämnt
hjälp	gärna	Karl	hjul	kyrka	dock
hjärta	och	karl	njuta	berg	väninna

H

Memorize these cardinal numbers:

1. ett (n.) [et:]; en (nn.) [en:]
2. två [två:]
3. tre [tre:]
4. fyra [fy·ra‘]
5. fem [fäm:]
6. sex [säk:s]
7. sju [ʃɯ:]
8. åtta [ɔt·a‘]
9. nio [ni·ω‘, coll. ni·ə‘]
10. tio [ti·ω‘, coll. ti·ə‘]
11. elva [äl·va‘]
12. tolv [tɔl:v]
13. tretton [trät·ɔn‘]
14. fjorton [fjω·ṭɔn‘]
15. femton [fäm·tɔn‘]
16. sexton [säk·stɔn‘]
17. sjutton [ʃut·ɔn‘]
18. aderton [ɑ·dəṭɔn‘, coll. ɑ·ṭɔn‘]
19. nitton [nit·ɔn‘]
20. tjugo [çɯ·gω‘, coll. çɯ·gə‘]

I

These are the proper names used in the text; pronounce them in imitation of your instructor:

Adolf [ɑ·dɔl‘f]
Ahl [ɑ:l]
Ahlgren [ɑ·lgre‘n]
Alf [al:f]
Alm [al:m]
Alma [al:ma]
Almquist [al·mkvis‘t]
Anders [an·dəʃ‘]
Andersson [an·dəʃɔn‘]
Anna [an·a‘]
Berg [bær:j]
Bergman [bær:jman]
Berling [bæ·ḷiŋ‘]
Birgit [birgit:]

Blekinge [ble·kiŋə‘]
Blom [blωm:]
Bo [bω:]
Bohuslän [bω·hɯslä‘n]
Boman [bω:man]
Bremer [bre:mər]
Broberg [brω·bær‘j]
Dahl [dɑ:l]
Dahlberg [dɑ·lbær‘j]
Dalarna [dɑ·lana‘]
Dalman [dɑ:lman]
Dalquist [dɑ·lkvis‘t]
Dalsland [dɑ:lsland]
Danmark [dan:mark] (Denmark)
Disa [di·sa‘]
Ebba [äb·a‘]
Ekblom [e·kblω‘m]
Elsa [äl·sa‘]
Emil [e:mil]
Erik [e·rik‘]
Eriksson [e·riksɔn‘]
Europa [äɯrω:pa]
Falk [fal:k]
Finland [fin:land]
Frida [fri·da‘]
Gottland [gɔt:land]
Greta [gre·ta‘]
Gunnar [gun·ar‘]
Gustav [gus·tav‘]
Gästrikland [jäs·triklan‘d]
Gösta [jös·ta‘]
Götaland [jø·talan‘d]
Göteborg [jøtebɔr:j]
Halland [hal:and]
Hanna [han·a‘]
Hans [han:s]
Helga [häl·ga‘]
Hilda [hil·da‘]
Hilma [hil:ma]
Hjalmar [jal:mar]
Hoberg [hω·bær‘j]
Holm [hɔl:m]
Holmquist [hɔl·mkvis‘t]
Hälsingland [häl·siŋlan‘d]
Härjedalen [hær·jədɑ‘lən]
Inez [i:nəs]
Ingeborg [iŋ·əbɔr‘j]
Ingrid [iŋ:rid]
Island [i:sland] (Iceland)
Jan [jan:]
Janne [jan·ə‘]
Johan [jω·han‘]
Johansson [jω·hansɔn‘]
Jämtland [jäm:tland
Karin [kɑ·rin‘]
Karl [kɑ:l̥]
Karlstad [kɑ:l̥stɑ′(d)]
Kebnekaise [keb·nekaj‘sə]
Krantz [kran:s]
Lagerlöf [lɑ·gərlø‘v]
Lantz [lan:s]
Lappland [lap:land]
Lars [lɑ:ʂ]
Lind [lin:d]
Lindblad [lin·dblɑ‘d]
Lindblom [lin·dblωm‘]

Lindvall [lin·dval‘]
Lund [lun:d]
Malmö [mal·mø‘]
Medelpad [me·dəlpɑ‘d]
Mälaren [mä·larən‘]
Nils [nil:s]
Nisse [nis·ə‘]
Norge [nɔr:jə] (Norway)
Norrland [nɔr:land]
Norrmalm [nɔrmal:m]
Närke [nær:kə]
Olle [ωl·ə‘]
Olov [ω·lɔv‘]
Olsson [ωl:sɔn]
Oskar [ɔs:kar]
Palm [pal:m]
Per [pæ:r]
Quist [kvis:t]
Riddarholm [rid·arhɔl‘m]
Riksdag [rik:sdɑg; coll. rik:sta (Parliament)
Rut [rɯ:t]
Selma [säl:ma]
Skåne [skå·nə‘]
Småland [små:land]
Sten [ste:n]
Stina [sti·na‘]
Stockholm [stɔk·(h)ɔl‘m]
Strand [stran:d]
Strindberg [strin·dbær‘j]
Svante [svan·tə‘]
Svealand [sve·alan‘d]
Sven [svän:]
Svensson [svän:sɔn]
Sverige (Sverge) [svær:jə] (Sweden)
Södermanland [sø·dərman-lan‘d]
Sörmland [sœr:mland]
Södermalm [sødərmal:m]
Tor [tω:r]
Uppland [up:land]
Uppsala [up·sɑ‘la]
Värmland [vær:mland]
Västerbotten [väs·tərbɔt‘ən]
Västergötland [väs·tərjø‘t-land]
Västmanland [väs·tmanlan‘d]
Wahl [vɑ:l]
Wallin [vali:n]
Ångermanland [ɔŋ·ərman-lan‘d]
Öland [ø:land]
Örebro [œ′rəbrω:]
Öresund [œ′rəsun:d]
Östergötland [ös·tərjø‘tland]
Östermalm [ös′tərmal:m]
Östersjön [ös·tərʃön‘] (the Baltic)

ABBREVIATIONS

adj., adjective
adv., adverb
coll., colloquial
con., conjugation
conj., conjunction
decl., declension
def., definite
dep., deponent
det., determination
fem., feminine
fut., future
indef., indefinite
inf., infinitive
inv., invariable
irr., irregular
masc., masculine
n., neuter
nom., nominative
nn., non-neuter
obj., objective
perf., perfect
pl., plural
poss., possessive
prep., preposition
pres., present
pron., pronoun
refl., reflexive
rel., relative
sg., singular

A THOUSAND YEARS AND MORE

Before the year 1000 A.D., the history of Sweden was recorded largely in sagas and legends, in crude carvings on rocks in coastal regions, in the inscriptions of rune stones that tell mostly of the far wandering of intrepid Viking adventurers. There are even earlier remains from prehistoric times from which archaeologists have been able to form a fairly continuous record of the stone age, the bronze age, and the iron age. Tacitus, the Roman historian, speaks of the tribes of the "Suiones" and refers to southward migrations of the Goths as early as 100 A.D. In the Anglo-Saxon epic "Beowulf" and other sources, the division of tribes into the two main groups, Svear and Gautar, clearly appears. By the year 600 A.D., . . . they had formed themselves into some sort of union which becomes the nucleus of the present Swedish State.

The first hint of a direct contact with the outside world comes with the Age of Migrations. There were Goths, or Gautar, from Sweden who joined the hordes that swept down over Europe and invaded the Roman Empire. Remains of old fortresses on the islands of Öland and Gotland, off the eastern coast of Sweden, and in the Baltic states definitely reveal traces of an evacuation of population in the fifth or sixth centuries. With the Viking era, from 800 to 1060 A.D., the contact with regions both east and west became more pronounced. The Swedish Vikings voyaged mostly eastward and were not alone pirates but merchants bent on carrying on a peaceful trade. In the ninth century, Rurik and his brothers, said to have come from Roslagen, a region lying north of Stockholm, established order among the warring tribes in the vast country to the east and laid the foundation of the Russian Empire. Novgorod became an important trade center. Visby, on the island of Gotland, was another, a free port, from which the goods were relayed to Western Europe. Swedish Vikings served as mercenaries in the bodyguard of the Byzantine emperor, and a lively trade developed between the Near East with its spices and shimmering soft silks and the North with its honey, wax, and furs. On the famous Lion of St. Mark's in Venice are engravings in runic writing, attributed to some of these adventurers from the North.

At the beginning of the eleventh century, after earlier unsuccessful attempts, Christianity began to be permanently established in Sweden through the activity of Anglo-Saxon missionaries. Ansgar, who had come from Germany as early as the end of the ninth century, had preached at Birka, on the island of Björkö, near the present site of Stockholm, but had not succeeded in establishing a permanent church. About the year 1060 the new religion was so firmly entrenched that Sweden set out on a crusade into Finland, a crusade that ended also with conquest and the incorporation of Finnish territory as a province of Sweden.

From now on, for several centuries, the history of Sweden is largely one of establishing a state with political security and independence and of conflicts with neighbors over boundaries. One of the most powerful earls, Birger Jarl, founded the city of Stockholm which became the capital and the leading center for trade and commerce. He was also the first leader of the Folkung dynasty whose rulers effected important political reforms aiming at the promotion of justice and national security. In 1365 this dynasty was overthrown. Large numbers of Germans had come to Sweden and as great lords and merchants had achieved a dominating influence—and for a quarter of a century Albert of Mecklenburg, a German prince, ruled the country.

From 1389 to 1521 the three kingdoms of the North, Sweden, Norway, and Denmark, were united nominally under one ruler. When, however, the powerful Queen Margareta of Denmark, who established this union, was succeeded by weaker regents, the growing unrest found expression in determined attempts in Sweden to rid the country of foreign influence and to re-establish the old ideals of national liberty. In 1435 Engelbrekt Engelbrektsson, who led the first uprising of the peasants, summoned representatives of the four estates to Arboga to form the first Swedish Parliament. Almost a century passed, however, before Gustav Vasa finally overthrew the Danish rule and therewith became the great and popular hero of national independence. He was elected king in 1523, and a reign that threatened tyranny at first, due to his eager zeal to effect reforms and build up a prosperous state, ended in greater moderation.

In the seventeenth century Sweden enters upon its age of political greatness. During the reign of Gustav Adolf, Sweden was the most important power in northern Europe, and the political and territorial expansion was so extensive that the Baltic Sea became, in effect, a Swedish inland lake. In the Thirty-years War he allied himself with the German Protestants and won a succession of brilliant victories over the armies of Austria and the Catholic part of Germany. At the head of his army he met death in the Battle of Lützen in 1632. After the peace of Westphalia in 1648, Sweden was one of the great powers in Europe, but within a half century reverses had begun. When Karl XII ascended the throne in 1697, he faced a coalition of hostile powers—Russia, Poland, Denmark, and parts of Germany. He invaded enemy territory and made brilliant campaigns, but his defeat at Poltava in 1709 marked also the collapse of greater Sweden. When he died in 1718, practically all the trans-Baltic possessions had been lost. Finland, however, remained Swedish territory until 1809.

Before the middle of the seventeenth century, however, Sweden had also diverted its policy of expansion in another direction. This was the period of active interest in colonization of America. Axel Oxenstierna, the great chancellor under Gustav Adolf, continued to develop the plans begun by the King, and in 1638 a Swedish colony was established in America on the banks of the Delaware River. One of the last Swedish governors who ruled over this colony was Johan Printz, whose tomb is now found at the Bottnaryd church near Jönköping, in south central Sweden. New Sweden, the colony in America, was absorbed by the Dutch in 1656. The Swedish immigrants, however, who entered the country in a steady stream during the next two centuries were also colonizers in their way: big tracts of the American Middle West have been developed by the industry and resourceful energy of the Swedes, who have tended to amalgamate very easily with their new environment and with neighboring populations.

During the eighteenth century in Sweden, Gustav III, known as the "enchanter king," sought to enrich the national life with artistic contributions imported primarily from France and Italy. He introduced French ideals of beauty and elegance into the literature, architecture, interior decoration, and other artistic endeavors of his day. The influence of his period was so pronounced that it stamps much of the pattern of modern life, especially in Stockholm, even today. A more pronounced national development came about, it is interesting to note, with the founding of the present ruling dynasty.... Jean Baptiste Bernadotte, Napoleon's Field Marshal, had been invited to be heir apparent to the Swedish throne during the reign of the childless Karl XIII, and in 1818 he assumed the crown as King Karl XIV Johan.

For more than a century Sweden has enjoyed the blessings of uninterrupted peace. There has been a sharp upward swing in material prosperity and a rapid development of natural resources, with a marked shift toward industrialization. The union with Norway, effected by Bernadotte in 1814, was severed peacefully in 1905, during the reign of Oscar II. Sweden remained a neutral power during the World War.

The present monarch, King Gustav V, succeeded to the throne in 1907. Few Swedish rulers have witnessed so consistent an attempt on the part of the nation as a whole to build solidly for industrial and political peace. In international relations Sweden has especially aimed to support and preserve the rights and interests of the smaller nations. Within her own boundaries there is a stressing of the national contribution. The visitor to Sweden finds many manifestations of the spirit of today: a spirit that is tolerant toward the cultural developments of other countries but that finds at home the chief mainspring of strength.

—From Erik Lindberg's *Sweden: Glimpses of Its Charm, Traditions, and Modern Progress,* by permission of the Swedish Traffic Association.

LESSON VII

Gender and the Indefinite Articles. Pronouns of Reference. The Present Tense of *att ha(va)* and *att vara*.

Ett Klassrum

NEUTER:

Vad är detta? Detta är *ett* klassrum. Vad är det? Det[1] är *ett* tak, det är *ett* fönster, det är *ett* bord och det är *ett* golv.

NON-NEUTER:

Vad är det? Det är *en* vägg, det är *en* klocka, det är *en* karta, det är *en* svart tavla, det är *en* stol, det är *en* bok och det är *en* penna.

Vem är det? Det är *en* lärare (*en* lärarinna), det är *en* flicka, det är *en* elev, det är *en* gosse, det är *en* student och det är *en* studentska.

[1] *Det* may be used as a general or representative subject (equivalent to *it* or *that*) without regard to the gender of the predicate noun.

Vad är det? What is that? *Det är en stol.* It is a chair.
Vem är det? Who is that? *Det är en lärare.* It is a teacher.

En man frågar: "Går ni i skolan?" Anna och Erik svarar: "Ja, vi går i skolan." Johan frågar: "Vad heter du?" Erik svarar: "Jag heter Erik." Vad är *en* lärare? *En* lärare är *en* man. Vad är herr Alm? Han är lärare. Vad heter han? Han heter Alm. Vad är han lärare i? Han är lärare i svenska. Vad är *en* lärarinna? *En* lärarinna är *en* kvinna. Vad är du? Jag är *en* gosse (*en* flicka). Jag är elev (student, studentska.) Vad är *en* elev? *En* elev är *en* gosse eller *en* flicka. Vad är *en* student? *En* student är *en* man. Vad är *en* studentska? *En* studentska är *en* kvinna. Erik frågar herr Alm: "Vad heter min herre?" Herr Alm svarar: "Jag heter Alm." Ser ni herr Alm? Ja, vi ser honom. Ser ni fröken Berg? Ja, vi ser henne. Ser ni Gustav och Bo? Ja, vi ser dem. Herr Alm frågar: "Vad har Erik?" Erik svarar: "Jag har *en* bok." Herr Alm frågar: "Vad har Anna?" Anna svarar: "Jag har *en* penna." Har Anna *en* bok? Ja, hon har *en* bok.

25. Gender and the Indefinite Articles. For all practical purposes, Swedish nouns are either *neuter* nouns or *non-neuter* nouns. Since the primary key to this division is the indefinite article, always learn the indefinite article with the noun.

Neuter nouns:	*ett* bord (a table); *ett* rum (a room)
Non-neuter nouns:	*en* gosse (a boy); *en* stol (a chair)

Ett [et:] is the indefinite article (English *a* and *an*) used with a neuter noun; *en* [en:] is the indefinite article used with a non-neuter noun.

(a) The indefinite article is not used before a predicate noun indicating profession, vocation, relationship, affiliation (fraternal, political, or religious), and nationality.

Anna Lind är *lärarinna.*	Anna Lind is *a teacher.*
Gustav är *svensk.*	Gustav is *a Swede.*

Such a predicate noun follows some form of *att vara* (to be) or of *att bliva* (to become) and is synonymous with the subject of the verb. If an adjective modifies a predicate noun, the article is used:

Fröken Lind är *en snäll lärarinna.* — Miss Lind is *a kind teacher.*

Compare these sentences with the first two Swedish sentences in (a):

Det är *en lärarinna.*	It is *a teacher.*
Det är *en svensk.*	It is *a Swede.*

(b) The indefinite article is not used in expressions such as:

Jag har *fått svar.*	I have *received an answer.*
Som barn kände han oss inte.	*As a child* he did not know us.
Vilken vacker hatt!	*What a beautiful* hat!

26. Pronouns of Reference. The pronouns of reference in the nominative and objective cases are:

(a) *han* [han:] (he) and *honom* [hɔn·ɔm‘] (him) refer to a masculine being.

Min bror reste i går. *Han* kommer tillbaka om en vecka.	*My brother* left yesterday. *He* will return in a week.
Jag ser *min bror.*	I see *my brother.*
Jag ser *honom.*	I see *him.*

(b) *hon* [hω:n] (she) and *henne* [hän·ə‘] (her) refer to a feminine being.

Anna kom inte, *hon* måste arbeta.	*Anna* did not come; *she* had to work.
Har du träffat *Anna?*	Have you met *Anna?*
Har du träffat *henne?*	Have you met *her?*

(c) *den* [dän:] (it) refers to any non-neuter noun, singular, that is not obviously the name of a feminine or masculine being.

Har du *pennan?*	Do you have *the pen?*
Har du *den?*	Do you have *it?*
Nej, *den* ligger där.	No, *it* is lying there.

(d) *det* [dä:t, coll. dä: *or* de:] (it) refers to a neuter noun, singular.

Är *huset* stort?	Is *the house* large?
Nej, *det* är litet.	No, *it* is small.
Köpte Andersson *huset?*	Did Anderson buy *the house?*
Köpte han *det?*	Did he buy *it?*

(e) *de* [de:, coll. di:] (they) and *dem* [däm:, coll. dɔm:] (them) refer to any plural noun.

Är *husen* vackra?	Are *the houses* beautiful?
Nej, *de* är fula.	No, *they* are ugly.
Äger han *husen?*	Does he own *the houses?*
Äger han *dem?*	Does he own *them?*

The objective form is used when the pronoun is the direct object, the indirect object, or the object of a preposition. The nominative form is used when the pronoun is the subject of a verb or a predicate nominative. (Det är *jag*. It is *I*.)

27. Present Indicative of *att ha(va)* (to have). Memorize:

jag [jɑ:]	*har* [hɑ:r]	I have	*vi* [vi:]	*har* [hɑ:r]	we have
du [dɯ:]		you have	*ni* [ni:]		you have
ni [ni:]		you have			
han [han:]		he has	*de* [di:]		they have
hon [hɷn:]		she has			
den [dän:]		it has			
det [dä: *or* de:]		it has			

Literary plural: *vi ha(va)* [hɑ:], *ni ha(va)*, *de* [de:] *ha(va)* [hɑ·va'].

(a) Swedish lacks the progressive and the emphatic forms of the present indicative. Thus, *han har* may be translated "he has" (positive), "he is having" (progressive), or "he does have" (emphatic). This applies also to other verbs. Thus, *jag frågar* may be translated "I ask," "I am asking," or "I do ask," according to the meaning and the context. In the next four vocabularies, only the positive form will be given. Notice that any pronoun or noun is used with the present indicative form of the verb.

(b) The formal pronunciation of *jag* is [jɑ:g], of *det* [dä:t], and of *de* [de:].

(c) *Du*, the intimate "you," is used in speaking to a person whom one would address by his given name. Children ordinarily address older members of the family as "mamma," "pappa," "tant" (aunt), etc. The name is frequently substituted for the pronoun in personal address.

Du måste göra det.	*You* have to do it.
Erik måste göra det.	*You* have to do it, Erik.
Skall *mamma* ge mig den?	Are *you* going to give it to me, Mother?

Ni, the formal "you," is used in speaking to a person one does not know well. Many Swedes consider the singular *ni* impolite, however, and avoid using it by substituting the title of the person addressed, his name, the third person pronoun (*han* or *hon*), or a general term: *min herre* or *herrn* (you, sir); *fröken* (you, Miss——); *min fru* or *frun* (you, Mrs. ____, or Madam).

Title:	Kommer *professorn?*	Are *you* coming, Professor?
Name:	Har *fröken Alm* boken?	Do *you* have the book, Miss Alm?
Pronoun:	Har *han* den?	Do *you* have it?
General term:	Vet *min herre* det?	Do *you* know that, sir?

All these substitutes for *ni* must be translated by "you."

28. The Present Indicative of *att vara* (to be).

Memorize:

jag	är [æ:r, coll. ä:]	I am	*vi*	är	we are
du		you are	*ni*		you are
ni		you are	*de*		they are
han		he is			
hon		she is			
den		it is			
det		it is			

The literary plural is *äro* [æ·rω‘].

VOCABULARY

In this and subsequent vocabularies, commit the words to memory. You are also responsible for the various pronouns and verbs in sections 26, 27, and 28.

en bok, a book [bω:k]
ett bord, a table [bω:ḍ]
det, that, it [dä:t, coll. dä: *or* de:]
detta, this [dät·a‘]
en elev, a pupil [ele:v]
eller, or [äl:ər]
en (nn.), a, an, one [en:]
ett (n.), a, an, one [et:]
en flicka, a girl [flik·a‘]
frågar, ask(s) [frå·gar‘]
fröken, Miss [frø:kən]
ett fönster, a window [fön:stər]
ett golv, a floor [gɔl:v]
en gosse, a boy [gɔs·ə‘]
går, go(es), [gå:r]
  går i skolan, go(es) to school
herr, Mr. [hær:]
en herre, a gentleman [hær·ə‘]
  min herre, you (polite)
heter, are (is) called [he:tər]
  Vad heter du? What is your name?
i, in, of, during, for [i:]
inte (coll. negative), not [in·tə‘]
ja, yes [jɑ:]
en karta, a map [kɑ·ṭa‘]
ett klassrum, a classroom [klas·rum‘]
en klocka, a clock, watch [klɔk·a‘]
en kvinna, a woman [kvin·a‘]
en lärare, a (man) teacher [læ·rarə‘]
  lärare i, teacher of
en lärarinna, a (woman) teacher [læ'rarin·a‘]
en man, a man [man:]
min, my [min:]. See *herre.*
nej, no [näj:]
och, and [ɔk:, coll. å:]
en penna, a pen [pän·a‘]
ser, see(s) [se:r]
en skola, a school [skω·la‘]. See *går.*
en stol, a chair [stω:l]
en student, a student (in Sweden, one who has passed "*studenten,*" roughly equivalent to junior standing in an American college) [studän:t]
en studentska, a woman student, co-ed [studän:tska]
svarar, answer(s) [svɑ·rar‘]
en svart tavla, a blackboard [svaṭ: tɑ·vla‘]
svenska, the Swedish language [svän·ska‘]
ett tak, a ceiling, roof [tɑ:k]
vad, what [vɑ:d, coll. vɑ:]
vem, (sg.) who [vem:]
en vägg, a wall [väg:]

DRILLS

A

Supply the indefinite articles: Vad är det?

Det är ______ stol.
Det är ______ tak.
Det är ______ penna.
Det är ______ fönster.
Det är ______ svart tavla.
Det är ______ klocka.

Det är ______ bok.
Det är ______ vägg.
Det är ______ golv.
Det är ______ klassrum.
Det är ______ skola.
Det är ______ bord.

Vem är det?

Det är ______ elev.
Det är ______ man.
Det är ______ flicka.
Det är ______ lärarinna.
Det är ______ student.
Det är ______ gosse.
Det är ______ herre.
Det är ______ studentska.
Det är ______ lärare.
Det är ______ kvinna.

B

Substitute the appropriate pronoun of reference for each italicized noun or noun-group: Example: *Karl* är student. *Han* är student.

1. *Fröken Lund* är lärarinna. 2. Ser *fröken Lund Hilda?* 3. Ja, *fröken Lund* ser *Hilda och Anna.* 4. *Herr Alm* är lärare i svenska. 5. *Herr Palm* frågar, vad *Anna* heter. 6. *Anna* svarar: "Jag heter Anna." 7. Frågar *herr Alm Hilda,* vad hon heter? Ja. 8. Går *Gustav och Anna* i skolan? 9. Ja, *Anna och Gustav* går i skolan. 10. Ser du *Erik?* 11. Ja, jag ser *Erik.* 12. Har *Erik* en penna? 13. Ja, *Erik* har en penna.

C

Answer each question, first positively and then negatively: Example: Är det en stol? Ja, det är en stol. Nej, det är inte en stol.

1. Är det ett fönster? 2. Är det en kvinna? 3. Är fröken Berg lärarinna? 4. Är herr Alm lärare? 5. Frågar du, vad han heter? 6. Går Anna och Bo i skolan? 7. Är du student? 8. Är Karin studentska? 9. Har Nils en penna? 10. Ser du Hanna?

D

Conjugate in the present indicative (See section 27 for model): 1. Jag går i skolan. 2. Går jag i skolan? 3. Jag heter

. . . . 4. Heter jag . . . ? 5. Jag ser Erik. 6. Ser jag Erik? 7. Det är jag. 8. Är det jag? 9. Jag har en penna. 10. Har jag en bok?

E

These sentences include phrases from the list of classroom expressions (see Lesson V and section 27, c). In what ways may these sentences be translated: 1. Vill herr Lund vara snäll och läsa? 2. Förstår fröken Quist vad jag sade? 3. Vad sade fröken Lind? 4. Hur mår studenten? 5. Förstår Anna svenska? 6. Går Hilda i skolan? 7. Hur säger herr Alm det på svenska? 8. Svarar Olov på svenska? 9. Förstår han svenska? 10. Vill herr Strand vara snäll och läsa nästa sats?

F

Translate into Swedish: 1. It is a boy. 2. What is his name? 3. His name is Gustav. 4. He is going to school. 5. He is a pupil. 6. He has a pen, a map, and a book. 7. Gustav is not a teacher. 8. Does he see the teacher? 9. Yes, he sees Mr. Alm. 10. Who is Mr. Alm? 11. Mr. Alm is a teacher of Swedish.

LESSON VIII

The Plural Noun. The Definite Articles.

KLASSRUMMET

NEUTER, SINGULAR:

Vad är det? Det är fönstr*et*, det är tak*et*, det är bord*et* och det är golv*et*.

NON-NEUTER, SINGULAR:

Vad är det? Det är vägg*en*, det är klocka*n*, det är karta*n*, det är dörr*en*, det är stol*en*, det är svarta tavla*n*[1], det är bok*en* och det är penna*n*.

PLURAL AND SINGULAR:

Vad är detta? Det är en klass i svenska. Vad är en klass? En klass är elever och en lärare eller en lärarinna. Vad är elever? Elever är gossar och flickor, som går i skola*n*. Vad gör lärare*n*? Han skriver satser på svarta tavla*n*. Vad heter lärare*n*? Han heter Alm. Vad gör elever*na*? Gossar*na* och flickor*na* läser

[1] *den* and *de*, the prepositive definite articles, are generally omitted in phrases like this.

satser*na*, som lärare*n* skriver på svarta tavla*n*. Talar lärare*n* svenska i klassrumm*et*? Ja, han talar svenska i klassrumm*et*. Var är pennor*na*? Elever*na* har dem. Bok*en* ligger på bord*et* i klassrumm*et*. Hur många stolar har vi i klassrumm*et*? Vi har tjugo stolar i rumm*et*.

PREPOSITIVE DEFINITE ARTICLES:

Vad säger *den* stora[1] flicka*n*? Hon säger, att hon heter Alma. Vad gör *den* store gosse*n*? Han skriver en lång[1] uppsats. Skriver elever*na* långa uppsatser? Nej, de läser *de* svenska satser*na* på svarta tavla*n*. Ligger bok*en* på det stora bord*et*? Nej, lärare*n* har den. Var är svarta[1] tavlor*na*? De hänger på vägg*en*.

29. The Plural Noun. A Swedish noun has two numbers, singular and plural. The plural is usually formed by adding one of four plural endings to the singular noun:

First declension: *-or* (*en flicka*, a girl; *flickor*, girls).
Second declension: *-ar* (*en gosse*, a boy; *gossar*, boys).
Third declension: *-er* (*en park*, a park; *parker*, parks).
Fourth declension: *-n* (*ett rike*, a nation; *riken*, nations).

Many Swedish nouns, like a number of English nouns, are identical in the indefinite singular and indefinite plural:

Fifth declension: (*ett hus*, a house; *hus*, houses).
(*en lärare*, a teacher; *lärare*, teachers).

Compare English a *deer*, two *deer*; a *sheep*, two *sheep*.

30. The Postpositive Definite Article. This article (equivalent in meaning to English *the*) is an ending attached to a noun.

-n after a singular non-neuter noun ending in a vowel.
en gosse (a boy); *gossen* (*the* boy).

-en after a singular non-neuter noun ending in a consonant.
en bänk (a bench); *bänken* (*the* bench).

---

[1] *stor* (*stort, stora, store*), large, big; *lång* (*långt, långa*), long, tall; *svenska*, Swedish; and *svart* (*svarta*), black. In the two-syllable forms, such adjectives have the grave accent.

-t after a singular neuter noun ending in a vowel.
ett hjärta (a heart); *hjärtat* (*the* heart).

-et after a singular neuter noun ending in a consonant.
ett hus (a house); *huset* (*the* house).

-na after most plural nouns ending in *-r*.
systrar (sisters); *systrarna* (*the* sisters).

-a after a plural noun ending in *-n*.
hjärtan (hearts); *hjärtana* (*the* hearts).

-en (*-ena* occasionally in written Swedish and frequently in spoken Swedish) after many neuter nouns and a few non-neuter nouns belonging to the fifth declension.
hus (houses); *husen* (*the* houses).

Memorize these model nouns:

	SINGULAR		PLURAL	
	INDEFINITE	DEFINITE	INDEFINITE	DEFINITE
I	*en flicka* [flik·a‘] a girl	*flickan* [flik·an‘] the girl	*flickor* [flik·ɷr‘] girls	*flickorna* [flik·ɷṇa‘] the girls
II	*en gosse* [gɔs·ə‘] a boy	*gossen* [gɔs·ən‘] the boy	*gossar* [gɔs·ar‘] boys	*gossarna* [gɔs·aṇa‘] the boys
III	*en park* [par:k] a park	*parken* [par:kən] the park	*parker* [par·kər‘] parks	*parkerna* [par·kə-ṇa‘] the parks
IV	*ett rike* [ri·kə‘] a nation	*riket* [ri·kət‘] the nation	*riken* [ri·kən‘] nations	*rikena* [ri·kəna‘] the nations
V	*ett hus* [hɯ:s] a house	*huset* [hɯ:sət] the house	*hus* [hɯ:s] houses	*husen* [hɯ:sən] the houses

(a) Non-neuter nouns ending in *-el* and *-er* take *-n* in the definite singular; they drop the *e* of the ending and add the regular ending in the plural:

en fågel, a bird [få:gəl]	*fågeln*	*fåglar* [fåg·lar‘]	*fåglarna* [fåg·laṇa‘]
en syster, a sister [sys·tər‘]	*systern* [sys·təṇ‘]	*systrar* [sys·trar‘]	*systrarna* [sys·traṇa‘]

(b) Non-neuter nouns ending in *-or* add *-n* in the singular definite but do not drop the *o* in the plural. Notice the shift of stress in the plural:

en doktor, a doctor	*doktorn*	*doktorer*	*doktorerna*
[dɔk:tɔr]	[dɔk:tɔn̩]	[dɔktω:rər]	[dɔktω:rən̩a]
en professor, a professor	*professorn*	*professorer*	*professorerna*
[prωfäs·ɔr‘]	[prωfäs·ɔn̩‘]	[prω'fäsω:rər]	[prω'fäsω:rən̩a]

(c) Neuter nouns with final *-el* and *-er* drop the *e* of the ending in both the singular definite and the plural definite.

ett fönster, a window	*fönstret*	*fönster*	*fönstren*
ett exempel [äksäm:pəl], an example	*exemplet*	*exempel*	*exemplen*

31. The Prepositive Definite Article. This article (also equivalent in meaning to English *the*) has three forms: *den* before a singular non-neuter noun; *det* before a singular neuter noun; and *de* before a plural noun. The prepositive definite articles are pronounced like the pronouns of reference (*den*, *det*, *de*).

den rika kvinna*n*, *the* rich woman	*de* rika kvinnor*na*, *the* rich women
det stora hus*et*, *the* large house	*de* stora hus*en*, *the* large houses

The prepositive article is used when the definite noun is preceded by an adjective. Notice that the *postpositive* definite article is also used.

The prepositive definite article is omitted before adjectives in such phrases as:

hela året, the whole year — *första läxan*, the first lesson
själva kungen, the king himself — *Svenska akademien*, the Swedish Academy
Skandinaviska halvön, the Scandinavian peninsula

Notice that if an adjective is part of a proper name the prepositive definite article is not used.

In some expressions both of the definite articles are omitted:

nästa dag, next day; *följande dag*, the following day.

VOCABULARY

The various declensional forms of the noun will be indicated:

flick/a (*-an, -or*), girl [flik·a‘] *hus* (*-et,* —), house [hʉ:s]
man (*-nen, män*), man [man:]

Whether a noun is neuter or non-neuter can be detected by its definite article (the first entry within the parentheses). The second entry within the parentheses is the plural indefinite ending which is added to the indefinite noun or that part of the indefinite preceding /. If the plural form differs from the singular (for example, *man* and *män*), the whole plural indefinite form will be given. The sign (—) means that the plural indefinite is identical with the indefinite singular. The phonetic transcription of the basic form is given only when the word appears for the first time. If the accent of the plural form differs from that of the singular, the singular indefinite and the plural indefinite will be reproduced phonetically. In general, the definite singular will have the same accent as the indefinite singular, and the definite plural the same as the indefinite plural.

att (conj.), that [at:]
barn (*-et,* —), child [bɑ:ṇ]
bok (*-en, böcker*), book [bω:k; bök:ər]
bord (*-et,* —), table [bω:ḍ]
den (*det, de*), the
dörr (*-en, -ar*), door [dœr: ; dœr·ar‘]
elev (*-en, -er*), pupil [ele:v]
flick/a (*-an, -or*), girl [flik·a‘]
fönst/er (*-ret,* —, *fönstren*), window [fön:stər]. See 30(a).
golv (*-et,* —), floor [gɔl:v]
goss/e (*-en, -ar*), boy [gɔs·ə‘]
gör, do(es), make(s) [jœ:r]
herre (*herrn, herrar*), gentleman
Herren, the Lord (Christ) [hær·ə‘; hæ:ṇ; hær·ar‘]
hus (*-et,* —), house [hʉ:s]
hänger, hang(s) [häŋ:ər]
kart/a (*-an, -or*), map [kɑ·ṭa‘]
klass (*-en, -er*), class [klas: ; klas·ər‘]
klassrum (*-met,* —), classroom [klas·rum‘]. See 20.
klock/a (*-an, -or*), clock, watch [klɔk·a‘]
kvinn/a (*-an, -or*), woman [kvin·a‘]
ligger, lie(s) [lig:ər]
lärare (*-n,* —, *lärarna*), teacher (man) [læ·rarə‘]
lärarinn/a (*-an, -or*), teacher (woman) [læ′rarin·a‘]
läser, read(s), study [lä:sər]
man (*-nen, män*), man [man: ; män:] See 20.
med, with, along [mä:d; coll. mä:]
men, but [män:]
många (pl.), many [mɔŋ·a‘]
park (*-en, -er*), park [par:k; par·kər‘]
penn/a (*-an, -or*), pen [pän·a‘]
på, on, in [på:]
rike (*-t, -n*), nation [ri·kə‘]
rum (*-met,* —), room [rum:]. See 20.
sats (*-en, -er*), sentence [sat:s; sat·sər‘]
sitter, sit(s) [sit:ər]
skol/a (*-an, -or*), school [skω·la‘]
skriver, write(s) [skri:vər]
som, who, which, that [sɔm:]

stol (*-en, -ar*), chair [stω:l; stω·lar‘]
student (*-en, -er*), student [studän:t]
studentsk/a (*-an, -or*), student (woman) [studän:tska]
svart tavl/a (*-an, svarta tavlor*), blackboard [svaṭ: tɑ·vla‘]
säger, say(s) [sä:gər, coll. säj:ər]
tak (*-et,* —), ceiling, roof [tɑ:k]
talar, speak(s), talk(s), [tɑ·lar‘]
tavla. See *svart tavla.*
uppsats (*-en, -er*), essay, theme [up·sat‘s]
var, where [vɑ:r]
vägg (*-en, -ar*), wall [väg: , väg·ar‘]

DRILLS

A

Convert each indefinite noun into the definite: Example: Det är *en stol.* Det är stol*en.* 1. Det är en klocka. 2. Det är en lärare. 3. Det är en gosse. 4. Det är ett hus. 5. Det är ett fönster. 6. Det är en karta. 7. Det är en uppsats. 8. Det är en man. 9. Det är en kvinna. 10. Det är ett tak. 11. Det är ett golv. 12. Det är en student. 13. Det är en studentska. 14. Det är en lärarinna. 15. Det är en elev. 16. Det är en sats. 17. Det är ett rum. 18. Det är en klass. 19. Det är en vägg. 20. Det är en penna. 21. Det är en park. 22. Det är en herre.

B

Supply the plural postpositive article in each blank: 1. Går barn____ i skolan? Ja, de går i skolan. 2. Går kvinnor____ och män____ i skolan? Nej, de går inte i skolan. 3. Frågar lärarinnor____, vad gossar____ och flickor____ heter? 4. Ja, och elever____ säger, vad de heter. 5. Ser du klockor____, kartor____ och pennor____? 6. Nej, pennor____ ligger på bord____ i klassrummet. 7. Ser du kartor____? 8. Nej, men jag ser väggar____, taket, fönstren och dörrar____. 9. Skriver lärarinnor____ uppsatser? 10. Nej, gossar____ och flickor____ skriver uppsatser____.

C

Substitute the appropriate pronoun of reference for each italicized noun: 1. *Flickan* heter Anna, *gossen* heter Gustav. 2. *Anna och Gustav* går i skolan. 3. *Läraren* talar svenska med *Anna och Gustav* i klassrummet. 4. *Gustav* frågar *läraren:* "Vad gör herr Alm?" 5. *Herr Alm* svarar: "Jag skriver en sats på svarta tavlan." 6. *Anna* har *boken.* 7. *Erik* sitter på *bordet.* 8. Sitter *Alma och Bo* på *golvet?* 9. Nej, *Alma och Bo* sitter inte på *golvet.* 10. Har *Sten pennan?* Nej, jag har *pennan.* 11. Ser du *Anna?* Ja, jag ser *Anna.*

D

Place the proper definite article in each blank:

SINGULAR

Indefinite	*Definite*
______ långt bord	______ långa bord______
______ lång penna	______ långa penna______
______ långt rum	______ långa rum______
______ stor gosse	______ store gosse______
______ stor man	______ store man______
______ stor park	______ stora park______

PLURAL

Indefinite	*Definite*
långa bord	______ långa bord______
långa pennor	______ långa pennor______
långa rum	______ långa rum______
stora gossar	______ stora gossar______
stora män	______ stora män______
stora parker	______ stora parker______

lång (*långt, långa*), long; *stor* (*stort, store, stora*), large or big

E

Conjugate in the present indicative: 1. Jag läser svenska. 2. Jag talar svenska. 3. Jag säger, att han heter Erik. 4. Jag gör det. 5. Jag är en gosse (en flicka, en man, en kvinna). 6. Jag är student (studentska). 7. Jag skriver en uppsats. 8. Jag svarar läraren. 9. Svarar jag lärarinnan? 10. Jag hänger kartan på väggen.

F

Imitate the instructor's pronunciation of these words: flickor, flickorna; klockor, klockorna; kartor, kartorna; läxor, läxorna; skolor, skolorna; pennor, pennorna; studentskor, studentskorna; lärarinnor, lärarinnorna.

G

Translate into Swedish: 1. It is a boy. 2. I ask him what his name is. 3. He answers, "My name is Erik." 4. Erik and Gustav are boys. 5. They are the boys who go to school. 6. The teacher (masculine) is writing sentences on the blackboard. 7. The pupils read the sentences. 8. The teacher speaks Swedish in the classroom. 9. Who speaks Swedish? 10. Miss Lund speaks Swedish.

LESSON IX

The First and Second Declensions. The Possessive Case.

FAMILJEN

Vad är detta? Det är en familj. Vad är en familj? En familj består[1] av föräldr*ar* och barn. Far och mor är barnens föräldr*ar*. Barnen kallar far och mor pappa och mamma. Vad heter familjen? Familjen heter Wallin. Hur många barn har herr och fru Wallin? De har tre döttr*ar* och två söner. Vad heter de? Flick*or*na heter Anna, Greta och Ingeborg. Goss*ar*na heter Anders och Erik. Vad gör Erik? Han är student vid universitetet. Hur många systr*ar* har Erik? Han har tre

---

1 *består av,* consists of [bestå:r å:(v)]

systr*ar*. Tycker flick*or*na om blomm*or*? Ja, de tycker om blomm*or*.

POSSESSIVES:

Vilka är far och mor? Fadern och modern är barnen*s* föräldrar. Far*s* föräldrar är farfar och farmor. Morfar och mormor är mor*s* föräldrar. Vad gör familjen? Herr och fru Holm besöker Wallin*s*. Männen och kvinnorna dricker kaffe och pratar. Talar de svenska? Ja, de talar svenska. Vem är Ingeborg? Hon är *dotter till* herr och fru Wallin. Var är Erik? Erik bor *hos mormor*, medan han ligger vid universitetet. Vem har Anders' bok? Herr Holm har Anders' bok. Nej, jag tror, att Anna har den. Var bor Wallin*s*? De bor i stan om vintrarna och på landet om somrarna. Barnen går inte i skolan om somrarna. Vad gör de? Gossarna och flickorna besöker mor*s* föräldrar. Herrar och fruar besöker Wallin*s* på landet om somrarna.

32. The First Declension. The first declension of nouns is characterized by the *-or* plural indefinite ending. In declining a noun, one gives these four forms:

Indefinite singular:	*en gata* (a street)	*en skola* (a school)
Definite singular:	*gatan* (the street)	*skolan* (the school)
Indefinite plural:	*gator* (streets)	*skolor* (schools)
Definite plural:	*gatorna* (the streets)	*skolorna* (the schools)

(a) Almost all non-neuter nouns ending in *-a* belong to the first declension. The *-a* is dropped in adding the plural ending.

(b) Neuter nouns ending in *-a* either belong to the fourth declension or are declined irregularly. *Ett hjärta* (a heart), for example, is declined *hjärtat* (the heart), *hjärtan* (hearts), and *hjärtana* (the hearts).

(c) *svenska*, Swedish (the language), has the definite form *svenskan*.

(d) Almost all nouns in the first declension have the grave accent in all forms.

33. The Second Declension. The characteristic of the second declension is the *-ar* plural indefinite ending:

Indefinite singular:	*en del* (a part)	*en gosse* (a boy)
Definite singular:	*delen* (the part)	*gossen* (the boy)
Indefinite plural:	*delar* (parts)	*gossar* (boys)
Definite plural:	*delarna* (the parts)	*gossarna* (the boys)

(a) If the noun ends in an *-e* which does not receive principal stress, the *-e* is dropped when the plural ending is added: en goss*e*, but goss*ar*.

(b) These nouns have umlauted vowels in the plural. (See section 10.)

en dotter (a daughter)	*dottern* (the daughter)	*döttrar* (daughters)
en moder (a mother)	*modern* (the mother)	*mödrar* (mothers)

En moder (a mother) has the colloquial indefinite singular form: *en mor*.

(c) *En mormor* (a maternal grandmother) and *en farmor* (a paternal grandmother) have the definite forms *mormodern* and *farmodern*.

(d) *En fröken* (an unmarried woman) is declined *fröken, fröknar*, and *fröknarna*.

(e) In the plural, nouns of the second declension have the grave accent. Note that the monosyllabic nouns have the acute accent in the two singular forms. The accent in words of more than one syllable in the singular forms will be indicated in the vocabularies.

34. The Possessive Case. Functionally a Swedish noun, like English, has four cases:

Nominative:	*Jan* gjorde det.	*Jan* did it.
Objective:	Olle slog *Jan*.	Olle hit *Jan*.
Dative:	Jag gav det till *Jan*.	I gave it to *Jan*.
Possessive:	*Jans* bok är röd.	*Jan's* book is red.

The possessive is the only case which has a special inflectional ending. The possessive case is formed by:

(a) Adding *s* (without the apostrophe) to the noun if it does not already end in *s*, *x* or *z:*

en flicka*s* bok	a girl's book
landet*s* huvudstad	the capital *of* the country
flera dagar*s* tid	a period *of* several days

The *s*-possessive is used to indicate possession on the part of both living beings and inanimate objects. In English, possession by an inanimate object is usually indicated by a prepositional phrase introduced by *of*.

(b) Adding an apostrophe if the noun already ends in *s*, *x*, or *z:* *Anders' hår* (Anders' hair); *Creutz' dikter* (Creutz' poems).

(c) Retaining the possessive ending of the original language if the words are Latin in origin:

Kristus (Christ);	*Kristi liv* (the life of Christ)
museum (museum);	*musei byggnader* (the museum buildings)

Sometimes a phrase is used to indicate possession:

taket på huset (the roof of the house)
hos doktorn (at the doctor's)
bottnen på båten (the bottom of the boat)
dottern till herr Olsson (Mr. Olson's daughter)

A proper noun which ends in a vowel generally adds no *-s:*

Uppsala universitet, the University of Uppsala

VOCABULARY

besöker, visit(s) [besø:kər]
blomm/a (*-an, -or*), flower [blωm·a']
bor, live(s), dwell(s) [bω:r]
dotter (*-n, döttrar*), daughter [dɔt·ər'; döt·rar']
dricker, drink(s) [drik:ər]
fader (*-n, fäder*), father [fɑ·dər'; fä:dər]
familj (*-en, -er*), family [famil:j]
far, father [fɑ:r]. See *fader*.
farfar (*farfadern*), paternal grandfather [far·far']
farmor (*farmodern*), paternal grandmother [far·mωr']
fru, Mrs. [frɯ:]
fru (*-n, -ar*), lady [frɯ: ; frɯ·ar']
föräldrar (pl.), parents [fœräl:drar]
hos, at, with, at the home of [hω:s *or* hωs:]
kaffe (*-t*), coffee [kaf·ə']

kallar, call(s), [kal·ar‘]
landet, the country [lan:dət]
på landet, in the country
mamm/a (*-an*, *-or*), mama [mam·a‘]
medan (conj.), while [me·dan‘]
metar, fish(es) [me·tar‘]
moder (*-n*, *mödrar*), mother [mω·dər‘]
mor, mother [mω:r]. See *moder*.
morfar (*morfadern*), maternal grandfather [mωr·far‘]
mormor (*mormodern*), maternal grandmother [mωr·mωr‘]
om, during, about, on, in, of [ɔm:]
papp/a (*-an*, *-or*), papa [pap·a‘]
plockar, pick(s), gather(s) [plɔk·ar‘]
pratar, chat(s) [prɑ·tar‘]
simmar, swim(s) [sim·ar‘]
som/mar (*-marn* or *-maren*, *-rar*), summer [sɔm·ar‘]
om somrarna, during (in) summer
son (*-en*, *söner*), son [så:n; sø·nər‘]
stad (*-en*, *städer*), city [stɑ:d; stä:dər]. Coll. *stan*, the city [stɑ:n]
i stan, in the city
syst/er (*-ern*, *-rar*), sister [sys·tər‘]
till, to, as, for; more [til: ; coll. te:]
en kopp till, one cup more
dotter till, daughter of
tror, believe(s) [trω:r]
tycker om, like(s) [tyk:ər ɔm:]
universitet (*-et*, —), university [u′nivæʃ′ite:t]
ligger vid universitetet, attends the university
vid, at, beside, by [vi:d; coll. ve:]
vilka (pl.), who, whom, which [vil·ka‘]
vint/er (*-ern*, *-rar*), winter [vin:tər; vin·trar‘]
om vintrarna, during (in) winter

DRILLS

A

Answer each question in a complete sentence: 1. Vad är en familj? 2. Vilka är fars föräldrar? 3. Vilka är mors föräldrar? 4. Hur många systrar har Erik? 5. Var bor Wallins om somrarna? 6. Var bor de om vintrarna? 7. Går barnen i skolan om vintrarna? 8. Vem är student vid universitetet? 9. Vilka dricker kaffe? 10. Vad gör gossarna om somrarna? 11. Vad gör flickorna? 12. Vad heter familjen?

B

First supply the indefinite article; then substitute the definite form of the noun for its indefinite form. Example: Det är ______ elev. Det är *en* elev. Det är *eleven*. Vad är det? 1. Det är ______ blomma. 2. Det är ______ dörr. 3. Det är

______ fönster. 4. Det är ______ tak. 5. Det är ______ bord. 6. Det är ______ stad. 7. Det är ______ skola. 8. Det är ______ familj. 9. Det är ______ universitet. 10. Det är ______ rum.

Vem är det? 1. Det är ______ barn. 2. Det är ______ dotter. 3. Det är ______ fru. 4. Det är ______ herre. 5. Det är ______ syster. 6. Det är ______ man. 7. Det är ______ kvinna. 8. Det är ______ moder. 9. Det är ______ fader. 10. Det är ______ student. 11. Det är ______ studentska. 12. Det är ______ son.

C

Supply the definite articles: 1. Föräldrar____ heter herr och fru Wallin. 2. Vad heter flickor____? 3. Döttrar____ heter Anna, Greta och Ingeborg. 4. Vad gör gossar____? 5. Söner____ talar med pappa och mamma. 6. Var är blommor____? Blommor____ ligger på bordet. 7. Vad gör män____ och kvinnor____? 8. Herrar____ och fruar____ dricker kaffe. 9. Tycker barn____ om kaffe? Nej, de tycker inte om kaffe. 10. Föräldrar____ tycker om barn____.

D

Substitute Swedish equivalents for the English expressions within parentheses: 1. (*The woman student's*) penna ligger på bordet. 2. Är det (*Lantz'*) bok? Nej, det är (*Alf's*). 3. Jag har (*Anna's*) bok, du har (*Inez'*) penna. 4. Ser du (*the girls'*) blommor? Ja, jag ser dem. 5. (*The student's*) föräldrar bor i stan. 6. Jag bor (*at Wallin's*). 7. Mamma är (*maternal grandfather's*) dotter, pappa är (*paternal grandmother's*) son. 8. (*The pupils'*) mödrar talar svenska.

E

Conjugate in the present indicative: 1. Jag besöker Holmquists. 2. Jag dricker kaffe. 3. Jag kallar studenten Karl. 4. Jag ser Anders' böcker. 5. Jag bor hos mormor på landet.

6. Jag simmar. 7. Jag tycker om staden. 8. Jag plockar blommor i parken.

F

Translate into Swedish: 1. Girls and boys do not go to school in the summer. 2. The pupils go to school in the winter. 3. Mr. Wallin's daughters visit (maternal) grandfather in the summer. 4. Where does he live? 5. He lives in the country. 6. He speaks Swedish. 7. What do the girls do in the country? 8. They swim and fish. 9. Do they like the country? 10. Yes, they like it.

LESSON X

The Third, Fourth, and Fifth Declensions. The Positive Adjective.

Människan

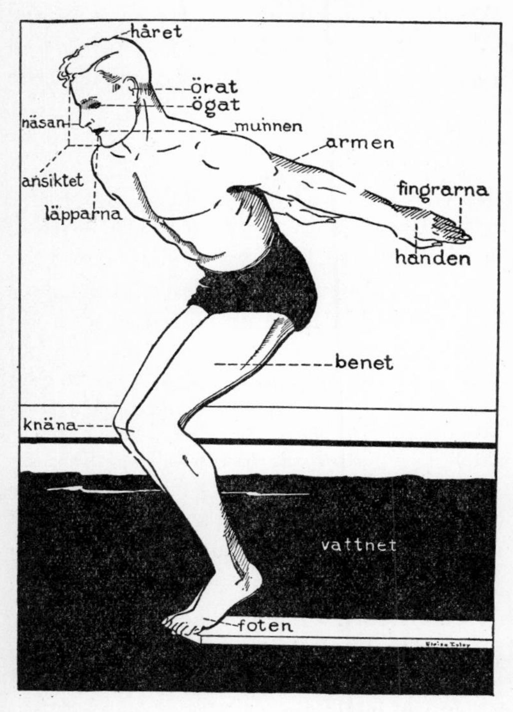

Vad är det? Det är håret, det är örat, det är ögat, det är näsan, det är ansiktet, det är munnen, det är läppen, det är fingret, det är handen, det är benet, det är knät, det är foten och det är vattnet.

Ser du händ*er*na? Ja, och jag ser fingrarna, öronen, ögonen, läpparna, knä*na*, benen, fött*er*na och ansiktet. Ser du tänd*er*na? Nej, jag ser inte tänd*er*na. Hur många fingrar har du? Jag har tio fingrar. Hur många händ*er* har Alma? Hon har två händ*er*. Var människa har två *ben*, två fött*er*, två armar, två händ*er*, tio fingrar, ett huvud, två öron, två ögon, två läppar och ett ansikte.

Vem är det? Det är en ung man, som tycker om att simma.

Simmar han var dag? Ja, han simmar var dag. Vad heter han? Han heter Gunnar Alm. Han är en av student*er*na, som bor hos Olssons under feri*er*na. Hur ser han ut? Han ser bra ut. Har han svart hår? Nej, han har ljust hår. Är han svensk? Ja, han är svensk. Har alla svenskar ljust hår? Många svenskar har ljust hår, men inte alla. Är studentens *bröder* och vänn*er* ute på landet? Nej, de arbetar i stan. Vad gör herr Wallins sön*er* i dag? De är ute på landet och metar[1]. Är de elev*er*? Anders är elev, men Erik är student.

35. The Third Declension. The characteristic of the third declension is the *-er* indefinite plural ending:

Indefinite singular:	*en klass* (a class)	*en familj* (a family)
Definite singular:	*klassen* (the class)	*familjen* (the family)
Indefinite plural:	*klasser* (classes)	*familjer* (families)
Definite plural:	*klasserna* (the classes)	*familjerna* (the families)

In the plural forms, most nouns of the third declension have the grave accent. Exceptions will be noted in the vocabularies.

Several nouns in this declension have umlauted vowels in the plural. (See section 10.)

en bok, böcker (a book, books)	*en fot, fötter* (a foot, feet)
en bonde, bönder (a farmer, farmers)	*en hand, händer* (a hand, hands)
ett land, länder (a country, countries)	*en stad, städer* (a city, cities)
en natt, nätter (a night, nights)	*en strand, stränder* (a shore, shores)
en son, söner (a son, sons)	*en tand, tänder* (a tooth, teeth)

All forms of these words except *en bonde* [bὼn·də‘], *bonden* [bωn·dən‘], *söner* [sø·nər‘] and *sönerna* [sø·nəṇa‘] have acute accent.

36. The Fourth Declension. The characteristic of the fourth declension is the *-n* plural indefinite ending:

Indefinite singular:	*ett ansikte* (a face)	*ett knä* (a knee)
Definite singular:	*ansiktet* (the face)	*knät* or *knäet* (the knee)
Indefinite plural:	*ansikten* (faces)	*knän* (knees)
Definite plural:	*ansiktena* (the faces)	*knäna* (the knees)

[1] Swedish uses two finite verbs where English would use one finite verb and a present participle. Translate: "They are out in the country fishing."

(a) Only a relatively small number of neuter nouns ending in a vowel belong to the fourth declension.

(b) *Ett öga* (an eye) and *ett öra* (an ear) are partly irregular in declension: *ögat, ögon, ögonen;* and *örat, öron, öronen.* Another noun, *syskon* (brothers and sisters), has a similar definite form: *syskonen* (the brothers and sisters). It is used only in the plural.

(c) Monosyllabic nouns of the fourth declension have the acute accent in all forms. Most of the nouns of two or more syllables have the grave accent in all forms.

37. The Fifth Declension. This declension is characterized by the identity of the singular indefinite and the plural indefinite:

Indefinite singular:	*ett hus* (a house)	*en lärare* (a teacher)
Definite singular:	*huset* (the house)	*läraren* (the teacher)
Indefinite plural:	*hus* (houses)	*lärare* (teachers)
Definite plural:	*husen* (the houses)	*lärarna* (the teachers)

(a) The *e* in the ending *-are* is dropped when the postpositive definite article is added. See *lärarna* above.

(b) A number of nouns, such as *ett hem* (a home), *en man* (a man), and *ett rum* (a room), end in a long consonant not indicated in the spelling of the indefinite forms. See section 19.

(c) A few nouns have umlauted vowels in the plural: *en broder, bröder* (a brother, brothers), *en fader, fäder* (a father, fathers), and *en man, män* (a man, men). See section 10. Notice that in the indefinite singular *broder* and *fader* have also the contracted forms *bror* and *far.*

(d) For the declension of *ett fönster, ett exempel, ett vatten,* and *ett väder,* see section 30 (c).

(e) The plural postpositive definite article in conversation is often *-ena* instead of *-en.*

(f) Most of the nouns of the fifth declension which have acute accent in the indefinite forms have the acute accent in the definite forms also. Note, however, *broder* [brω·dər‘] but *bröder* [brø:dər]; and *fader* [fɑ·dər‘] but *fäder* [fä:dər].

38. Irregularities of Declension. Some nouns do not belong in any of the five declensions. Others are used only in the singular or in the plural. Still others are irregularly declined. Although irregularities of declension will be pointed out in the vocabularies, a few items may be noted here for purposes of illustration:

(a) The names of the months have no plural forms.
(b) *En examen* (an examination) has the plural *examina*.
(c) *En hustru* (a wife) is declined *hustrun, hustrur, hustrurna*.

39. Introduction to the Adjective. Most Swedish adjectives have three positive forms. For example, *stor, stort, stora* (large, big, great):

NON-NEUTER	NON-NEUTER	NEUTER
en stor dörr	en stor gosse	ett stor*t* hus
den stor*a* dörren	den stor*e* gossen	det stor*a* huset
stor*a* dörrar	stor*a* gossar	stor*a* hus
de stor*a* dörrarna	de stor*a* gossarna	de stor*a* husen
and		*and*
Dörren är stor.		Huset är stor*t*.
Dörrarna är stor*a*.		Husen är stor*a*.

The adjective agrees in number and gender with the noun it modifies. If the definite singular noun indicates a masculine being, *-e* is substituted for *-a*. The *-a* (or *-e*) form has the grave accent.

VOCABULARY

The three forms of the positive adjective will be indicated:

stor (*-t, -a*), large, big, great [stω:r]
vack/er (*-ert, -ra*), pretty [vak:ər]

The first form is the non-neuter indefinite singular form; the second, the neuter indefinite singular; and the third, the definite and plural form. The ending of the second and the third forms (given within the parentheses) are to be added to the non-neuter form or to that part of the non-neuter form which precedes /.

alla (pl.), all [al·a‘]
ansikte (*-t, -n*), face [an·sik‘tə]
arbetar, work(s), [ar·be‘tar]
arm (*-en, -ar*), arm [ar:m; ar·mar‘]
att (sign of the infinitive), to [at: ; coll. å:]. See *simma*.
av, of, from, by [ɑ:v; coll. å:v *or* å:]
ben (*-et, —*), leg, bone [be:n]
bra (indecl.), good, fine, well [brɑ:]
broder (*-n, bröder*), brother [brω·dər‘; brø:dər]
bror (*brodern*), brother [brω:r]. See *broder*.
dag (*-en, -ar*), day. Coll. *da, dan, dar* [dɑ:g; dɑ·gar‘; coll. dɑ:; dɑ:r]
engelska (*-n*), English (the language) [äŋ:əlska]
ferier (pl.), vacation (from school) [fe:riər]
fing/er (*-ret, -rar*), finger [fiŋ:ər; fiŋ·rar‘]
fot (*-en, fötter*), foot [fω:t; föt:ər]
förstår, understand(s) [fœʃtå:r]
hand (*-en, händer*), hand [han:(d); hän:dər]
huvud (*-et, —*), head. Coll. *huve* (*-t, -n*) [hɯ·vud‘; coll. hɯ·və‘]
hår (*-et, —*), hair [hå:r]
knä (*-t, or -et, —*), knee [knä:]
ljus (*-t, -a*), light (color) [jɯ:s]
lång (*-t, -a*), long, tall [lɔŋ:]
läpp (*-en, -ar*), lip [läp: ; läp·ar‘]
mun (*-nen, -nar*), mouth [mun: ; mun·ar‘]
människ/a (*-an, -or*), human being, person [män·iʃa‘; coll. män·ʃa‘]
mår, is, are, feel(s) (well, bad) [må:r]
näs/a (*-an, -or*), nose [nä·sa‘]
ser ut, look(s) like (Primary stress on *ut*).
att simma, to swim
stor (*-t, -a*), big, great, large [stω:r]
svart (*—, -a*), black [svaṭ:]
svensk (*-en, -ar*), Swede [svän:sk; svän·skar‘]
tand (*-en, tänder*), tooth [tan:d; tän:dər]
under, during, under [un:dər]
ung (*-t, -a*), young [uŋ:]
ute, out (outside) [ɯ·tə‘]
var (nn.), *vart* (n.), every, each [vɑ:r; vɑ:ṭ]
vatt/en (*-net, vatten*), water [vat:ən]
vän (*-nen, -ner*), friend [vän: ; vän·ər‘]
ög/a (*-t, ögon*), eye [ø·ga‘; ø·gən‘]
ör/a (*-t, öron*), ear [œ·ra‘; œ·rən‘]

DRILLS

A

First supply the indefinite article; then substitute the definite form of the noun for its indefinite form: Vad är det? 1. Det är ______ ansikte. 2. Det är ______ arm. 3. Det är ______ ben. 4. Det är ______ finger. 5. Det är ______ fot.

6. Det är ______ hand. 7. Det är ______ huvud. 8. Det är ______ hår. 9. Det är ______ knä. 10. Det är ______ läpp. 11. Det är ______ mun. 12. Det är ______ näsa. 13. Det är ______ tand. 14. Det är ______ öga. 15. Det är ______ öra.

B

Supply the appropriate plural definite postpositive article in each blank: 1. Går barn____ i skolan? Ja, de går i skolan. 2. Går mödrar____ och fäder____ i skolan? Nej, föräldrar____ går inte i skolan. 3. Är elever____ i klassrummet? Ja, de är i klassrummet. 4. Flickor____ och gossar____ frågar: "Vad heter fröken?" Kvinnan svarar: "Jag heter fröken Berg." 5. Ligger pennor____ på bordet i klassrummet? Nej, de ligger på stolar____. 6. Tycker män____ och gossar____ om stan? Ja, de tycker om stan. 7. Städer____ heter Stockholm och Göteborg. 8. Har barnet två ansikte____? Nej, det har ett ansikte. 9. Studenter____ och studentskor____ läser de långa uppsatser____. 10. Bröder____ och systrar____ talar svenska. 11. Människor____ ser bra ut. 12. Herrar____ har ljust hår, men fruar____ har svart hår.

C

Supply the Swedish equivalents of the English expressions within parentheses: 1. (*The boy's*) mor är inte i skolan. 2. (*The students'*) systrar går i skolan var dag. 3. Är (*Hans's*) hår svart? 4. Har ni (*Anna's*) bok? 5. Bor ni (*at grandmother's*)? 6. Är Hilma (*Mr. Alm's daughter*)? 7. Vem bor i (*the teacher's*) hus? 8. (*The men's*) händer är stora. 9. Vem bor (*with the Holms*)? 10. (*The child's*) rum är stort och ljust.

D

Answer each question, first positively and then negatively. In your answers, substitute the pronoun of reference for each italicized noun. 1. Går *barnen* i parken? 2. Ser *flickorna* blommorna? 3. Talar *gossarna* med *mannen?* 4. Frågar *mannen,* vad de heter? 5. Svarar *gossarna?* 6. Talar *herrn* svenska? 7. Kallar *Gustav* mannen farfar? 8. Har *Alma* böckerna? 9. Ligger *Erik* vid universitetet? 10. Förstår *studentskan,* vad *herr Wallin* säger? 11. Skriver *eleverna* uppsatser? 12. Tycker *Sten* om att simma?

E

Answer each question by means of a complete sentence: 1. Vad är ni? 2. Vad heter ni? 3. Var bor ni? 4. Vad gör ni? 5. Vad skriver ni? 6. Hur mår ni? 7. Är ni svensk? 8. Tycker ni om att simma? 9. Vad gör ni om vintrarna? 10. Är det jag, som är lärare i svenska? 11. Vem är lärare i engelska? 12. Går ni i skolan? 13. Vad heter jag?

F

Conjugate in the present indicative: 1. Jag bor i stan. 2. Jag arbetar ute på landet. 3. Jag metar i dag. 4. Jag simmar var dag. 5. Jag tycker om morfar. 6. Jag kallar honom Erik. 7. Tycker jag om ferierna? 8. Jag är student. 9. Jag förstår svenska.

G

Translate into Swedish: 1. Every human being has two legs, two arms, and a head. 2. Erik's ears are large (*stora*). 3. Is Gustav's nose large (*stor*)? 4. No, it is not large. 5. Does every boy like to swim? 6. Yes, I believe all boys and girls like to swim. 7. What is his name? 8. I believe his name is Svante. 9. How many pupils are there in the classroom? 10. We have twenty boys in the room. 11. Are they reading? 12. No, they are writing themes.

LESSON XI

Review

A

Determine by means of characteristics to which declension each italicized noun belongs: 1. *Människan* har en *näsa,* två *händer,* tio *fingrar,* två *armar* och två *ben.* 2. Har du två *ansikten?* Nej, jag har ett ansikte. 3. Jag har två *bröder* och tre *systrar.* 4. Är Karl och Johan *barn?* Nej, de är *män.* 5. Vad heter *männen?* De heter Lund och Strand. 6. *Familjerna* bor på landet om *somrarna.* 7. Tycker du om *blommorna* i parken? 8. Vad gör du om *vintrarna?* Jag går i *skolan.* 9. Svarta *tavlor* hänger på *väggarna* i klassrummen. 10. Stockholm och Göteborg är stora *städer.*

B

Substitute the appropriate pronoun of reference for each italicized noun: 1. Vad heter *studenten? Studenten* heter Svante. 2. Vem skriver *uppsatsen? Erik* skriver *uppsatsen.* 3. Tycker *Anders* om *farfar?* Ja, *Anders* tycker om *farfar.* 4. Är *klassrummen* stora? Ja, *klassrummen* är stora. 5. Arbetar *flickorna och gossarna* i klassrummet? Ja, *barnen* arbetar i klassrummet. 6. Vad gör *eleverna? Eleverna* läser. 7. Tycker *systrarna* om att simma? 8. Ja, *flickorna* tycker om att simma. 9. Var ligger *barnet? Barnet* ligger på golvet. 10. Ser du *barnen?* Nej, jag ser föräldrarna. 11. Är *håret* svart? Nej, *håret* är ljust. 12. Hur ser *Anna* ut? *Anna* ser bra ut.

C

Account for the omission or inclusion of the indefinite article: 1. Det är en son till herr och fru Falk. 2. Erik är son till herr Wallin. 3. Herr Falk är student, men jag är inte student. 4. Är det en lärarinna? Nej, hon är inte lärarinna. 5. Han är far till gossarna. 6. Herr Lindvall är en ung lärare.

7. Fröken Holm är studentska vid universitetet. 8. Är Erik Berg student? 9. De har en dotter. 10. Hon är dotter till herr och fru Wahl.

D

Convert each italicized noun into the definite singular: 1. (*En fader*) talar med (*en son*). 2. (*En moder*) sitter vid (*ett bord*). 3. (*En dotter*) har (*en blomma*). 4. (*En syster*) och (*en bror*) går i skolan. 5. (*En lärare*) talar svenska. 6. (*En elev*) hänger (*en karta*) på (*en vägg*). 7. (*En studentska*) säger, att (*en student*) tycker om att simma. 8. (*En vän*) mår bra. 9. *Mormor* och *farmor* pratar och dricker kaffe. 10. Är det *en hand?* 11. Nej, det är *ett finger*. 12. Är det *ett tak?* 13. Nej, det är *en vägg*. 14. Har du *en bok?* 15. Nej, jag har *en karta*.

E

Supply the definite articles; account for the use of both definite articles in some of the sentences: 1. ______ stora flicka____ heter Greta, och ______ store gosse____ heter Sten. 2. ______ unge man____ bor i ______ stora hus____. 3. Dotter____ med ______ ljusa hår____ är studentska vid universitet____. 4. Elever____ tycker om lärarinna____. 5. Studenter____ skriver uppsatser____. 6. ______ unga herrar____ sitter i park____. 7. ______ stora städer____ heter Duluth och Superior. 8. ______ stora stad____ heter Chicago. 9. Ögon____ och öron____ är stora. 10. Är huvud____ stort?

F

Account for the possessives: 1. En students penna ligger på bordet. 2. Fru Dahl hänger Göstas karta på en vägg i rummet. 3. Det är fruns böcker. 4. Jag bor hos Eriks föräldrar. 5. Anders' hår är svart, Tors är ljust. 6. Det är herr Krantz' bror som han besöker. 7. Jag tycker om Inez' blommor. 8. Pappa och mamma besöker Bloms. 9. Helga bor hos dottern till herr Palm. 10. Studentskornas vänner ser dem i stan. 11. Gustavs vän är lärare i engelska.

Swedish Traffic Association

THE TOWN HALL, STOCKHOLM

Swedish Traffic Association

THE ROYAL PALACE, STOCKHOLM

A MODERN IDEAL OF STATEHOOD

With its continuous existence through more than a thousand years, Sweden has developed a stability and security that are reflected in its social and economic life in many ways. This security has been aided by many factors—the fact that the country has never been forced to submit to hostile foreign invasion, that its population is homogeneous and racially one of the purest in the world, that it has enjoyed more than a century of peace and especially that the Swedish State, since it was neutral during the World War, has not had the same difficult problems of reconstruction . . . that other European countries have had.

Consequently Sweden today impresses the visitor because of its air of prosperity and general well-being. In the cities there are no distressing signs of poverty and indolence. The countrysides are neat and attractive. Under an older order, the Swedish riksdag, or parliament, counted the farmers . . . as one of the most powerful of its four estates, and this power gave the agricultural interests a prestige and independence that have left their traces to this day. Now, popular representation is in two houses, an Upper and a Lower Chamber, and the trend is toward increasing democracy and the well-being of the population as a whole.

During the past fifty years there has been a shift from agricultural to industrial occupations. The old ideal was conquest of foreign territory. The ideal of modern Sweden is conquest of its own natural resources for the development of a sound economic basis. The greatest potential wealth is in the iron-ore mines, in the forests, in almost unlimited water power resources. From these sources come the leading articles for export. Modern Swedish industry has profited by the genius of prominent inventors like Gustaf Dalén, who perfected the intermittent beacon, the "Aga" light, de Laval, and others.

Primary attention is given to maintaining a high standard of living for the Swedish people as a whole. For a long period emigration threatened to be a serious national peril, but of late years industry at home has absorbed the best strength and initiative of the nation. In times of depression, the nation maintains a system of reserve work and in turn profits by good roads, new bridges, and other public benefits. Through a system of pensioning which is actually a form of state insurance, practically all able-bodied persons between the ages of 16 and 66 are required to pay a certain annual appropriation out of income toward a fund for invalidity or old-age support, and in this way real distress through poverty is greatly obviated.

American Swedish News Exchange

CO-OPERATIVE APARTMENT HOUSE, STOCKHOLM

American Swedish News Exchange

INTERIOR, CO-OPERATIVE APARTMENT HOUSE

Welfare work is also an important function of the State, and, if not so elaborate as in many other countries, is guided by the fact that the need in Sweden is less. In matters of housing, the ideal is ownership of homes among the middle classes. In large industrial centers like Sandviken, Korsnäs, and elsewhere, one finds model schemes for community or personal ownership of homes.

There is no illiteracy in Sweden. Between the ages of 7 and 14, school attendance is compulsory, as determined first by the statute of 1842 and then by later supplementary legislation. Elementary education, except in private schools, is free. . . . University instruction is also free, and the same is true of the technical schools and such institutions as the Royal Academy of Art and the Academy of Music. The two oldest universities are Uppsala University, founded in the fifteenth century, and Lund University, founded in the seventeenth. The general course of liberal education ends with an examination which entitles the student to wear the white cap. From that time begins the specialized training, which in collegiate fields leads to the master's degree and the doctorate.

Special attention is given in Sweden to technical education. The guild system was not abolished until 1846, and the ideal of the craftsman was never wholly swept away by the inroads of the machine. Its influence is still seen in the high development of Swedish arts and crafts, and even in industry it dominates through an insistence on quality (rather than quantity and mass production) as the most significant feature of Swedish manufactured products. The very trademark of Swedish industry, so to speak, is "Quality." The various technical schools, the special evening schools and courses of instruction for laborers, all stress the training that achieves good results.

In several respects Sweden has made progress in legislation that is considered more advanced than that of many other countries. In forestry, for instance, the ideal of forest conservation was established more than a century ago. Thus by a rigorous system of replanting, the Swedish forests have not been depleted by modern industry, but stand as a living embodiment of a national spirit of thrift and foresight. So pronounced and pleasing are the results that one can even point to the immense Norrland forests as a definite tourist attraction, as something of interest even to the non-specialist in the field.

In the North one finds another interesting manifestation of wise legislation through the policy adopted by Sweden in providing for the needs of its alien, nomad population, the Lapps. There are some 7,000 Lapps in the Arctic regions of Sweden. As the protected wards of the Swedish nation, they are left to pursue their own mode of living, their reindeer industry, their fishing and hunting. Nomad schools are provided for the children with emphasis on Lapp traditions of good conduct and friendly living.

Here in the North, too, the work of the Swedish Red Cross in providing ambulance service by airplane for regions where roads are often impassable is highly developed. The same type of medical service is also offered through the medium of the Red Cross for outlying islands in the Stockholm skerries. Throughout all of Sweden the citizens can obtain medical and hospital care at a minimum price, and free aid is provided wherever needed. Even the Swedish way of handling the liquor problem is a subject that belongs with other matters connected with public health and hygiene. The ideal of the famous Bratt system of liquor control is to reduce drinking to such a minimum that it is not a social evil. By a system of individual rationing, controlled with a "motbok," a book in which purchases of spirits are listed, the aim is to obviate both extremes of heavy drinking through complete freedom, on the one hand, and, on the other, restrictions that lead to smuggling and bootlegging.

In all its legislation and social developments Sweden works toward the ideal of a contented citizenry and peaceful international contacts.

—From Erik Lindberg's *Sweden: Glimpses of Its Charm, Traditions, and Modern Progress*, by permission of the Swedish Traffic Association.

LESSON XII

The Weak Verbs: Indicative Mood, Active Voice.

HEMMET

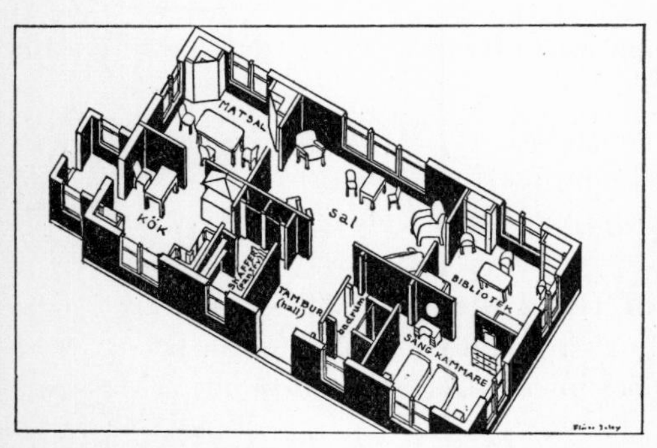

Vad är detta? Detta är ett hus. Det är vårt hem. Var *bor* ni? Vi *bor* här. *Har* ni *bott* här länge? Ja, vi *har bott* här under många år. *Har* ni alltid *bott* här? Nej, vi *bodde* på landet, när jag var liten. Var *kommer* Ingrid *att bo* i sommar? Mamma säger, att hon *skall bo* hos mormor.

Vem *äger* huset? Pappa *äger* huset. *Har* han alltid *ägt* huset? Nej, han *köpte* det för tio år sedan. Av vem *köpte* han det? Han *köpte* det av herr Dalquist, som *byggde* det. Vem *ägde* det förr? Herr Dalquist *ägde* det. *Känner* ni honom? Ja, vi *känner* honom. *Kommer* herr och fru Alm *att köpa* det stora huset vid gatan? Nej, jag tror Lindbloms *har köpt* det.

Är huset stort? Nej, det är litet. Hur många rum har det? Det har sex rum, matsalen, salen, biblioteket, sängkammaren, badrummet och köket.

Var är pappa? Han är i biblioteket. Vad gör han där? Jag *tror* han *läser*. Vad *läser* han? Jag *tror* han *läser* en bok av Strindberg. *Har* ni *läst* många böcker? Ja, jag *har* alltid *tyckt om* att läsa. *Läste* ni Selma Lagerlöfs *Gösta Berlings saga?* Ja, jag *läste* den för ett år sedan. *Knackar* Hilma på dörren? Nej, Anders *knackade* för en minut sedan. *Skall* ni inte *öppna?* Nej, mamma *har öppnat*. *Arbetar* farbror i kväll? Nej, han *har arbetat* hela dagen. *Hade* mamma *kokat* kaffe, innan ni kom? Nej, hon *kokar* det nu.

40. The Weak Verbs. Verbs are either weak or strong. A verb is weak if it forms its simple past tense by adding *-ade*, *-de*, *-te*, or *-dde* to the stem of its infinitive. A verb is strong if it forms its past tense by changing its stem vowel.

Weak:	*att tala* (to speak)	*Han talade* (He talked).
Strong:	*att sjunga* (to sing)	*Han sjöng* (He sang).

There are three conjugations of weak verbs, the characteristic endings of which are:

First conjugation:	*-ade*
Second conjugation:	*-de* or *-te*
Third conjugation:	*-dde*

41. The Stem of the Infinitive. The stem to which the characteristic endings are added in forming the past tense, the supine, and the participles is found by eliminating the final *-a* of the infinitive.

Inf:	att *tala*, to talk;	att *böja*, to bend;	att *läsa*, to read;	att *bo*, to live
Stem:	*tal*	*böj*	*läs*	*bo*

If the infinitive does not end in *-a*, the stem and the infinitive are identical.

42. Principal Parts. A weak verb has these principal parts: the infinitive, the simple past tense, the supine, and the past participle. Of these, the past participle will be considered later. Memorize:

CONJUGATION	INFINITIVE	SIMPLE PAST	SUPINE
I	att kalla (to call)	jag kall*ade*	kall*at*
IIa	att böja (to bend)	jag böj*de*	böj*t*
IIb	att köpa (to buy)	jag köp*te*	köp*t*
III	att tro (to believe)	jag tro*dde*	tro*tt*

The characteristic endings are italicized.

43. The First Conjugation. Most of the weak verbs belong in the first conjugation:

Present:	jag kall*ar* (I call, am calling, do call)
Past:	jag kall*ade* (I called, was calling, did call)
Simple future:	jag kommer att kalla (I shall call, I am going to call)
Future of determination:	jag skall kalla (I will call)
Present perfect:	jag har kall*at* (I have called, I have been calling)
Past perfect:	jag hade kall*at* (I had called, I had been calling)
Future perfect:	jag skall ha kall*at* (I shall have called)

(a) In this and other verbs, *du*, *ni*, *han*, *hon*, *den* or *det* or any singular noun also governs the same form of the verb as *jag*. In colloquial Swedish, *vi*, *ni*, *de* and any plural noun govern the same form of the verb as *jag*. For literary plural forms of the verbs, see section 48.

(b) The function of the supine of any verb is to serve in the formation of the present perfect, past perfect, and future perfect tenses. The supine is used with some form of *att ha* (to have); it is invariable. The future perfect tense is used infrequently.

(c) All forms of first conjugation verbs which have principal stress on the first syllable have the grave accent:
kalla [kal·a‘] *kallar* [kal·ar‘] *kallade* [kal·adə‘] *kallat* [kal·at‘]

Those which do not have principal stress on the first syllable have the acute accent in all forms:

betala [betɑ:la] *betalar* [betɑ:lar] *betalade* [betɑ:ladə] *betalat* [betɑ:lat]

(d) In spoken Swedish, the long *l* (*ll*) is silent in *skall*. The word is often written *ska*.

44. The Second Conjugation. Two groups of weak verbs belong to the second conjugation, one forming its simple past by adding *-de* to the stem of its infinitive, the other by adding *-te* to the stem. The tense forms are to be translated like those of *att kalla* (section 43).

	(a)	(b)
Present:	jag böj*er* (I bend, etc.)	jag köp*er* (I buy, etc.)
Past:	jag böj*de* (I bent, etc.)	jag köp*te* (I bought, etc.)
Simple future:	jag kommer att böja (I shall bend)	jag kommer att köpa (I shall buy)
Fut. of det.:	jag skall böja (I will bend)	jag skall köpa (I will buy)
Present perf.:	jag har böj*t* (I have bent)	jag har köp*t* (I have bought)
Past perfect:	jag hade böj*t* (I had bent)	jag hade köp*t* (I had bought)
Future perf.:	jag skall ha böj*t* (I shall have bent)	jag skall ha köp*t* (I shall have bought)

(a) Second conjugation verbs the stems of which end in *k*, *p*, *s*, or *t* have the ending *-te* in the past. With few exceptions, the rest take *-de* in the past. Among the exceptions is *att begynna, begynte* (to begin, began).

(b) In the second conjugation, verbs the stems of which end in *-r* do not add *-er* in the present indicative.

jag *för*, I lead (guide)	jag *lär* mig, I am learning
jag *hör*, I hear	jag *rör*, I touch
jag *kör*, I drive	det *tillhör* mig, it belongs to me

(c) Several second conjugation verbs have stems ending in *-d*. Notice what happens when the ending of the past tense is added and when the supine is formed:

If the *-d* is preceded by a consonant:

att anvä*nd*a (to use); han anvä*nd*e (he used); anvä*nt*.
att hä*nd*a (to happen); det hä*nd*e (it happened); hä*nt*.
att sä*nd*a (to send); jag sä*nd*e (I sent); sä*nt*.

If the *-d* is preceded by the stem vowel:

att bet*yda* (to mean); det bety*dde* (it meant); bety*tt*.
att kl*äda* (to dress); han klä*dde* (he dressed); klä*tt*.

(d) There are literary plural forms. See section 48.

(e) Notice the past tense and the supine of *att drömma* (to dream) and *att känna* (to know): han drö*md*e, drö*mt;* han kä*nd*e, kä*nt*. See section 19.

(f) The monosyllabic forms and the present indicative forms ending in *-er* regularly have the acute accent. All the other forms of second conjugation verbs which have principal stress on the first syllable have the grave accent.

läsa [lä·sa']	*läser* [lä:sər]	*läste* [lä·stə']	*läst* [lä:st]

But—

besöka [besø:ka]	*besöker* [besø:kər]	*besökte* [besø:ktə]	*besökt* [besø:kt]
betyda [bety:da]	*betyder* [bety:dər]	*betydde* [betyd:ə]	*betytt* [betyt:]

45. The Third Conjugation. The verbs of this conjugation have infinitives which do not end in *-a*.

Present:	jag tro*r* (I believe, I am believing, I do believe)
Past:	jag tro*dde* (I believed, I was believing, I did believe)
Simple future:	jag kommer att tro (I shall believe)
Future of det.:	jag skall tro (I will believe)
Present perfect:	jag har tro*tt* (I have believed)
Past perfect:	jag hade tro*tt* (I had believed)
Future perfect:	jag skall ha tro*tt* (I shall have believed)

(a) The literary plurals of the verbs in this conjugation are like those of the other conjugations. See section 48.

(b) The simple past has grave accent unless the first syllable does not receive the principal stress:

tro [trω:]	*tror* [trω:r]	*trodde* [trωd·ə']	*trott* [trωt:]
bero [berω:]	*beror* [berω:r]	*berodde* [berωd:ə]	*berott* [berωt:]

VOCABULARY

From now on, the weak verbs will be listed in this way: *tro* (*-dde; -tt*), believe. The first form is the infinitive without its sign (*att*). The first entry within the parentheses will be the ending of the simple past tense;

the second will be the ending of the supine. Know these weak verbs which have been used in preceding lessons:

arbet/a (*-ade; -at*), work
besök/a (*-te; -t*), visit
bo (*-dde; -tt*), live (dwell)
fråg/a (*-ade; -at*), ask (question)
häng/a (*-de; -t*), hang
kall/a (*-ade; -at*), call
läs/a (*-te, -t*), read, study
met/a (*-ade; -at*), fish
må (*-dde; -tt*), feel (well, ill)
plock/a (*-ade; -at*), pick, gather
prat/a (*-ade; -at*), chat
simm/a (*-ade; -at*), swim (See Appendix)
svar/a (*-ade; -at*), answer
svara på ett brev, answer a letter
tal/a (*-ade; -at*), talk, speak
tro (*-dde; -tt*), believe
tyck/a om (*-te om; -t om*), like

* * *

alltid, always [al·ti'd; coll. al·ti']
badrum (*-met*, —), bathroom [bɑ·drum']
bibliotek (*-et*, —), library [bib'liωte:k]
bygg/a (*-de; -t*), build [byg·a']
där, there (in that place) [dæ:r]
farbror (*farbrodern*), paternal uncle [far·brωr']. See *broder*.
för [fœ:r] *för . . . sedan*, a . . . ago
för länge sedan, a long time ago
för ett år sedan, a year ago
förr, formerly [fœr:]
gat/a (*-an, -or*), street [gɑ·ta']
hade [hɑ·də'], had, was having, did have
hel (*-t, -a*), whole, all the [he:l; he·la']
hela dagen, all day. See 31.
hem (*-met*, —), home [hem:]. See 19.
här, here (in this place) [hæ:r]
innan (conj.), before, until [in·an']
knack/a (*-ade; -at*), knock [knak·a']
kok/a (*-ade; -at*), cook [kω·ka']
kom, came [kɔm:]
kommer [kɔm:ər]. See 43.
kväll (*-en, -ar*), evening [kväl:]
i kväll, this evening
kän/na (*-de; -t*), know (people), feel [çän·a']. See 44(e) and 19.
kök (*-et*, —), kitchen [çø:k]
köp/a (*-te; -t*), buy [çø·pa']
liten (*litet; små;* def. sg. *lilla, lille*), little, small [li·tən'; li·tət'; små: ; lil·a']. See 57.
länge, a long time [läŋ·ə']
för länge sedan, a long time ago
matsal (*-en, -ar*), dining room [mɑ·tsɑ'l]
minut (*-en, -er*), minute [minɯ:t]
nu, now [nɯ:]
när, when [næ:r]
sag/a (*-an, -or*), saga, story [sɑ·ga']
sal (*-en, -ar*), living room [sɑ:l; sɑ·lar']
sedan (*sen*), ago [se·dan'; coll. sen:]. See *för*.
skall [skal: ; coll. skɑ:]. See 43.
i sommar, this summer
sängkam/mare (*-maren, -rar*), bedroom [säŋ·kam'arə]
var, was, were [vɑ:r; coll. vɑ:]
vår (*vårt, våra*), our [vå:r; vå:ṭ; vå·ra']
år (*-et*, —), year [å:r]
i många år, for many years
äg/a (*-de; -t*), own [ä·ga']. See 18.
öppn/a (*-ade; -at*), open [öp·na']

DRILLS

A

(1) What are the stems of these infinitives: att bygga, att bo, att hänga, att känna, att knacka, att arbeta, att må, att kalla, att meta, att tycka om, att tala, att koka, att fråga, att besöka, att svara, att tro?

(2) Give the principal parts of each of these verbs. (i.e., the infinitive, the simple past, and the supine).

B

Give synopses (for models see sections 43, 44, and 45): 1. Gossen *knackar* på dörren. 2. Eleven *öppnar* dörren. 3. Jag *frågar*, vad han heter. 4. Han *svarar:* "Jag heter Olsson." 5. Kvinnan *kallar* läraren herr Alm. 6. Vi *talar* svenska i klassrummet. 7. Barnen *tycker om* att gå i skolan. 8. De *hänger* svarta tavlan på väggen. 9. Farfar *läser* en bok av Almquist. 10. *Mår* mamma bra? 11. Jag *bor* i Chicago om vintrarna. 12. Ni *tror*, vad han säger. 13. Mamma *kokar* kaffe i köket. 14. Jag *metar* var dag.

C

Supply the Swedish equivalents of the English expressions: 1. (*Has*) fru Quist (*bought*) husen av Berg? 2. Nej, herr Olsson (*bought*) husen av Berg. 3. Vem (*had owned*) dem, innan Berg (*bought*) dem? 4. Jag (*believe*) herr Wallin (*owned*) dem. 5. (*Will you build*) ett hus i sommar? 6. Nej, far (*says*), att han (*will not build*) i sommar. 7. Mor (*does not like*) staden, hon (*likes to live*) på landet. 8. Hur (*are*) Bloms? De (*are feeling*) bra. 9. (*Do you know*) döttrarna till herrn, som (*lives*) där? 10. Ja, de (*have visited*) Linds i sommar.

D

Answer each question by a complete sentence: 1. Var bor ni? 2. Bodde ni där, när ni var liten? 3. Har ni alltid tyckt om stan? 4. Tycker ni om att bo på landet? 5. Vad gör läraren? 6. Läste ni många böcker, när ni var liten? 7. Skall ni bo på landet i sommar? 8. Kommer ni att fråga mamma, vad hon läser? 9. Tror ni, att alla svenskar talar svenska? 10. Vad gör eleverna i klassrummet? 11. Hur mår ni?

E

Supply the Swedish equivalents of the English expressions: 1. (*The men's*) familjer bor i stan. 2. (*Johan's*) far köpte huset. 3. (*Anders'*) farfar äger böckerna. 4. Har ni (*the girls'*) böcker? Nej, jag har (*the boys'*) pennor. (*Lars's*) bror skriver en lång uppsats. 6. (*Anna's*) lärarinna heter Lund. 7. Hon bor (*at grandmother's*). 8. (*Mr. Palm's*) ögon är ljusa. 9. (*The woman's*) man heter Erik Johansson. 10. Är han (*Mrs. Alm's son*)?

F

Translate: 1. I am working in the city this summer. 2. Mother lived in the country, when she was a small (*liten*) girl. 3. I will hang the blackboard on the wall. 4. Have you asked him what his name is? 5. Yes, I asked him that a long time ago. 6. What did he answer? 7. He answered that his name is Oskar. 8. Bo has known him for many years. 9. Is Sten working all day? 10. No, I do not believe he will work all day.

LESSON XIII

Strong Verbs: Indicative Mood, Active Voice. Emphatic Word Order.

Historier

Erik sade en gång till en vän: "I ett träd sutto femton fåglar. Då kom en man och sköt[1] åtta av dem. Hur många sutto kvar?"

"Sju," svarade vännen.

"Nej," sade Erik, "ingen blev kvar, ty de andra flögo bort. Begriper du inte det?"

* * *

En man ägde en gammal hund, som han ville bli av med. Han tog honom därför ned till sjön för att dränka[2] honom. Han steg nu i en båt och for ut på sjön, och där kastade han hunden i vattnet. Men den stackars hunden simmade invid båten och ville komma upp vid båtkanten[3].

Plötsligt föll mannen själv i sjön och höll på att drunkna[4]. Då bet[5] hunden ett fast tag i mannens rockkrage[6] och höll honom uppe. Snart kommo människor från land[7] och räddade både mannen och hunden. Därefter höll mannen hunden mycket kär.

* * *

Mannen: "Vad skall du bli, när du blir stor?"

Gossen: "Först skall jag bli doktor, för det vill pappa, och så skall jag bli lärare, för det vill mamma, och sen skall jag bli flygare[8], för det är det jag vill."

---

[1] [ʃø:t], shot. [2] [dräŋ· ka'], drown. [3] the edge of the boat. [4] [druŋ·k-na'], drown (intransitive). [5] *bet ett fast tag*, got a firm hold with his teeth. [6] coat collar. [7] shore. [8] aviator.

46. The Principal Parts of Strong Verbs.[1] As we have already seen, a strong verb is one which forms its simple past tense by changing its stem vowel. Strong or fourth conjugation verbs have these principal parts: the infinitive, the simple past indicative singular (and colloquial plural), the literary or formal past plural, the supine, and the past participle. Of these, the past participle will be considered later. Memorize the principal parts of these representative strong verbs:

INFINITIVE	SIMPLE PAST	LITERARY PAST PLURAL	SUPINE
att bära [bæ·ra'] (to carry, bear)	*bar* [bɑ:r]	*buro* [bɯ·rω']	*burit* [bɯ·rit']
att sitta [sit·a'] (to sit)	*satt* [sat:]	*sutto* [sut·ω']	*suttit* [sut·it']
att fara [fɑ·ra'] (to go)	*for* [fω:r]	*foro* [fω·rω']	*farit* [fɑ·rit']
att hålla [hɔl·a'] (to hold)	*höll* [höl:]	*höllo* [höl·ω']	*hållit* [hɔl·it']
att flyga [fly·ga'] (to fly)	*flög* [flø:g]	*flögo* [flø·gω']	*flugit* [flɯ·git']
att ljuga [jɯ·ga'] (to lie)	*ljög* [jø:g]	*ljögo* [jø·gω']	*ljugit* [jɯ·git']
att skriva [skri·va'] (to write)	*skrev* [skre:v]	*skrevo* [skre·vω']	*skrivit* [skri·vit']

The stem of the infinitive is found by dropping the final *-a*. If the infinitive does not end in *-a*, the infinitive and its stem are identical. Example: *att gå;* stem = *gå*.

47. Synopses of Strong Verbs. Memorize the synopses of these verbs:

TENSE	SINGULAR, AND COLLOQUIAL PLURAL	SINGULAR, AND COLLOQUIAL PLURAL
Present:	*jag dricker* [drik:ər] (I drink, am drinking, do drink)	*jag går* [gå:r] (I walk (go), am walking (going), do walk (go)

[1] A list of strong verbs with their principal parts is given in the appendix toward the end of this book.

TENSE	SINGULAR, AND COLLOQUIAL PLURAL	SINGULAR, AND COLLOQUIAL PLURAL
Simple past:	*jag drack* [drak:] (I drank, was drinking, did drink)	*jag gick* [jik:] (I walked (went), was walking (going), did walk (go)
Simple future:	*jag kommer att dricka* [drik·a'] (I shall drink)	*jag kommer att gå* [gå:] (I shall walk (go)
Future of det.:	*jag skall dricka* (I will drink)	*jag skall gå* (I will walk, I will go)
Present perfect:	*jag har druckit* [druk·it'] (I have drunk)	*jag har gått* [gɔt:] (I have walked, I have gone)
Past perfect:	*jag hade druckit* (I had drunk)	*jag hade gått* (I had gone)

Supply the other pronouns as needed.

(a) To form the present indicative of a strong verb, add *-er* to the stem if the infinitive ends in *-a*. Otherwise, add *-r*.

(b) If the stem of the infinitive ends in *-r*, the *-er* ending of the present indicative is not added. Example: Jag *bär* barnet (I am carrying the child).

(c) The supine is invariable. See section 43 (a).

(d) All monosyllabic words and the present indicative forms ending in *-er* have the acute accent. All the other forms of verbs which have primary stress on the first syllable have the grave accent. The forms of verbs which do not have the primary stress on the first syllable have the acute accent.

48. Literary Plurals. Swedish verbs have plural forms which are used in formal writing and in elevated speech:

PRESENT	PAST	SIMPLE FUTURE	FUTURE OF DETERMINATION	PRESENT PERFECT
		att ha (to have):		
vi har	vi hade	vi kommer att ha	vi skall ha	vi har haft [haf:t]
vi *ha*	vi hade	vi *komma* att ha(va)	vi *skola* ha	vi *ha* haft
		att vara (to be):		
vi är	vi var	vi kommer att vara	vi skall vara	vi har varit
vi *äro*	vi *voro*	vi *komma* att vara	vi *skola* vara	vi *ha* varit

PRESENT	PAST	SIMPLE FUTURE	FUTURE OF DETERMINATION	PRESENT PERFECT
		att kalla (to call):		
vi kallar	vi kallade	vi kommer att kalla	vi skall kalla	vi har kallat
vi *kalla*	vi kallade	vi *komma* att kalla	vi *skola* kalla	vi *ha* kallat
		att hålla (to hold):		
vi håller	vi höll	vi kommer att hålla	vi skall hålla	vi har hållit
vi *hålla*	vi *höllo*	vi *komma* att hålla	vi *skola* hålla	vi *ha* hållit

The italicized forms are literary plurals. The forms preceding them are colloquial plurals which are identical with the singular forms of the verbs used colloquially and formally. The past perfect tense has no special literary plurals; the future perfect tense has the special literary plural: vi *skola* ha haft, etc. Do not use the literary plural in conversation.

(a) Notice that the literary plural form of the present indicative is identical with the infinitive. *Äro*, the literary plural, present tense, of *att vara* (to be), is an exception.

(b) The final *-o* of the literary plural past tense of strong verbs is pronounced [ω].

49. The Progressive in Swedish. Unlike English, Swedish lacks special progressive and emphatic forms of the present and past indicative. For example, *I sit*, *I am sitting*, and *I do sit* have only one Swedish equivalent, *jag sitter;* and *I sat*, *I was sitting*, and *I did sit* have the Swedish equivalent, *jag satt.*

Although Swedish lacks special progressive forms, it does have means by which to stress the idea of progression, of continued action, etc.

Han *läser och läser.*	He *is* (always) *reading.*
Han *håller på att arbeta.*[1]	He *is working.*
Han *sitter och läser* i biblioteket.	He *is reading* in the library.

The means for indicating continuous action are the repetition of a verb, the use of a form of *hålla på att* (keep on) with the

[1] In Swedish an infinitive may be the object of a preposition.

major verb, or the use of two verbs (such as *gå*, *ligga*, *sitta*, and *stå* plus another verb). You will need to remember that *hålla på att* may also mean *to be on the point of*, particularly if it is used with a verb of limited duration. See the second story at the beginning of this lesson.

50. Emphatic Word Order. Compare English and Swedish word order:

ENGLISH	NORMAL	EMPHATIC
He did it.	Han gjorde det.	Det *gjorde han.*
He was great.	Han var stor.	Stor *var han.*
I did it yesterday.	Jag gjorde det i går.	I går *gjorde jag* det.
While he worked, I read.	Jag läste, medan han arbetade.	Medan han arbetade, *läste jag.*

To emphasize the object, an adjective, an adverb, a phrase, a quotation, or a dependent clause, place the expression to be emphasized first and then invert the subject and the verb.

VOCABULARY

Strong verbs will be entered in the word-lists in this way: *se* (*såg; sågo; sett*), see; *se ut*, look (like). The first entry will be the infinitive; the first entry within the parentheses will be the past tense, the second entry within the parentheses will be the literary plural past tense; and the last entry will be the supine. Know also the verbs given in sections 46 and 47. The strong verbs used in previous lessons are included in this vocabulary.

andra, other(s) [an·dra‘]. See *annan.*
begripa (*begrep; begrepo; begripit*), understand [begri:pa]
bliva or *bli* (coll.) (*blev; blevo; blivit;* pres. *bliver*, coll. *blir*), become [bli·va‘; bli:]
bli av med, to get rid of
bli kvar, remain
bort, away [bɔt̡:]
både . . . och . . ., both . . . and . . . [bå·də‘ . . . ɔk: . . . (coll. å:)]
båt (*-en, -ar*), boat [bå:t]
doktor (*-n, doktorer*), doctor [dɔk:tɔr; dɔktω:rər]. See 30(b).
då (adv.), then [då:]
därefter (primarily formal), after that [dæ:räftər]
därför (primarily formal), therefore, for that reason [dær:fœr]
falla (*föll; föllo; fallit*), fall [fal·a‘]
från, from [frɔn:]
fåg/el (*-eln, -lar*), bird [få:gəl]. See 30(a).
för (conj.), for [fœ:r]
för att, in order to [fœ:r at:(coll. å:)]

först (adv.), first [fœʃ:t]
förstå (*förstod; förstodo; förstått*), understand [fœʃtå:]
gam/mal (*-malt, -la*), old [gam·al‘]
gå (*gick; gingo; gått*), walk, go [gå: ; jik: ; jiŋ·ω‘; gɔt:]
gång (*-en, -er*), time [gɔŋ: ; gɔŋ·ər‘]
  en gång, once; *två gånger*, twice
göra, do, make [jœ·ra‘]. See 51.
histori/a (*-en, -er*), story, anecdote [histω:ria]
hund (*-en, -ar*), dog [hun:(d); hun·dar‘]
hålla på (*att*), keep on, be on the point of. See 49 and *hålla* (46).
icke (formal), not [ik·ə‘]
ingen (sg. nn.), no one [iŋ·ən‘]
invid, by, next to, near [inve:]
kast/a (*-ade; -at*), throw [kas·ta‘]
komma (*kom; kommo; kommit*), come [kɔm·a‘; kɔm: ; kɔm·ω‘; kɔm·it‘; kɔm:ər]
kvar (adv.), remaining, left, over [kvɑ:r]
kär (*-t, -a*), dear [çæ:r]
ligga (*låg; lågo; legat*), lie [lig·a‘]
mycket (coll. *mycke*), much [myk·ət‘; coll. myk·ə‘]
ned (coll. *ner*), down [ne:d; ne:r] See 65.
plötsligt, suddenly [plöt·sli(g)t‘]. See 18 and 20.
rädd/a (*-ade; -at*), rescue, save [räd·a‘]
sade, said, was saying, did say [sɑ·də‘; coll. sɑ:]
se (*såg; sågo; sett*), see [se: ; så:g; så·gω‘; set:]
sedan (coll. *sen*), afterwards, after that [se·dan‘; se:n]
sitta kvar, remain (sitting). See 46.
själv (*-t, -a*), himself, herself, etc. [ʃäl:v]
sjö (*-n, -ar*), lake [ʃø: ; ʃø·ar‘]
skola [skω·la‘]. See 48.
snart, soon [snɑ:ṭ]
stackars (inv.), poor (pitiable) stak·aʃ‘]
stiga (*steg; stego; stigit*), step [sti·ga‘]
så (adv.), then [så:]
ta(*ga*) (coll. *ta*) (*tog; togo; tagit*), take [tɑ·ga‘; tɑ: ; tω:g; tω·gω‘; tɑ·git‘]
träd (*-et, —*), tree [trä:d, coll. trä:]
ty (formal), because [ty:]
upp (coll. *opp*), up [up: ; ɔp:]. See 65.
uppe (coll. *oppe*), up [up·ə‘; ɔp·ə‘] See 65.
ut, out [ɯ:t]. See 65.
vara (*var; voro; varit;* pres. *är, äro*), be [vɑ·ra‘; vɑ:(r); vω·rω‘; vɑ·rit‘]
varför, why [vɑ:rfœr]
vilja (*ville; velat;* pres. *vill*), want to [vil·ja‘; vil·ə‘; ve·lat‘]

DRILLS

A

What are the principal parts of these verbs: 1. att kalla, att kasta, att rädda, att öppna, att knacka, att koka, att arbeta, att fråga, att meta, att prata, att simma, att svara, att tala. 2. att besöka, att hänga, att läsa, att tycka om, att bygga, att känna, att köpa, att äga. 3. att må, att bo, att tro. 4. att komma, att gå, att dricka, att begripa, att bliva, att falla, att hålla, att hålla på, att sitta kvar, att ta(ga), att stiga, att bära.

B

Give synopses: 1. Gossen far ut på sjön var dag. 2. Fadern håller på att meta. 3. Barnen sitter i biblioteket. 4. Du tar hunden ner till sjön. 5. Hunden räddar mannen. 6. Fåglarna flyger ut på landet. 7. Skriver flickan en uppsats? 8. Nej, hon går i parken. 9. Ljuger gossen? 10. Nej, han ljuger inte. 11. Vem dricker vatten? 12. Barnet dricker vatten. 13. Jag tycker om kaffe. 14. Modern kokar kaffe i köket.

C

Supply the Swedish equivalents of the English expressions: 1. (*Did Sten say*) till Gustav, att tio fåglar (*sat*) i trädet? 2. Nej, han (*said*), att femton fåglar (*were sitting*) i det. 3. När (*did the man come*) och sköt (shoot) dem? 4. Han (*came*), när fåglarna (*were sitting*) i trädet. 5. Hur många (*remained*), när mannen gick bort? Ingen (*remained*). 6. Nej, de (*flew*) bort. 7. (*Did the boy understand*), att ingen (*remained*)? 8. Ja, han (*understood*) det.

D

Answer each question in a complete sentence: 1. Vem ägde en gammal hund? 2. Varför ville mannen bli av med (get rid of) honom? 3. Vad ville mannen göra med hunden? 4. Hur for mannen ut på sjön? 5. Vad kastade han i vattnet? 6. Ville hunden simma? 7. Vem föll i sjön? 8. Höll hunden på att drunkna (drown)? 9. Vilka räddade mannen och hunden? 10. Tyckte mannen om hunden? 11. Vad vill mamma, att gossen skall bli? 12. Vad vill gossen själv bli?

E

In the first two stories at the beginning of the lesson, a number of literary plural forms occur. What are they? What would be their colloquial equivalents?

F

Rewrite these sentences, using normal word order: 1. I ett träd satt femton fåglar. 2. Då kom en man och sköt åtta av dem. 3. "Sju," svarade vännen. 4. Nu steg han i en båt. 5. Där kastade han hunden i vattnet. 6. Plötsligt föll mannen själv i sjön. 7. Då höll hunden honom uppe. 8. Snart kom män dit. 9. Därefter höll mannen hunden mycket kär. 10. Först skall jag bli doktor. 11. Det vill mamma.

G

Translate, using literary plural verb forms with plural subjects: 1. Did the children go to school today? 2. Yes, they go to school every day. 3. What is the teacher's (feminine) name? 4. I believe her name is Miss Berg. 5. Have the boys written the themes? 6. No, they are writing themes today. 7. Do you like to live in the city? 8. Yes, I have always liked the city. 9. Do you walk in the park? 10. Yes, I walk there every day. 11. Grandfather (paternal) is walking by (*vid*) the lake. 12. He likes to walk.

LESSON XIV

Irregular Verbs. *att ha* and *att vara*. The Tenses. The Imperative Mood.

Illustrative Sentences

Vad gjorde herr Berg i går? Jag vet inte, om han arbetade eller reste ut på landet. Har han köpt huset ännu? Nej, han kommer inte att köpa det. Varför? Ekbloms vill inte sälja det.

Lade Erik böckerna på bänken i köket? Nej, han lägger dem alltid på bordet i biblioteket. Visste du, att vi har köpt ett nytt bord? Ja, Anna sade det till mig i går. Var har ni det? Vi har det i biblioteket.

Vad hette mamma, när hon var flicka? Hon hette fröken Dahlberg. Vad heter hon nu? Hon heter fru Alm.

Säljer mannen böcker? Ja, han säljer böcker och många andra saker. Har han alltid sålt böcker och pennor? Ja, han har sålt böcker och pennor i många år.

Hur mår Anna? Hon mår bra. Det gläder mig.

* * *

Speech Drill

"Vad gör du i biblioteket?" ropade herr Berg.

"Ingenting," svarade Erik.

"Och vad gör Karl?" frågade herr Berg.

"Han hjälper mig," blev svaret.

"Vi människor har kommit till världen för att hjälpa andra . . ."

"Ja, men varför har då de andra kommit till världen?"

Hon: "Var var du i går kväll?"

Han: "Det var inte sant. Vem har sagt det?"

51. Irregular Verbs. Several of the most common verbs are irregular. Among them are:

INFINITIVE	PRESENT IND.	PAST	SUPINE
att glädja [glä·dja‘] (please)	*gläder* [glä:dər]	*gladde* [glad·ə‘]	*glatt* [glat:]
att göra [jœ·ra‘] (do, make)	*gör* [jœ:r]	*gjorde* [jω·ḍə‘]	*gjort* [jω:ṭ]
att heta [he·ta‘] (be named)	*heter* [he:tər]	*hette* [het·ə‘]	*hetat* [he·tat‘]
att leva [le·va‘] (live, exist)	*lever* [le:vər]	*levde* [le·vdə‘]	*levat* [le·vat‘]
att lägga [läg·a‘] (lay, place)	*lägger* [läg:ər]	*lade* [lɑ·də‘]	*lagt* [lak:t]
att säga [sä·ga‘] (say)	*säger* [sä:gər]	*sade* [sɑ·də‘]	*sagt* [sak:t]
att sälja [säl·ja‘] (sell)	*säljer* [säl:jər]	*sålde* [sɔl·də‘]	*sålt* [sɔl:t]
att sätta [sät·a‘] (set, place)	*sätter* [sät:ər]	*satte* [sat·ə‘]	*satt* [sat:]
att veta [ve·ta‘] (know [facts])	*vet* [ve:t]	*visste* [vis·tə‘]	*vetat* [ve·tat‘]

(a) The literary plural forms, present indicative, are identical with the infinitives.

(b) *att glädja* is used as an impersonal verb: *Det gläder mig.* (That pleases me.) *Det gladde mig.* (That pleased me.)

(c) These words have a special colloquial pronunciation: *säga* [säj·a‘]; *säger* [säj:ər]; *säg* [säj:]; *sade* [sɑ:]; and *lade* [lɑ:]. Occasionally in informal writing or in recorded conversation, *säja*, *säjer*, *la*, and *sa* appear.

(d) See section 44 (f) for the accent in these verb forms.

(e) The imperatives, second person, are *gör*, *lev*, *lägg*, *säg*, *sälj*, *sätt*, and *vet*.

52. Notes on the Tenses and the Infinitive. The tenses in Swedish are used much as the corresponding English tenses. Certain facts need particular attention, however.

(a) The simple past tense is used in expressions of admiration, surprise, etc.:

Det var roligt!	That was fun!
Det var bra!	That is fine!

(b) Notice how future time is expressed:

Det *blir* roligt!	That *will be* fun!
Hon *väcker* honom nog.	She *will* undoubtedly *awaken* him.
Jag *reser* till Chicago i morgon.	I *shall go* to Chicago tomorrow.
Jag *kommer att resa.*	I *shall go* (travel).
Jag *skall resa* i morgon.	I *will go* tomorrow.

The present tense of verbs of transition (i.e., verbs stressing change from one state to another, such as *väcka*, awaken; *bli*, become, etc.) may express simple futurity. The present tense of verbs of duration (i.e., verbs stressing continued action such as *resa*, travel, go, etc.) may express simple futurity if the time of the action is indicated. *Kommer att* plus an infinitive may express simple futurity, whether the time is indicated or not. If a *command, decision, intention*, or *promise* is to be expressed, *skall* (literary plural, *skola*) must be used.

(c) The future perfect tense is rarely used; the present perfect is usually substituted for it:

Jag har gjort det, när du blir färdig.
I shall have done it, when you will be ready.

(d) The sign of the infinitive (*att*, to) is omitted after a form of a modal verb (*vilja, skola*, etc. See section 94) and usually after such verbs as *be(dja)*, ask; *bruka*, be in the habit of; *börja*, begin; *tänka*, think; *tycka*, think; *tyckas*, appear, seem; *synas*, appear, seem; *ämna*, intend, etc.

Jag *skall göra* det.	I will do it.
Han *vill* inte *arbeta*.	He does not want to work.

(e) *Att* is used with the infinitive when following a form of *att komma*, when governed by a preposition, when part of an infinitive phrase, and when serving as the subject of a clause.

Han *kommer att göra* det.	He will do it.
Jag tycker *om att simma.*	I like to swim (swimming).
Att veta allting är omöjligt.	It is impossible to know everything.
Att simma är roligt.	Swimming is fun.

(f) The auxiliary *ha* (*har, hade*) is often omitted in dependent clauses, particularly in written Swedish.

Sedan han gått till sängs, läste han.	After he had gone to bed, he read.

53. Synopses of *att ha* and *att vara*. Memorize the synopses of *att ha* (to have) and of *att vara* (to be) in the indicative mood, active voice.

TENSE	SINGULAR, AND COLLOQUIAL PL.	SINGULAR, AND COLLOQUIAL PL.
Present:	*jag har*	*jag är*
Simple past:	*jag hade*	*jag var*
Simple future:	*jag kommer att ha*	*jag kommer att vara*
Future of det.:	*jag skall ha*	*jag skall vara*
Present perfect:	*jag har haft*	*jag har varit*
Past perfect:	*jag hade haft*	*jag hade varit*

(a) *Att ha* has an older form, *att hava*, which is used only in very formal Swedish. The older present indicative is *jag haver*.

(b) The literary plural, present indicative, of *att ha* is *vi* (*ni, de*) *ha.* The literary plural of *att vara* in the present indicative is *vi* (*ni, de*) *äro* [æ·rω‘].

(c) *Att vara* has the literary plural, past tense: *vi* (*ni, de*) *voro* [vω·rω‘].

(d) The imperatives, second person, are *ha* and *var.*

(e) *Var* is pronounced [vɑ:] and *är* [ä:] colloquially.

54. The Imperative Mood. The various forms of the imperative mood (the mood of command) are:

CONJUGATION	2ND PERSON SINGULAR	1ST PERSON PLURAL	2ND PERSON PLURAL
I	*kalla* (call)	*låt oss kalla* (let us call)	*kalla* (call)
IIa	*sänd* (send)	*låt oss sända* (let us send)	*sänd* (send)
IIb	*köp* (buy)	*låt oss köpa* (let us buy)	*köp* (buy)
III	*tro* (believe)	*låt oss tro* (let us believe)	*tro* (believe)
IV (strong)	*skriv* (write)	*låt oss skriva* (let us write)	*skriv* (write)

(a) The second person plural, imperative, is identical with the singular, second person.

(b) In the first conjugation, the form of the imperative, second person, is identical with the infinitive. In the other conjugations, this form of the imperative is identical with the stem of the infinitive.

(c) The first person plural, imperative, is formed by placing *låt oss* (let us, let's) before the infinitive. An older form, no longer used colloquially, is *låtom oss* (let us).

(d) Polite imperatives are preferred:

Var snäll och skriv. Please write.
Var god och kom. Please come.

VOCABULARY

In addition to the words listed below, you are responsible for the various forms of the verbs listed in sections 51 and 53.

bänk (*-en, -ar*), bench [bäŋ:k; bäŋ·kar‘]
god (*gott, goda*), good [gω:d, coll. gω: ; gɔt: ; gω·da‘]
går [gå:r]
i går, yesterday
i går kväll, last evening
hjälp/a (*-te, -t*), help [jäl·pa‘]
ingenting, nothing [iŋ·əntiŋ‘]
låt oss (older *låtom oss*), let us, let's [lå:t ɔs:]
mig, me [mi:g; coll. mäj:]
ny (*-tt, -a*), new [ny: ; nyt: ; ny·a‘]
om (conj.), if [ɔm:]
oss, us [ɔs:]
res/a (*-te; -t*), travel, go [re·sa‘]
rop/a (*-ade; -at*), call, shout [rω·pa‘]
sak (*-en, -er*), thing [sɑ:k; sɑ·kər‘]

san/n (*-t*, *-na*), true [san:]
snäll (*-t*, *-a*), kind, good, nice [snäl:]
stäng/a (*-de; -t*), shut, close [stäŋ·a‘]
sän/da (*-de; -t*), send [sän·da‘]. See 44(c).
svar (*-et*, —), answer [svɑ:r]
värld (*-en*, *-ar*), world [væ:ḍ; væ·ḍar‘]
ännu, yet, still [än·ɯ‘]

DRILLS

A

Give synopses of: 1. Vad *gör* Sten? 2. Han *säljer* böcker. 3. *Vet* du, vad flickan heter? 4. Hon *heter* Alma Lindblad. 5. *Säger* föräldrarna, att Sven är stor? 6. Nej, de *säger* han är liten. 7. Mamma *mår* bra. 8. Jag *är* svensk. 9. De *har* ett hem. 10. *Reser* ni till Chicago? 11. *Hjälper* barnen Alf? 12. *Går* de i skolan? 13. Nej, de *metar* i sjön. 14. Det *gläder* mig.

B

Answer each question in a complete sentence: 1. Var bor ni? 2. Vad heter ni? 3. Vad gjorde ni i går? 4. Vad skall ni göra i kväll? 5. Vad har ni gjort i dag? 6. När bor ni i stan? 7. När reser ni ut på landet? 8. Tycker ni om att gå i skolan? 9. Vad vill ni göra? 10. Har ni många böcker? 11. Talar mamma och pappa svenska? 12. Förstod ni, vad jag sade? 13. Vill ni öppna dörren? 14. Vill ni stänga fönstret?

C

Supply the Swedish imperatives: 1. (*Buy*) den svarta pennan. 2. (*Let's write*) till Gustav. 3. (*Read*) satsen, och (*write*) den på svarta tavlan. 4. (*Take*) boken, Anna. 5. (*Let's read*) en bok av Selma Lagerlöf. 6. (*Ask*) den store gossen, han vet att det är sant. 7. (*Please do*) det. 8. (*Do*) det i dag. 9. (*Carry*) böckerna, Erik. 10. (*Call*) brodern Sten. 11. (*Be*) snäll. 12. (*Please say*), om det är sant.

D

Read aloud; translate; explain the differences between the sentences in each group: 1. Jag skall gå till Olssons. Jag går till Olssons. Jag kommer att gå till Olssons. Han vill gå till Olssons. 2. Vi känner inte herr Dalquist. Jag vet inte om det är han. 3. Eleven läste i biblioteket. Studentskan läste och läste. Studenten håller på att läsa hela dagen. Hon satt och läste. 4. Var god och sitt. Sitt! 5. Mormor lever ännu. Mormor bor hos oss. 6. Skola vi gå? Skall vi gå? 7. Herr Broberg, ni känner doktorn. Du känner doktorn. Herr Broberg känner doktorn. 8. Kalla honom inte Olle. Var snäll och kalla honom inte Olle. 9. Det vilja vi icke göra. Det vill vi inte göra. 10. Äro de lärarinnor? Är de lärarinnor? 11. Är det en lärare? Är han en snäll lärare? Är han lärare? 12. Sade du ingenting? Sade ni ingenting?

E

Rewrite these sentences, placing the italicized word or words first: 1. Pappa frågade: "*Vad gör du i sängkammaren?*" 2. Erik svarade: "*Ingenting.*" 3. Pappa frågade: "*Vad gör Karl?*" 4. Erik svarade: "*Han hjälper mig.*" 5. Herr Alm såg fröken Dahl *på gatan.* 6. Hon var *liten.* 7. Han köpte *en ny penna.* 8. Barnen är *alltid* snälla. 9. Gossarna tycker om *att bo hos mors föräldrar.* 10. Jag såg flickan *i går.* 11. Jag köpte böckerna *av Olle.* 12. Han ville inte resa *till Chicago.* 13. Jag går, *när han kommer.* 14. Hilma vill inte bo *i stan.*

F

Translate: 1. We are going to Chicago this evening. 2. Do you want to go to Springfield? 3. No, I am going to go to school. 4. Have you written the theme yet? 5. No, I will write it this evening. 6. Where (*vart*) has Karl gone? 7. I believe he is reading in the dining room. 8. Have you talked with him today? 9. Yes, I talked with him when I saw him twenty minutes ago. 10. He said that he does want to go today. 11. Was he a student at the university? 12. No, I believe that he was a teacher.

LESSON XV

Review

A

Determine by means of characteristics to which conjugation each of the italicized verbs belongs: 1. *Gick* barnen i skolan i kväll? Nej, de *gick* inte i skolan i kväll. 2. *Talade* läraren svenska i klassrummet? Ja, han talar alltid svenska. 3. Vem *förstod* lärarinnan, när hon *frågade* vad en saga är? Jag *tror* alla barnen *visste* att en saga är en historia. 4. Vem har *tagit* den nya pennan? Anna *tog* den och *gick* ut. 5. *Låg* boken på bordet i matsalen? Ja, och den *ligger* på bordet nu. 6. *Kalla* honom inte Sten, han heter Anders. 7. Anders har *varit* student i många år. 8. *Tro* inte Anna, när hon *talar* om Chicago, hon har inte *bott* där. 9. *Tyckte* läraren om de långa uppsatserna? Han har inte *läst* dem ännu. 10. *Besökte* ni Lunds i går kväll? Nej, jag *gjorde* ingenting i går kväll. 11. *Svara* på svenska. 12. Var snäll och *häng* svarta tavlan på väggen.

B

Give synopses: 1. Pappa *vill* köpa huset. 2. *Äger* herr och fru Johansson det? 3. Jag *vet* inte. 4. *Far* både herr och fru Strand till stan var dag? 5. Han *bor* på landet om somrarna. 6. Han *arbetar* i stan. 7. Gossens vänner *kommer*. 8. *Har* barnet en båt? 9. Vad *gör* ni uppe i trädet? 10. Hunden *tar* ett litet ben. 11. *Flyger* fågeln bort? 12. *Är* Erik student? 13. Jag *kallar* honom Olle. 14. *Reser* du till Chicago? 15. Flickorna *skriver* uppsatser. 16. Mors föräldrar *lever* och *mår* bra.

C

First, substitute *ni* and *de* for *vi* before each verb; then substitute the colloquial plural for each verb: 1. Vi bo på landet. 2. Vi besöka fars föräldrar i staden. 3. Vi se dem var dag. 4. Vi tro, att det är sant. 5. Vi vilja icke hjälpa dem. 6. I går sågo vi barnen. 7. Vi ha sett Ekbloms hem. 8. Vi skola resa till Stockholm. 9. Vi koka kaffe i köket, innan vi gå ut i parken. 10. Voro vi vänner, när vi voro barn? 11. Äro icke herrarna studenter? Nej, de voro studenter för länge sedan. 12. Vi tycka om att gå i skolan. 13. Vi komma att resa till Chicago. 14. Ropa vi på gossarna, som sitta på bänken i sängkammaren? Which words will need colloquial substitutes?

D

Give sliding synopses (for example, jag kallar, du kallade, hon kommer att kalla, vi skall kalla, ni har kallat, de hade kallat): 1. Jag svarar. 2. Jag håller på att svara. 3. Jag bor hos Anderssons. 4. Jag äger många böcker. 5. Jag blir lärare. 6. Jag skriver uppsatser. 7. Jag tycker om svenska. 8. Jag hänger svarta tavlan på väggen. 9. Jag går på gatan. 10. Jag håller hunden under vattnet. 11. Jag tror, att han är doktor. 12. Jag vill inte arbeta. 13. Jag frågar, vad han heter. 14. Säljer jag många saker? 15. Jag begriper det. 16. Jag blir kvar.

E

Convert these declarative sentences into imperative sentences thus: Johan går in i biblioteket (Declarative). Gå in i biblioteket, Johan (Imperative). 1. Elsa knackar på dörren. 2. Hon kommer nu. 3. Hon tar den nya boken och läser den. 4. Hon säger hur mycket hon tycker om den. 5. Karl hänger svarta tavlan på en av väggarna i klassrummet. 6. Han skriver satsen på svarta tavlan. 7. Vi går ut och simmar. 8. Karin tror honom. 9. Flickorna sitter på bänken i köket. 10. Vi köper böckerna i dag. 11. Doktorn frågar, vad Anna vill. 12. Gossarna gör det snart. 13. Erik öppnar fönstret själv. 14. Han kastar inte boken på golvet. 15. Vi räddar den stackars hunden. 16. Janne stiger i båten och far ut på sjön för att rädda den gamle hunden.

F

Explain the differences in meaning between the members of each group of these sentences: 1. Johan kommer att resa i dag. Johan skall resa i dag. Johan reser i dag. 2. Du vill läsa boken. Du kommer att läsa boken. Du skall läsa boken. 3. Vill ni fråga läraren, vad han sade? Skall vi fråga läraren, vad han sade? 4. Skriver vi uppsatser nu? Kommer vi att skriva uppsatser nu? Skall vi skriva uppsatser nu? 5. Vill du tala svenska? Kommer du att tala svenska? Skall du tala svenska? Talar ni svenska?

G

Determine by means of characteristics to which declension each italicized noun belongs: 1. *Doktorerna* var hos Bloms och metade två *gånger*. 2. Vad gjorde lärarna i går? Två *lärare* besökte oss. 3. Har *kvinnorna* kokat kaffe i kväll? Nej, inte ännu. 4. *Männen* räddade hundarna. 5. Hur många *böcker* har vi läst? Vi har läst två. 6. Vad gör han om *vintrarna?* Han arbetar i stan. 7. Kastade *barnen* bort uppsatserna? Nej, de har dem. 8. Har ni två *kök?* Nej, vi har ett. 9. Vi har tre *badrum* i huset. 10. Är de nya *studenterna* svenskar?

Swedish Traffic Association

ANDERS ZORN'S GAMMELGÅRD AT MORA, DALARNA

Swedish Travel Information Bureau

INTERIOR, OKTORPSGÅRDEN
(An old farmhouse, preserved at Skansen)

American Swedish News Exchange

CHAIR, DESIGNED BY CARL MALMSTEN

Swedish Traffic Association

RUG, DESIGNED BY ELLEN STÅHLBRAND

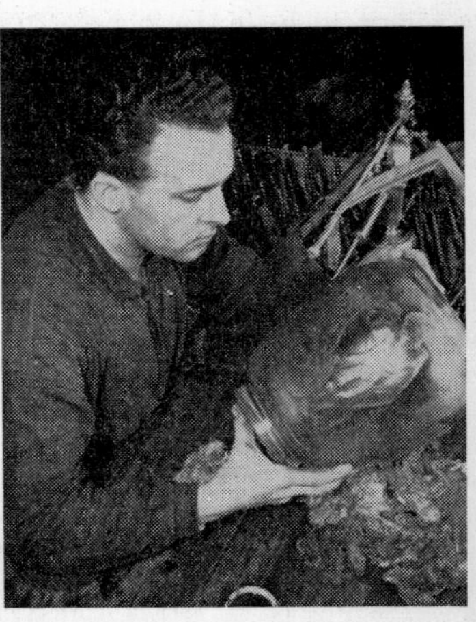

Swedish Traffic Association

WORKMAN AT THE ORREFORS GLASS WORKS

CRAFTSMANSHIP—A LIVING TRADITION

Some years ago tourists began to make the discovery that it is quite as important to shop in Stockholm as in Paris. Along such streets as Drottninggatan, Hamngatan, Strandvägen, Kungsgatan, and Regeringsgatan are shops displaying Swedish handwoven textiles, engraved crystal glass, pewter, silver, pottery. Due to their artistic beauty and exquisite workmanship, Swedish arts and crafts have an international reputation, and connoisseurs know their value. They are not primarily museum specimens, though many pieces have been acquired by museums in various parts of the world. The ideal of the modern Swedish decorative art movement has been to introduce greater beauty into everyday life. You need only look at the show windows of the stores, or, still better, get a glimpse of some of the modern Swedish homes, to find to what extent this ideal has been carried out. Often visitors find this feature as picturesque and captivating as any phase of modern Swedish life.

The triumph of Swedish arts and crafts is largely due to the fact that in Sweden craftsmanship as such has been a continuing tradition. When the Industrial Revolution began to introduce the machine-made product as a cheaper substitute for articles formerly made by hand, some art lovers in Sweden saw the evils of mass production and tried to counteract them. A society named Friends of Handicraft was formed. It is more than a half century since the Nääs Institute, near Gothenburg, was established. It was first a school for sloyd and manual training and then developed into a training school for teachers. The useful arts have had an important place in the curriculum of the Swedish schools.

More than a half century ago, Artur Hazelius, the antiquarian and art lover, laid the foundations of Skansen, the outdoor museum of peasant arts and crafts in Stockholm. For him it was largely a labor of love to gather in the objects of historical interest from all parts of Sweden. Now every province of the country is represented—log cabins with thatched roofs or with tiny blades of grass springing up from the covering of sod; manor houses with furnishings true to the period; even Lapp tents from the far northern regions. Inside the log cabins there are bright flashes of color—in textiles, pleasing combinations of coral and azure from the province of Blekinge, brilliant blues and reds and greens from Dalarna, tawny yellows and more sombre browns from Jämtland. Even functionalism and the conscious stylization of lines in furniture, to effect that simplicity which is the outstanding characteristic of the vogue of today, has not achieved anything more harmonious than some of the objects one finds at Skansen, the products of Swedish peasant art of the past centuries.

Other cities have followed the example of Stockholm and have created "hembygd" museums of this type on a smaller scale. There is at least one in practically every province of Sweden. The one at Östersund, called "Jamtli," has an aristocratic dignity, like a stately epic recording the traditions of a by-gone age. At Arvika the peasant craft of the province of Värmland is assembled. On the hills just outside Jönköping another little village of the past has been springing up in the characteristic style of the province of Småland. Västerås, the well-known industrial town, has a comprehensive museum, and so has the city of Lund. One of the most typical museums is undoubtedly Gammelgården at Mora, a work of Anders Zorn.

But Swedish arts and crafts are more than museum specimens; they are also living realities. For instance, it is worth a trip to Båstad, just a little north of Hälsingborg, to see a charming inn, Skånegården, where the beauties of craftsmanship in interior decoration and of architecture and landscape gardening merge as in a charming tapestry. Here at Båstad is the workshop of Märtha Måås Fjetterström, who is one of the pioneers among those who revived the art of weaving and adapted traditional designs to the needs of today. Also in such centers as Malmö, Uppsala, and Västerås it is easy to see that weaving is very much a living craft, and that it is an essential part of the daily life in home or shop.

Other small towns and villages in Sweden have become known in international circles because of their contribution to the modern decorative art movement. Orrefors is a name that has gone around the world. This little community lies in the heart of a forest just north of Kalmar on the southeast coast of Sweden. Two artists, Simon Gate and Edward Hald, have here created exquisite hand-blown and engraved crystal glass, as brilliant examples of the crafts as one can find. At Sigtuna, near Stockholm, is a new school for sloyd and cabinet making, directed by Carl Malmsten, one of the first modern workers in wood and inlaying, who has established an international reputation. Another interesting school is Säterglántan, near Leksand in Dalarna. Centers like Gustavsberg, Lidköping, Gävle, and Uppsala have become known for their pottery and ceramics largely through the work of artists like Wilhelm Kåge, Artur C:son Percy, and others. Stockholm itself is principally the center for those who work with silver, pewter, book-binding, woven textiles by the yard for furniture and hangings.

In the contribution of the Swedish groups one senses a real joy in creation. There is the true feeling for color that one expects to find in a country that for decades has concentrated on its own vegetable dyes. A distinctive richness in yellows and orange and green is the gift of native Swedish heath and meadow. The sense of form is equally pronounced. This combines with a skill in craftsmanship that is the heritage of the centuries.

Certain milestones emphasize the general trend of development. The first national showing of importance was the exhibition at Malmö in 1914. At the international exhibition of arts and crafts in Paris in 1925, the Swedish groups carried off the banner prizes. In 1927 they were invited to exhibit in the Metropolitan Museum in New York City, the first showing in this field of a foreign group invited by the Museum. The Stockholm Exhibition of 1930 represented a radical break with prior development. It was planned to safeguard the arts and crafts against the stagnation that results from imitation of dead and outworn forms. The program stressed the need of finding the proper art forms to fit the life of today. Even before the exhibition came to an end, the Swedish craftsmen had been invited to exhibit in London in the spring of 1931, and in many other ways there is a continuing significant international recognition.

—From Erik Lindberg's *Sweden: Glimpses of Its Charm, Traditions, and Modern Progress*, by permission of the Swedish Traffic Association.

LESSON XVI

The Declension of Adjectives. The Reflexives.

EN LITEN GOSSES DAG

Den *lille* gossen ligger i sängen och sover. På morgonen kommer mor in i den *ljusa* sängkammaren och väcker honom. När den *lille* vaknar, börjar han att prata med mamma. Då stiger han upp, går in i det *stora* badrummet och tvättar sig i ansiktet[1] och om händerna. När han har ätit, säger han "Adjö" till mamma och pappa och går ut. På gatan ser han en *gammal* hund, som följer honom till skolan. Den *gamle* hunden är *stor* och *snäll*. Gossen tycker om honom.

När gossen kommer in i det *stora* klassrummet, ser han den *unga* lärarinnan och de *andra* barnen. Snart börjar *hela* klassen att läsa och tala svenska. De sjunger *svenska* sånger, som *alla* barnen tycker om. En *stor* flicka med *ljust* hår går till *svarta* tavlan och skriver *svenska* satser. Då läser en *liten* flicka de *svenska* satserna. Lärarinnan säger till den *lilla* flickan: "Det var bra!" När lärarinnan frågar de *små* barnen vad de vill göra, så säger de *små* att de vill leka. Sedan går barnen hem.

På kvällen frågar pappa, om gossen har varit i skolan. Han svarar, att han har varit i skolan *hela* dagen. Mamma sitter och skriver ett *långt* brev. Om en stund går han till sängs. Mamma kommer in och berättar en *kort* historia innan han somnar. Han mår bra och sover *hela* natten.

---

[1] Instead of a possessive adjective and the indefinite noun, the definite form of the noun is often used. Thus, "*tvättar sig i ansiktet*" is translated "washes his face." See section 68.

Den gamle professorn

En *gammal* professor läste om kvällarna, sedan han hade gått till sängs. Ofta somnade den *gamle* och glömde att släcka[1] ljuset, som stod på det *lilla* bordet vid sängen. På morgonen fann han alltid, att ljuset var släckt, fast han visste, att ingen[2] människa hade släckt det.

En morgon betraktade han ljuset och såg att veken[3] var nedtryckt[4]. Detta märkte han *många* gånger sedan.

Följande kväll läste han länge, medan hans[5] *snälle* hund låg på golvet vid sängen. Professorn låtsade somna och snarkade[6] *några* tag[7]. Då såg han, hur hunden hoppade upp på stolen och släckte ljuset med framtassen[8], och så hur han hoppade ned och lade sig på golvet.

55. The Indefinite Declension. In its positive forms, an adjective is indefinite when it modifies an indefinite noun attributively or when it modifies any noun or pronoun predicatively:

	ATTRIBUTIVELY	PREDICATIVELY
Non-neuter singular:	*en snäll gosse* (a good boy)	*En gosse är snäll.* (A boy is good.) *Gossen är snäll.* (The boy is good.) *Han är snäll.* (He is good.)
Neuter singular:	*ett snällt barn* (a good child)	*Ett barn är snällt.* (A child is good.) *Barnet är snällt.* (The child is good.) *Det är snällt.* (He (the child) is good.)
Plural:	*snälla gossar* (good boys) *snälla barn* (good children)	*Gossarna är snälla.* (The boys are good.) *Barnen är snälla.* (The children are good.) *De är snälla.* (They are good.)

These examples illustrate the indefinite declension of the majority of adjectives. The neuter singular is formed by adding *-t* to the non-neuter form. The plural adjective is formed by adding *-a* to the non-neuter singular form. *An adjective agrees in number and gender with the noun or pronoun it modifies.*

---

1 *släck/a* (*-te; -t*), extinguish [släk·a']. 2 no. 3 the wick. 4 pressed down. 5 his. 6 snored. 7 a few times. 8 forepaw.

(a) Monosyllabic forms of adjectives have the acute accent. In such adjectives, the *-e* or *-a* (i.e., definite and plural) forms have the grave accent.
(b) Adjectives of more than one syllable ending in a weakly stressed *-er* or *-el* have the acute accent in the indefinite singular forms. Those ending in *-en* have the grave accent. In the *-a* or *-e* forms, all of these have the grave accent.
(c) Adjectives without primary stress on the first syllable have the acute accent in all forms.

56. Peculiarities of Declension. Although the majority of Swedish adjectives are declined in the manner indicated in the preceding section, there are important exceptions. Study these groups carefully:

	NON-NEUTER SINGULAR	NEUTER SINGULAR	PLURAL
(a)	*en glad man* (a happy man)	*ett glatt barn*	*glada barn*
	en god gosse (a good boy)	*ett gott hem*	*goda gossar*
(b)	*en ny bok* (a new book)	*ett nytt år*	*nya böcker*
	en blå stol (a blue chair)	*ett blått hus*	*blåa stolar*
(c)	*en ond kvinna* (an angry woman)	*ett ont barn*	*onda barn*
	en rund sjö (a round lake)	*ett runt rum*	*runda rum*
(d)	*en svart tavla* (a blackboard)	*ett svart tak*	*svarta tavlor*
	en trött student (a tired student)	*ett trött barn*	*trötta barn*
(e)	*en ledsen doktor* (a sad doctor) weary	*ett ledset barn*	*ledsna doktorer*
	en trogen lärare (a faithful teacher)	*ett troget barn*	*trogna barn*
(f)	*en bra flicka* (a good girl)	*ett bra hus*	*bra hus*
	(*en*) *stackars gosse* (a poor boy)	(*ett*) *stackars barn*	*stackars gossar*

Notice:
(a) In adjectives ending in *-d* preceded by a long vowel, *-tt* is substituted for the *-d* in the neuter singular.
(b) In adjectives ending in a primarily stressed vowel, *-tt* is added in forming the neuter singular.
(c) In adjectives ending in *-d* preceded by another consonant, the *-d* becomes *-t* in the neuter singular.
(d) Adjectives ending in *-t* preceded by a consonant remain unchanged in the neuter singular.

(e) In adjectives ending in *-en* which does not have principal stress, *-t* is substituted for the *-n* in the neuter singular. In adding the *-a* of the plural, the *-e* of the ending disappears.

(f) Some adjectives are indeclinable; that is, they do not have special neuter singular and plural forms.

57. The Definite Declension. An adjective is definite when it modifies attributively a definite noun:

Non-neuter singular:	*Den store gossen.*	(The big boy.)
	Den stora flickan.	(The big girl.)
Neuter singular:	*Det stora barnet.*	(The big child.)
Plural:	*De stora gossarna.*	(The big boys).
	De stora flickorna.	(The big girls.)
	De stora barnen.	(The big children.)

(a) The definite adjective is usually preceded by the definite article and followed by the noun in its definite form. There are many exceptions, however, such as:

hela timmen, the whole hour — *halva landet,* half the country
högra sidan, the right side — *södra Sverige,* southern Sweden

Sometimes neither article is used: *följande morgon*, the following morning; *förliden vecka*, the past week.

(b) The definite adjective usually ends in *-e* if qualifying a noun denoting a male being (singular).

(c) Notice what happens in the definite forms (and the indefinite plural) if the adjective ends in *-al*, *-el*, *-en*, or *-er* which does not have primary stress:

en gammal kvinna	*en ledsen man*	*en vacker flicka*
den gamla kvinnan	*den ledsne mannen*	*den vackra flickan*
gamla kvinnor	*ledsna män*	*vackra flickor*
de gamla kvinnorna	*de ledsna männen*	*de vackra flickorna*

(d) An adjective preceded by a definite article may be used as a noun:

den gamle (the old man) — *den gamla* (the old woman)
den gamles hem (the old man's home)

Notice that such an adjective takes *-s* to form the possessive.

(e) The very common adjective *liten* (little, small) is irregular:

en liten penna	*en liten gosse*	*ett litet rum*
den lilla pennan	*den lille gossen*	*det lilla rummet*
små pennor	*små gossar*	*små rum*
de små pennorna	*de små gossarna*	*de små rummen*

(f) The definite adjective is also used in such cases as these:

Har du förlorat *din nya* bok?	Have you lost *your new* book?
Hjalmars gamle vän kom.	*Hjalmar's old* friend came.
Denna intressanta bok är din.	*This interesting* book is yours.
Lille Gösta fann den.	*Little Gösta* found it.
Kära mamma!	*Dear Mother!*
Två stora gossar kommer.	*Two big* boys are coming.

58. The Reflexives. Swedish makes much greater use of the reflexives than English:

Johan tvättar *sig*.	John is washing (*himself*).
De lär *sig* att tala svenska.	They are learning to speak Swedish.

Sig is used only in the third person singular and plural; it refers to the subject of the clause in which it appears. In addition to the real reflexive *sig*, the objective forms of the personal pronouns are used as reflexives:

1.	jag tvättar *mig*	1.	vi tvättar *oss*
2.	du tvättar *dig*	2.	ni tvättar *er*
	ni tvättar *er*		
3.	han (hon) tvättar *sig*	3.	de tvättar *sig*

(a) The colloquial pronunciation of *mig*, *dig*, and *sig* is [mäj:], [däj:], and [säj:]; the formal, [mi:g], [di:g], and [si:g].

(b) *er* has the purely formal version *eder*.

(c) *sig* also is an equivalent of "himself, herself, oneself, themselves," etc.:

Han köpte *sig* en kostym.	He bought a suit for *himself*.
Han begynte bygga *sig* en koja.	He began to build a hut for *himself*.

VOCABULARY

See the vocabulary in Lesson X for an explanation of the entry of adjectival forms.

adjö, good-bye [adjø: ; coll. ajø:]
berätt/a (*-ade; -at*), tell (a story) [berät:a]
betrakt/a (*-ade;-at*), watch, consider [betrak:ta]
brev (*-et*, —), letter [bre:v]
börj/a (*-ade; -at*), begin [bœr·ja‘]
då (adv.), then [då:]
fast (conj.), although [fas:t]
finna (*fann; funno; funnit*), find [fin·a‘; fan: ; fun·ω‘; fun·it‘]
följ/a (*-de; -t*), follow [föl·ja‘]
följande (inv.), following [föl·jandə‘]
glöm/ma (*-de; -t*), forget [glöm·a‘]. See 19.
hem (adv.), home [hem:]. See 65.
hopp/a (*-ade; -at*), jump [hɔp·a‘]
in i, into [in: i:]
kort (—, *-a*), short [kɔṭ:]
om kvällarna, in the evenings. See *kväll*.
på kvällen, in the evening. See *kväll*.
lek/a (*-te; -t*), play (games) [le·ka‘]
lilla. See *liten*.
ljus (*-et*, —), light [jɯ:s]
låts/a (*-ade; -at*), pretend [lɔt·sa‘; coll. lɔs·a‘]
lägga sig, lie down. See *lägga*.
morg/on (*-onen, -nar*), morning [mɔr·gɔn‘; mɔr·gnar‘; coll. mɔr·ɔn‘; må·ṇar‘]
på morgonen, in the morning
märk/a (*-te; -t*), notice [mær·ka‘]
natt (*-en, nätter*), night [nat: ; nät:ər]
ofta, often [ɔf·ta‘]
professor (*-n, -er*), professor [prωfäs·ɔr‘; prω′fäsω:rər]. See 30(b).
sedan (conj. and prep.), since [se·dan‘]
sig (inv.), himself, herself, oneself, themselves [si:g; coll. säj:]. See 58.
sjunga (*sjöng; sjöngo; sjungit*), sing [ʃuŋ·a‘; ʃöŋ: ; ʃöŋ·ω‘; ʃuŋ·it‘]
små. See *liten*.
somn/a (*-ade; -at*), fall asleep [sɔm·na‘]
sova (*sov; sovo; sovit*), sleep [så·va‘; så:v; så·vω‘; så·vit‘]
stiga upp, get up, arise. See *stiga*.
stund (*-en, -er*), while, short time [stun:d; stun·dər‘]
om en stund, in a while
stå (*stod; stodo; stått*), stand [stå: ; stω:(d); stω·dω‘; stɔt:]
svensk (*-t, -a*), Swedish (adj.) [svän:sk]
sång (*-en, -er*), song [sɔŋ: ; sɔŋ·ər‘]
säng (*-en, -ar*), bed [säŋ: ; säŋ·ar‘]
till sängs, to bed
tvätt/a sig (*-ade sig; -at sig*), wash [tvät·a‘]
vakn/a (*-ade; -at*), wake up [vɑ·kna‘]
väck/a (*-te; -t*), awaken, arouse [väk·a‘]
äta (*åt; åto; ätit*), eat [ä·ta‘; å:t; å·tω‘; ä·tit‘]

DRILLS

A

Substitute the Swedish equivalents for the expressions within parentheses: 1. Den (*old*) professorn äger en (*old*) hund, som jag vill köpa. 2. Huset är inte (*old*), det är (*new*). 3. I dag har vi en (*young*) vän hos oss, i går hade vi två (*old*) vänner. 4. (*Small*) gossar tycker om (*old*) hundar. 5. Är det (*true*), att Anna har köpt en (*new*) bok? 6. Jag vet inte. Hon hade en (*old one*) med sig i dag. 7. Den (*big*) gossen frågar den (*little*) flickan, vad hon heter. 8. En (*little*) fågel satt i det (*little*) trädet och sjöng. 9. Jag har arbetat (*the whole, all*) dagen. 10. "Det var (*fine*)!" sade den (*kind*) läraren. 11. "Vi skriver (*long*) uppsatser i kväll," sade (*the small*) gossarna. 12. Ser ni den (*old man*), som går i parken? Nej, jag ser en (*young*) man.

B

Supply an appropriate adjective in each blank: 1. Strands hem är inte stort, det är ______. 2. En kvinna, som är gammal, är inte ______. 3. Barn, som är små, är inte ______. 4. Gustavs näsa är inte stor, den är ______. 5. Håret är inte svart, det är ______. 6. En lång vinter är inte ______. 7. Den lille är inte gammal, han är ______. 8. Husen är inte nya, de är ______. 9. Långa gossar är inte ______. 10. De små är inte ______.

C

Decline (giving the definite singular, indefinite plural, and definite plural): 1. en lång vinter. 2. en liten fågel. 3. ett gammalt hus. 4. ett litet barn. 5. en gammal doktor. 6. en snäll dotter. 7. ett stort fönster. 8. ett kort finger. 9. ett ljust rum. 10. en svart tavla. 11. en hel dag. 12. en svensk student.

D

Supply Swedish equivalents of the English expressions within parentheses: 1. Jag (*have written*) ett långt brev till fru Olsson, som (*lives*) i Chicago. 2. Hur länge (*has she lived*) i Chicago? Hon (*has lived*) där i många år. 3. (*Did she buy*) ett hus i stan? Ja, men hon (*sold*) det för ett år sedan. 4. Vad (*said*) ni? Jag (*said*), att hon (*has become*) lärarinna. 5. Hon (*forgot*) att hänga kartan på väggen. 6. Vem (*awakened*) Erik? Mor (*awakens*) honom var morgon. 7. (*Do you want to*) gå ut och simma i dag? Nej, jag (*don't want to*). 8. Den snälla lärarinnan (*asked*) ofta vad (*the small*) flickorna (*wanted to*) ha. 9. Jag (*shall call*) dem, när han (*comes*). 10. (*Write*) ett kort brev i dag. 11. (*Please answer*) på brevet, som jag skrev för tio dagar sedan. 12. (*Open*) brevet, om du (*want to*).

E

Rewrite these sentences, placing the italicized expressions first: 1. Farfar och farmor tycker om att bo på landet *om somrarna*. 2. De har alltid varit *snälla*. 3. Fars föräldrar besöker oss *om vintrarna*. 4. Jag tycker om *att simma*. 5. Huset är inte *stort*. 6. Anna låg på sängen och läste, *medan jag skrev en lång uppsats*. 7. Annas mor köpte många nya böcker *i går*. 8. Jag frågade: "*Tror du, att hon läser alla?*" 9. Anna svarade: "*Nej, Hilma, inte alla.*" 10. Annas bror arbetar *i kväll*. 11. Han kom, *när jag var i skolan i går*. 12. Han gör det *nu*.

F

Give synopses: 1. Jag ligger i sängen. 2. På morgonen väcker mamma mig. 3. Jag vaknar. 4. Jag går in i badrummet. 5. Jag tvättar mig i ansiktet och om händerna. 6. Jag sitter vid bordet. 7. Jag äter. 8. Jag läser svenska. 9. Jag leker med Gustav. 10. Jag går till sängs. 11. Jag håller på att somna. 12. Jag sover hela natten.

Courtesy of The Macmillan Co., N. Y.

LESSON XVII

Comparison of Adjectives.

SVERIGE

Sverige är ett stort land i norra[1] Europa. Det är mycket mindre än vårt land men mycket större än Illinois. Sverige ligger på östra sidan av Skandinaviska halvön[2]. På kartan ser ni, att landet sträcker sig långt i söder och i norr. Det är mer än ett tusen amerikanska mil från den sydligaste[3] punkten i Sverige till den nordligaste[4]. I väster ligger Norge, i öster Finland och Östersjön. Väster om Öresund ligger Danmark. Sverige, Norge, Danmark och Island är de skandinaviska länderna.

Norrland är norra Sverige och består[5] av Lappland, Västerbotten, Ångermanland, Jämtland, Medelpad, Härjedalen, Hälsingland och Gästrikland. Söder om Norrland ligger Svealand, som består[5] av Dalarna, Värmland, Västmanland, Närke, Södermanland och Uppland. Götaland, som ligger söder om Svealand, består[5] av Dalsland, Bohuslän, Västergötland, Halland, Skåne, Blekinge, Småland, Östergötland, Gottland och Öland.

Finn landskapen på kartan! Vilket är minst, Skåne eller Småland? Vilket är störst, Närke eller Västmanland? Vilket är det minsta landskapet? Är Danmark det största skandinaviska landet? Ligger Lappland i södra Sverige? Ligger Stockholm i västra Sverige? Vad heter de största sjöarna i landet?

---

1 Notice that the adjectives *norra, södra, östra,* and *västra* (definite forms) are *not* preceded by the prepositive definite article. Compare *halva Europa* (half of Europe), *vänstra handen* (the left hand), *hela dagen* (the whole day), and *högra armen* (the right arm). See section 57(c). 2 [hal·-vø'n], peninsula. 3 southernmost. 4 northernmost. 5 [bestå:r], consists. See Drill I in Lesson V for the pronunciation of the geographical names.

Speech Drill

"Sten spelar bättre än han sjunger."

"Har du hört honom spela?"

"Nej, men jag har hört honom sjunga."

Fru Berg: "Min man är två gånger så gammal som jag. Men tycker inte ni, att han ser yngre ut?"

Fröken Dahl: "Jo, han ser mycket yngre ut än ni."

"Hur har du det nu för tiden?"

"Det är litet bättre, men det är inte så bra, som det var innan jag fick det så dåligt, som jag hade det, innan jag fick det litet bättre."

59. Comparison of Adjectives. In comparison, three forms of the adjective are used.

POSITIVE: (one person, object or group)	*Anna är vänlig.*	Anna is friendly.
	Barnet är vänligt.	The child is friendly.
	Gossarna är vänliga.	The boys are friendly.
COMPARATIVE: (two persons, objects or groups)	*Hilma är vänligare än Anna.*	Hilma is *more friendly* than Anna.
	Vårt barn är vackrare än deras.	Our child is prettier than theirs.
	Flickor är flitigare än gossar.	Girls are *more industrious* than boys.
	De flitigare pojkarna får gå.	The *more industrious* boys may leave.
SUPERLATIVE: (one of three or more persons, objects or groups)	*Hilma är vackrast.*	Hilma is pretti*est*.
	Hilma är den vackraste.	Hilma is *the* pretti*est*.
	Hilma är den vackraste flickan.	Hilma is the pretti*est* girl.
	Det är det vackraste barnet.	That is the pretti*est* child.
	Deras barn är de flitigaste i staden.	Their children are the *most diligent* in the city.

(a) Most adjectives are compared by adding *-are* to the non-neuter adjective to form the comparative and *-ast* to form the superlative.

(b) In positive adjectives ending in weakly stressed *-el*, *-en*, or *-er*, the *e* is dropped when the comparative or the superlative ending is added:

Positive:	*vacker* (pretty)	*säker* (certain, sure)
Comparative:	*vackrare*	*säkrare*
Superlative:	*vackrast*	*säkrast*

(c) The comparative form of the adjective is invariable: *en vackrare kvinna, den vackrare kvinnan, vackrare kvinnor, de vackrare kvinnorna.* A comparative used as a noun may take *-s* to indicate possession: *den äldres bok* (the older one's book).

(d) The superlative is generally used in comparing two beings, objects, etc.: *den kortaste av de två läxorna* (the shorter of the two lessons).

(e) The comparatives ending in *-are* (not *-re*) have the grave accent. The superlatives ending in *-ast* have the grave accent.

60. The Use of *mer(a)* **and** *mest.* Comparison by means of *mera* and *mest* is used with adjectives ending in *-ad*, *-e*, *-isk*, *-s*, *-ande*, and the past participles. See section 99.

Positive:	*en älskad kvinna,* a beloved woman
Comparative:	*en mera älskad kvinna,* a more beloved woman
Superlative:	*den mest älskade kvinnan,* the most beloved woman

61. Irregularities of Comparison. Several important adjectives are compared irregularly.

POSITIVE	COMPARATIVE	SUPERLATIVE
bra (inv.), god (gott, goda)	bättre [bät:rə]	bäst [bäs:t]
dålig (-t, -a), poor (in quality), [då·lig‘; coll. då·li‘]	sämre [säm:rə]	sämst [säm:st]

POSITIVE	COMPARATIVE	SUPERLATIVE
gam/mal (-malt, -la), old	äldre [äl:drə]	äldst [äl:st]
hög (-t, -a), high [hø:g; hök:t; hø·ga‘]	högre [hø:grə]	högst [hök:st]
liten (litet, små), little, small	mindre [min:drə]	minst [min:st]
låg (-t, -a), low [lå:g; lɔk:t; lå·ga‘]	lägre [lä:grə]	lägst [lä:gst]
lång (-t, -a), long, tall	längre [läŋ:rə]	längst [läŋ:st]
mång/en (-et, -a), many (a)	flera [fle·ra‘]	flesta [fläs·ta‘]
nära (inv.), near, close [næ·ra‘]	närmare [nær·marə‘]	närmast [nær·mast‘]
on/d (-t, -da), angry, evil [ωn:d; ωn:t; ωn·da‘]	värre [vær:ə]	värst [væʃ:t]
stor (-t, -a), big, large, great	större [stœr:ə]	störst [stœʃ:t]
tung (-t, -a), heavy [tuŋ: ; tuŋ:t; tuŋ·a‘]	tyngre [tyŋ:rə]	tyngst [tyŋ:st]
ung (-t, -a), young	yngre [yŋ:rə]	yngst [yŋ:st]

(a) The comparatives ending in *-re* (not *-are*) have the acute accent.

(b) The *-a* (or *-e*) forms of the superlatives have the grave accent.

62. Comparative Expressions. Study these expressions:

Superiority:	Han är *rikare än* Olle.	He is *richer than* Olle.
Equality:	Han är *lika* fattig *som* jag.	He is *as* poor *as* I.
	Han är *likaså* fattig *som* jag.	He is *just as* poor *as* I.
Inferiority:	Han är *mindre* rik *än* du.	He is *less* rich *than* you.
	Helga är *inte så* rik *som* Alma.	Helga is *not so* rich *as* Alma.
Qualities of one person:	Janne är *mindre* lat *än* dum.	Janne is *less* lazy *than* stupid.
Of all, very:	Hon är den *allra* vackraste.	She is the *very* prettiest.
The . . ., the . . .:	*Ju* lyckligare Anna är, *dess* bättre.	*The* happier Anna is, *the* better.
	Ju rikare man är, *ju* bättre.	*The* richer one is, *the* better.

63. The Superlative. The superlative may be declined. Study these examples carefully:

ATTRIBUTIVELY	PREDICATIVELY
det stör*sta* rummet	Rummet är stör*st*.
min vackr*aste* syster	Min syster är vackr*ast*.
de stör*sta* rummen	Rummen är de stör*sta*.
det vackr*aste* barnet	Barnet är vackr*ast*.
den stör*sta* flickan	Flickan är stör*st* (or den stör*sta*).
den stör*ste* mannen	Mannen är stör*st* (or den störst*e*).
din äld*sta* syster	Din syster är äld*st* (or den äld*sta*).
de stör*sta* gossarna	Gossarna är de stör*sta* (or stör*st*).

(a) A superlative ending in *-ast* adds a final *-e* if *den, det, de* or a possessive or a demonstrative adjective precedes it.

(b) A superlative ending in *-st* adds a final *-a* if preceded by *den, det, de*, a possessive or demonstrative adjective, unless it precedes a noun denoting a male being, singular.

(c) When the superlative is used as a noun, an *-s* is added to form the possessive. *Till de fattigastes bästa* (for the good of the very poor).

(d) In some expressions, the definite articles are not used with the superlative. *Till närmaste stad* (to the nearest city).

(e) Notice the absolute use of the superlative: *Han måste kämpa med den största fattigdom.* He had to struggle with *extreme* poverty.

VOCABULARY

In addition to the words listed below, you are responsible for the adjectives in section 61. The comparative and the superlative of any adjective regularly compared by adding *-are* and *-ast* to the non-neuter singular positive form will not be listed.

allra, of all, (the) very [al·ra‘]

amerikansk (*-t, -a*), American [ame′rikɑ:nsk]

få (*fick; fingo; fått*), get, receive [få: ; fik: ; fiŋ·ɷ‘; fɔt:]

hör/a (*-de; -t*), hear [hœ·ra‘]. See 44(b).

jo, yes (answer to a negative question) [jω:]

ju . . . dess . . ., the . . . the . . . [jɯ: . . . däs: . . .]

ju . . . ju . . ., the . . . the . . . [jɯ: . . . jɯ: . . .]

land (*-et, länder*), country, land [lan:d; län:dər]

landskap (*-et*, —), province [lan·dskɑ'p]

lika . . . som . . ., just . . . as . . . [li·ka' . . . sɔm: . . .]

likaså . . . som . . ., just . . . as . . . [li·kaså' . . . sɔm: . . .]

litet (*lite*), a little, somewhat (adv.) [li·tət'; li·tə']

långt (adv.), far [lɔŋ:t]
 längre, farther
 längst (*-a*), farthest

mer(*a*), more (adv.) [me:r; me·ra']

mest (adv.), most [mäs:t]

mil (*-en*, —), mile [mi:l]

min (nn. sg.), my [min:]

mindre . . . än . . ., less . . . than . . . [min·drə' . . . än: . . .]

norr, north [nɔr:]
 i norr, to the north
 norr om, north of

norra (def. adj.), northern [nɔr·a']

punkt (*-en, -er*), point [puŋ:kt]

sid/a (*-an, -or*), side [si·da']

skandinavisk (*-t, -a*), Scandinavian [skan'dinɑ:visk]

som, as, like [sɔm:]

spel/a (*-ade; -at*), play (instrument) [spe·la']

sträck/a sig (*-te sig; -t sig*), stretch [sträk·a']

Sverige (*Sverge*), Sweden [svær:jə]

så . . . som . . ., as . . . as . . . [så: . . . sɔm: . . .]

söder, south [sø:dər]
 i söder, to the south
 söder om, south of

södra (def. adj.), southern [sø·dra']

tid (*-en, -er*), time [ti:d]
 nu för tiden, nowadays

ett tusen (—, —), a thousand tɯ:sən]

tyck/a (*-te; -t*), feel, think (consider) [tyk·a']

vack/er (*-ert, -ra*), pretty, beautiful [vak:ər; vak·ra']
 vackrare, prettier
 vackrast(*e*), prettiest

vilk/en (*-et, -a*), which, who, what [vil·kən']

vänlig (*-t, -a*), friendly [vän·lig'; coll. vän·li']

väster, west [väs:tər]
 i väster, to the west
 väster om, west of

västra (def. adj.), western [väs·tra']

än, than [än:]

öster, east [ös:tər]
 i öster, to the east
 öster om, east of

östra (def. adj.), eastern [ös·tra']

DRILLS

A

Answer in complete sentences: 1. Vad är Sverige? 2. Var ligger Sverige? 3. Vilket rike ligger väster om Sverige? 4. Är Sverige större än Illinois? 5. Är Småland mindre än Dalsland? 6. Var ligger Dalarna? 7. Ligger Malmö i norra Sverige? 8. Var ligger Stockholm? 9. Vad heter det sydligaste (*southernmost*) landskapet i Sverige? 10. Bor svenskar i Finland? 11. Vilket stort land ligger söder om Danmark? 12. Vilka är de skandinaviska länderna? 13. Vad heter Östersjön på engelska? 14. Vilket land är minst, Danmark eller Norge? 15. Vad heter Sveriges tre största sjöar? 16. Vad kallar ni en man, som bor i Sverige?

B

Decline by giving the four forms of each noun and the appropriate forms of each adjective: 1. En kvinna är snäll. 2. En gosse är stor. 3. En elev är liten. 4. Ett barn är kort. 5. En man är lång. 6. En student är ung. 7. En doktor är gammal. 8. Ett hus är vackert. 9. Ett land är stort. 10. Ett landskap är litet.

C

Decline: 1. en amerikansk kvinna. 2. en svensk studentska. 3. ett amerikanskt hem. 4. en gammal professor. 5. en ung lärare. 6. ett nytt hus. 7. ett ljust ansikte. 8. en svart tavla. 9. en kär son. 10. en snäll dotter. 11. en bra människa. 12. ett litet rike.

D

Compare (all of these adjectives except those listed in section 61 are declined regularly): stor, liten, lång, kort, svart, ljus, hög, låg, ny, gammal, ung, god, bra, dålig, ond, snäll, kär, vacker.

E

Supply two possible Swedish equivalents for each English expression: 1. Rummet är (*largest*). 2. Huset är (*the most beautiful*). 3. Trädet är (*highest*). 4. Gatan är (*the longest*). 5. Böckerna är (*best*). 6. Håret är (*lightest*). 7. Studenten är (*heaviest*). 8. Fröken Lind är (*youngest*). 9. Fru Lund är (*kindest*). 10. Männen är (*oldest*).

F

Supply the Swedish equivalents of the English expressions: 1. Detta är det (*best*) kaffet! 2. Kaffe är (*better*) än vatten. 3. Den (*oldest*) studentskan heter Hilda, den (*youngest*) studenten heter Alf. 4. Barnen är (*younger*) än lärarna. 5. Brodern är (*larger*) än systern. 6. Vill du se det (*smallest*) barnet? Nej, jag vill se det (*largest*). 7. Ju (*larger*) en gosse är, dess (*better*). 8. Professorn är (*the kindest*); doktorn är (*the youngest*). 9. Vi har de (*newest*) böckerna. 10. Bo är (*shorter*) än Erik. 11. Vem är den (*shortest*) gossen? Jag vet inte; den (*tallest*) är Tor. 12. Den (*prettiest of all*) flickan är Elsa. 13. Är Greta (*prettier*) än Hilma? Nej, Hilma är den (*prettiest one*) i klassen. 14. Är fönstret (*higher*) än kartan? Ja, kartan är (*lower*). 15. Tala med de (*younger*) barnen.

G

Give sliding synopses: 1. Jag sträcker mig. 2. Spelar jag? 3. Finner jag det minsta barnet? 4. Hör jag läraren? 5. Jag lägger mig på sängen. 6. Jag ligger på sängen. 7. Jag lägger böckerna på det största bordet. 8. Jag vet, att det är sant.

H

Translate: 1. We live in southern Sweden every summer. 2. In the winter we go to Stockholm. 3. Stockholm is the most beautiful city in Sweden. 4. Göteborg is much smaller than Stockholm. 5. St. Paul is just as large as Göteborg. 6. Which city is larger, Stockholm or Chicago? 7. Chicago is much larger than Stockholm. 8. My (*min*) oldest sister is coming home (*hem*) today. 9. Doesn't she like to live here (*här*)? 10. I don't know where she likes to live.

DJURSHOLM GOLF COURSE
Near Stockholm

LESSON XVIII

Adverbs. The Possessives.

Stockholm

Stockholm är Sveriges huvudstad. Att staden är landets huvudstad betyder, att konungen och de andra männen, som regera[1] Sverige, bo i Stockholm. Staden är även landets största stad. Mer än en halv miljon människor ha sina hem där.

Staden, som är mycket gammal, är en av de vackraste städer i världen. Den är kanske den vackraste huvudstaden i Europa. Med sina holmar, sina vida vatten och sina berg, väcker Stockholm allas beundran[2]. Huvudstaden ligger delvis[3] i Uppland och delvis i Södermanland och mellan Östersjön och Mälaren.

Stockholm består[4] av "Staden mellan broarna[5]," Norrmalm, Östermalm, Södermalm och flera öar. I huvudstadens äldsta del, Staden mellan broarna[5], ligga det kungliga[6] slottet, Storkyrkan[7], Riddarholmskyrkan[8], riksdagshuset och många andra historiska[9] byggnader. Många svenska konungar ligga begravna[10] i Riddarholmskyrkan.

Stadshuset[11] är nog en av de vackraste byggnaderna i världen.

Speech Drill

Hustrun: Du blir snällare för var dag.

Mannen: Jag vet det, men i dag har jag inga pengar.

---

1 [reje:ra], govern. 2 [beun:dran], admiration. 3 [de·lvi‘s], partly. 4 [bestå:r], consists. 5 [brω·ar‘], bridges. 6 [kuŋ·lig‘], royal. 7 Swedish uses the definite form of the noun in such names. *Storkyrkan*, the Great Church. 8 Riddarholm Church. Compare *Christ Church*. 9 [histω:riska], historical. 10 [begrɑ:vna], buried. 11 The Town Hall.

"Vad tar ni för rummen?"
"Sju kronor till tolv."
"Men vad kostar det då för hela natten?"

"Är det inte tråkigt att bo långt ute på landet?"
"Jo, det är nog litet tråkigt men inte på söndagarna."
"Vad gör ni då?"
"Då far vi till stan."

64. The Adverbs. An adverb is a word which modifies a verb, an adjective, or another adverb. Among the common classes of adverbs are:

(a) *Simple adverbs:*

Nu kommer han *inte.*	*Now* he is *not* coming.
Det gjorde vi *ofta.*	We did that *often.*

(b) *Adverbs derived from adjectives:*

Han arbetade *flitigt.*	He worked *diligently.*
Kvinnan talade *vackert.*	The woman spoke *beautifully.*

These adverbs are identical with the neuter adjective in form, but not in function.

(c) Compound (primarily literary, formal) adverbs are formed by combining *där* (there), *här* (here) and *var* (where) and a preposition. For example, *däri* (therein), *härmed* (herewith), *varav* (whereof). Colloquial substitutes for these compounds are generally prepositional phrases. For example, *i det* for *däri; med detta* (with this) for *härmed; av det* (from that) for *varav.*

(d) Survival from Old Swedish are adverbial possessives (forms of nouns) following *till* and *i: i våras, i somras, i höstas, i vintras* (last spring, last summer, last autumn, last winter); *i måndags* (last Monday); *i morse* (this morning); *till sängs* (to bed), *till bords* (at [to] the table).

In a principal clause, the adverb which modifies the verb is usually placed after the finite verb. If there is a pronominal object, the adverb is usually placed after the object. In a dependent clause many adverbs, especially those of negation such as *inte*, *icke*, *ej* (not), *aldrig* (never), but also *snart*, *ofta*, *alltid*, etc., are placed between the subject and the finite verb. See section 92.

Jag har *ofta* gjort det.	I have *often* done it.
Jag ser *inte* Johan.	I do *not* see Johan.
Jag ser honom *inte*.	I do *not* see him.
Han sade, att han *inte* kommer.	He said that he is *not* coming.

But:

Hon har alltid varit *mycket* vacker.	She has always been *very* pretty.

65. Adverbs of Place. Study these two groups of adverbs:

WITH VERBS OF REST (place where)	WITH VERBS OF MOTION (direction—place to which)
Är hon *hemma?* [hem·a‘] (Is she *at home?*)	Har han rest *hem?* [hem:] (Has he gone *home?*)
Han är *borta.* [bɔṭ·a‘] (He is *away.*)	Han gick *bort.* [bɔṭ:] (He went *away.*)
Bor de *här?* [hæ:r] (Do they live *here?*)	Han kommer *hit.* [hi:t] (He is coming *over here.*)
Han bor *där.* [dæ:r] (He lives *there.*)	Han går *dit.* [di:t] (He goes *over there.*)
Är han *nere?* [ne·rə‘] (Is he *down?*)	Gick han *ned?* (coll. ner) [ne:d; ne:r] (Did he go *down?*)
Är han *uppe?* (coll. oppe) [up·ə‘; ɔp·ə‘] (Is he *up?*)	Gick han *upp?* (coll. opp) [up: ; ɔp:] (Did he go *up?*)
Hon arbetar *inne* i huset. [in·ə‘] (She is working *in* the house.)	Han gick *in.* [in:] (He went *in.*)
Är han *ute?* [ɯ·tə‘] (Is he *out?*)	Han gick *ut.* [ɯ:t] (He went *out.*)
Han är *framme.* [fram·ə‘] (He has *arrived.*)	Han gick *fram.* [fram:] (He went *forward.*)
Var är han? [vɑ:r] (*Where* is he?)	*Vart* reste han? [vɑ:ṭ] (*Where* did he go?)

66. Sentence Modifiers. Certain adverbs often serve as modifiers of a whole sentence.

Det var *allt* snällt av honom.	That was *surely* kind of him.
Det var *då* roligt.	That was *certainly* pleasant.
Det kunde han inte göra *förstås*.	He could not do that, *of course*.
Jag är *ju* en gammal man.	I am *really* an old man.
Jag har *nog* talat om Gustav.	I have *undoubtedly* talked about Gustav.
Det var *visst* han som kom.	It was he who came, *I believe*.
Du kan *väl* begripa det!	You can understand that, *I suppose*.

Notice the pronunciation: *allt* [al:t]; *då* [då:]; *förstås* [fœʃtå:s]; *ju* [jɯ:]; *nog* [nω:g]; *väl* [vä:l]; *visst* [vis:t].

67. Comparison of Adverbs. Many adverbs can not be compared. An adverb which is identical with the neuter adjective in form is compared exactly as the corresponding adjective:

POSITIVE	COMPARATIVE	SUPERLATIVE
gärna [jæ·ṇa'], (willingly)	*hellre* [häl:rə], (rather)	*helst* [häl:st] (preferably, most)
illa [il·a'] (badly)	*värre*	*värst*
gott, bra, väl (well)	*bättre*	*bäst*
nära (near)	*närmare*	*närmast*
ofta (often)	*oftare*	*oftast*
högt (loudly)	*högre* (more loudly)	*högst* (most loudly)
flitigt (diligently)	*flitigare* (more diligently)	*flitigast* (most diligently)

-*a* or -*e* is added to the superlative form when *det* precedes it: Han arbetade *det* flitigast*e* han kunde. (He worked as industriously as he could.)

68. The Possessive Adjectives and Pronouns. Study these examples carefully:

ATTRIBUTIVELY:

First person:

Singular (my, mine): *min* bok, *mitt* hus, *mina* böcker, *mina* hus.
Plural (our, ours): *vår* bok, *vårt* hus, *våra* böcker, *våra* hus.

Second person:

Singular (intimate your, yours): *din* bok, *ditt* hus, *dina* böcker, *dina* hus.
Singular (formal your, yours): *er* bok, *ert* hus, *era* böcker, *era* hus.
Plural (your, yours): *er* bok, *ert* hus, *era* böcker, *era* hus.

Third person:

Singular (masculine his): *hans* bok, *hans* hus, *hans* böcker, *hans* hus.

Singular (feminine her, hers): *hennes* bok, *hennes* hus, *hennes* böcker, *hennes* hus.

Singular (neuter or non-neuter its): *dess* bok, *dess* hus, *dess* böcker, *dess* hus.

Plural (their, theirs): *deras* bok, *deras* hus, *deras* böcker, *deras* hus.

PREDICATIVELY:

Neuter: Huset är *mitt* (*ditt, ert, hans, hennes, dess, vårt, ert, deras*).

Non-neuter: Pennan är *min* (*din, er, hans, hennes, dess, vår, er, deras*).

Plural: Husen är *mina* (*dina, era, hans, hennes, våra, era, deras*).

Plural: Pennorna är *mina* (*dina, era, hans, hennes, våra, era, deras*).

Reflexive possessive (third person):

Mannen fann *hans* saker.	The man found *his* (someone else's) things.
Mannen fann *sina* saker.	The man found *his* (own) things.
Flickan satte sig på *hennes* säng.	The girl sat down on *her* (someone else's) bed.
Flickan satte sig på *sin* säng.	The girl sat down on *her* (own) bed.
Gossen ville inte göra *hans* arbete.	The boy did not want to do *his* (someone else's) work.
Gossen ville inte göra *sitt* arbete.	The boy did not want to do *his* (own) work.
Männen fann *sina* gamla skor.	The men found *their* (own) old shoes.
Männen fann *deras* gamla skor.	The men found *their* (other people's) old shoes.

Notice the pronunciation: *deras* [de·ras‘]; *dess* [däs:]; *din* [din:]; *ditt* [dit:]; *dina* [di·na‘]; *eder* [e:dər]; *edert* [e:dəṭ]; *edra* [e·dra‘]; *er* [e:r]; *ert* [e:ṭ]; *era* [e·ra‘]; *hans* [han:s]; *hennes* [hän·əs‘]; *min* [min:]; *mitt* [mit:]; *mina* [mi·na‘]; *sin* [sin:]; *sitt* [sit:]; *sina* [si·na‘]; *vår* [vå:r]; *vårt* [vå:ṭ]; *våra* [vå·ra‘].

(a) When the possessive stands before a noun, it is an adjective; when it stands alone, it is a pronoun.

(b) The possessive agrees in gender and number with the noun it modifies.

(c) *sin*, *sitt*, and *sina* are reflexive possessives; they indicate possession on the part of the subject of the clause in which they appear.

(d) *eder*, *edert*, and *edra* are older and more formal versions of *er*, *ert*, and *era*. In formal correspondence particularly they are written *Eder*, *Edert*, and *Edra*.

(e) Swedish frequently uses the definite form of the noun instead of a possessive adjective plus an indefinite noun, particularly in pointing out parts of the body or clothing.

Han sträckte ut *armarna*.	He stretched out *his arms*.
Han tog *hatten* och gick.	He took *his hat* and left.
Han har ont i *handen*.	*His hand* hurts.

(f) The possessive adjective is followed by the definite adjective:

Min *nya* bok (my new book).

VOCABULARY

In addition to the adverbs of place and of direction in section 65, the sentence modifiers in section 66, the forms of the irregularly compared adverbs in section 67, and the possessives in section 68, these words are to be committed to memory:

alla (pl. pron.), all (everyone) [al·a‘]
berg (*-et*, —), mountain [bær:j]
bety/da (*-dde; -tt*), mean, signify [bety:da]
byggnad (*-en*, *-er*), building [byg·nad‘]
del (*-en*, *-ar*), part [de:l; de·lar‘]
dåligt, poorly [då·lik‘t; coll. då·lit‘]. See 60; 20.
flera, several [fle·ra‘]
flitig (*-t*, *-a*), diligent, industrious [fli·tig‘; coll. fli·ti‘]. See 20.
flitigt, diligently
för (prep.), for [fœ:r]
en halv, one half [hal:v]
holm/e (*-en*, *-ar*), island [hɔl·mə‘]
hustru (*-n*, *-r*), wife [hus·tru‘]
huvudstad (*-en*, *huvudstäder*), capital [hɯ·vudstɑ‘(d)]
högt, aloud, loudly, highly [hök:t]
illa, badly, ill, poorly [il·a‘]
må illa, feel (be) poorly, ill
ingen (*intet*, *inga*), none, no (adj., pron.) [iŋ·ən‘]
kanske, perhaps, maybe [kan·ʃə‘]
konung (*-en*, *-ar*), king [kå·nuŋ‘]. See *kung*.
kost/a (*-ade; -at*), cost [kɔs·ta‘]
kron/a (*-an*, *-or*), crown (coin, about 25 cents) [krω·na‘]

kung (*-en, -ar*), king (coll.) [kuŋ: ; kuŋ·ar‘]
kyrk/a (*-an, -or*), church [çyr·ka‘; coll. çœr·ka‘]
länge, for a long time
Comparative: *längre*
Superlative: *längst* (*-a*)
läx/a (*-an, -or*), lesson [läk·sa‘]
mellan, between, among [mäl·an‘]
miljon (*-en, -er*), million [miljω:n]
i morgon, tomorrow. See *morgon*.
månad (*-en, -er*), month [må·nad‘; må·nadər‘; coll. må·nar‘]
pengar (pl.), money [päŋ:ar]
slott (*-et, —*), palace, castle [slɔt:]
i somras, last summer. See *sommar*.
söndag (*-en, -ar*), Sunday [sön:dɑg; coll. sön:da]
till, until [til:, coll. te:]
tråkig (*-t, -a*), dull, boring, unpleasant [trå·kig‘; coll. trå·ki‘]
vara tråkig (*-t, -a*), be boring, be too bad
vid (*vitt, vida*), wide [vi:d; vit: ; vi·da‘]
även (formal), also, even [ä·vən‘]. See *också*.
ö (*-n, -ar*), island [ø: ; ø·ar‘]

DRILLS

A

Answer in complete sentences: 1. Vad heter Sveriges huvudstad? 2. Var ligger huvudstaden? 3. Är Stockholm landets största stad? 4. Hur många människor bor i Stockholm? 5. Är staden ny? 6. Är den vacker? 7. Vad gör Stockholm till en av de vackraste städerna? 8. Vad är "Staden mellan broarna"? 9. Var ligger många svenska kungar begravna (*buried*)? 10. Hur säger ni huvudstad på engelska? 11. Vad heter Illinois' huvudstad? Minnesotas? New Yorks? 12. Är Stockholm yngre än Chicago? 13. Vad är Södermanland? 14. Vad heter Illinois' största stad? Minnesotas? 15. Vilken är den största staden i vårt land? 16. I vilken del av Stockholm ligger slottet? 17. Vad är en holme?

B

Review 64 (b); form an adverb on the basis of each adjective; then use each adverb in a simple sentence: god, bra, hög, dålig, flitig, vacker, snäll, vänlig, sann, and liten. Compare each adverb.

C

Supply the Swedish equivalents of the English adverbs: 1. Fröken Andersson talar likaså (*loudly*) som fru Dalman.

2. Eleverna läste (*less diligently*) i går än de läser i dag. 3. Johan arbetade (*most diligently*). 4. Familjen reser (*soon*) till Rockford. 5. Han byggde huset (*well*). 6. Bergen i Stockholm är (*very*) låga. 7. Han sade, att gossarna (*not*) är (*much*) större än flickorna. 8. Professorn talade (*for a longer time*) än doktorn, men den yngste läraren talade (*longest*). 9. Anna går (*more often*) i parken än Stina. 10. Jag gör detta (*willingly*). 11. Han är snäll (*of course*). 12. Du förstår (*I suppose*) vad jag sade. 13. I dag mår jag (*ill*), i går mådde jag (*worse*), i morgon kommer jag att må (*better*). 14. Jag vill (*preferably*) gå i skolan. 15. Gjorde han ingenting (*last summer*)? Jo, han låg vid universitetet.

D

Select the correct adverb: 1. Reste din vän (hem, hemma) till Sverige i somras? Ja, han reste (där, dit). 2. Reste din vän (hem, hemma) i Sverige i somras? Ja, han reste (där, dit). 3. Har du sett huset, som ligger (in, inne) i parken? Nej, jag har inte varit (in, inne) i parken. 4. Kom han (fram, framme)? Nej, han är inte (fram, framme) ännu. 5. Arbetar pappa (in, inne) i huset? Nej, han arbetar (ut, ute). 6. Har hans bror stigit (upp, uppe)? Jag vet inte, han har inte kommit (ner, nere). 7. Reste Olle (här, hit) från Chicago för en månad sedan? Han var (här, hit) för en dag, tror jag. 8. Vad gör han (där, dit)? Han har ingenting gjort sedan han reste (där, dit). 9. Vill du inte göra det (hem, hemma)? Nej, jag vill göra det (här, hit). 10. (Var, vart) är dina systrar? De är (hem, hemma), tror jag. 11. (Var, vart) gick han? Han gick (hem, hemma). 12. Gick han (upp, uppe) på sitt rum? Nej, han är (in, inne) i biblioteket.

E

Supply equivalents of the English expressions: 1. (*My*) mor kände (*your, formal*) föräldrar, när de var (*small*) barn. 2. (*All*) gossarna läste sin läxa i går. 3. Vet du vad (*his*) systrar heter? Ja, den (*younger*) heter Rut och den (*older*) Greta. 4. Visste (*your, intimate*) bröder vart du reste? Nej, jag sade ingenting om det (*at home*). 5. (*Her*) bror är den (*kindest*) människan i stan. 6. Hon köpte (*her*) böcker i Chicago. Det vet jag, men var köpte hon (*her*) brors penna? Det vet jag inte. 7. Barnet svarade ingenting, när jag frågade (*it*) var föräldrarna var. 8. (*Their*) ansikten är vackra. 9. De skrev (*their*) uppsatser i biblioteket. 10. (*Our*) föräldrar bor på landet.

F

Supply opposites or near-opposites: 1. Han lägger sig i kväll och stiger upp ______. 2. Bordet är stort, men stolen är ______. 3. Fadern är gammal, men sonen är ______. 4. Den stora flickan såg det ______ barnet. 5. Böckerna är inte mina, de är ______. 6. Ett barn, som är litet, är inte ______. 7. Höga fönster är inte ______. 8. Det, som är dåligt, är inte ______. 9. Hans broder är äldre, han är ______. 10. Slottet är inte nytt, det är ______.

G

Translate: 1. Last summer I bought a new pen which cost ten crowns. 2. I had sold my old one to my youngest brother for two crowns. 3. Perhaps he wants to go to the city tomorrow. 4. I have not asked him yet. 5. Hasn't he seen the palace in Stockholm? 6. Yes, he has seen it several times. 7. My teacher's wife is coming over here this evening. 8. What do you (intimate) do on Sundays? 9. I go to (*i*) church and then I walk in the park. 10. There I see many friends.

LESSON XIX

Review

A

Supply the necessary endings: 1. Den gaml____ kyrka____ ligger på den vack____ ö____. 2. Sverige är ett gammal____ och stor____ land i norra Europa. 3. Han såg det vack____ landskap____ många gång____. 4. Har ni sett den ny____ svensk____ karta____ i vår____ bibliotek? Nej, men jag har sett den gaml____. 5. Känner du den gaml____ man____ som bor i det ny____ hus____? Ja, jag har känt honom i många år. 6. Den ung____ kvinna____ kommer hit i dag. 7. I går såg ni den snäll____ studentska____. 8. Den stor____ gosse____ är den flitig____ elev____. 9. Snäll____ lärare tycker om flitig____ elever. 10. Bygger vår____ vänner ett ny____ hus vid sjö____? Jag vet inte. 11. Han hörde inte den lilla flicka____ och de små gossar____.

B

Substitute Swedish equivalents for the English expressions: 1. Professorn är (*taller*) och (*older*) än studenten. 2. Studentskan är (*shorter*) och (*younger*) än lärarinnan. 3. Fröken Palm är (*just as*) liten (*as*) fröken Dahl. 4. Herr Quist är (*less*) flitig (*than*) hans bror. 5. Den (*most diligent*) eleven är (*kinder*) än den (*less diligent*). 6. Den (*shortest*) läxan är svårare än den (*longest*). 7. Den (*smallest*) gossen bar in den (*largest*) stolen. 8. Gretas hår är (*lightest*), och Birgits är (*longest*). 9. Almas uppsats är (*longer*) än Fridas. 10. Är Karls karta (*wider*) än Eriks? Ja, den är (*the widest*). 11. Har ni sett ett (*heavier*) barn? Ja, jag har sett många barn, som är (*heavier*). 12. Hennes nya bok är mycket (*better*) än den (*old one*). 13. Fönstren i klassrummet är (*lower*) än fönstren i vårt kök. 14. Duluth ligger (*farther*) i norr än St. Paul.

C

Why is each of the italicized words used? 1. *Vart* reste professorn i somras? Han reste *upp* till Stockholm. 2. Såg han slottet när han reste *dit?* Nej, han hade varit *där* många gånger. 3. *Var* ligger Stockholm? Huvudstaden ligger i Svealand. 4. Vilka bor *där?* Stockholmare (Stockholmers) bor där, men många andra reser *dit* var dag. 5. Har ni sett kungen, när han har varit *hemma* i Stockholm? Ja, jag har ofta sett honom. 6. Har ni varit *inne* i slottet? Ja, jag gick *in* en gång. 7. Var kungen *hemma?* Nej, man (one) besöker slottet, när kungliga (the royal) familjen är *borta.* 8. Har ni hört, om han har rest *bort?* Ja, jag hörde i går kväll att han är *nere* i Skåne. 9. *Var* bor han *där?* Han bor på ett slott, tror jag. 10. *Vart* skall du gå nu? Jag skall gå *hem.* 11. Är du snart *framme?* Ja, det tar inte länge.

D

(a) Substitute Swedish equivalents for the English expressions: 1. Det är (*my*) brev, som ligger på (*your, intimate*) bord. 2. (*Our*) föräldrar kom hit i går, de reser hem med (*your, intimate*) föräldrar i kväll. 3. (*Their*) gamla farmor kom hit för en månad sedan. 4. Har barnen fått (*their*) pennor ännu? Nej, de har inte fått (*theirs*) ännu, men vi fick (*ours*) i går. 5. När ni får (*your, polite*) nya karta, skall jag komma hit för att se den. 6. Det var (*his*) far, som talade med doktorn. 7. Var det (*her*) uppsats, som vi fann? Nej, det var (*his*). 8. Leker (*your, polite*) lilla dotter med (*our, pl.*) barn? 9. Vet du, var (*your, intimate*) saker ligger? 10. Har ni sett (*their*) nya hem?

(b) Select the appropriate possessive: (If both can be used, explain the difference in meaning): 1. Sten lägger (hans, sina) böcker i köket. 2. Det var inte (hennes, sina) saker, som jag fann. 3. Känner du (deras, sina) föräldrar? 4. Ger Anna mig (hennes, sina) blommor? 5. Har Ekbloms sålt (sitt, deras) hus?

E

Supply the Swedish equivalents of the English expressions: 1. Tycker ni (*better*) om Stockholm än om Göteborg? 2. Nej, men jag vill (*rather*) bo i huvudstaden. 3. Talar Alma (*more loudly*) än Greta? 4. Nej, jag tror, att Greta talar (*less loudly*) än Anna. 5. Arbetar ni (*more diligently*) än Tor? 6. Nej, Tor arbetar (*just as diligently*) som jag. 7. Tycker ni (*best*) om er mamma? 8. Nej, jag tycker (*just as much*) om pappa. 9. Jag kommer (*I suppose*) hit i kväll. 10. Gossen talade (*much less*) än flickan.

F

Give sliding synopses: 1. På kvällen lägger jag mig. 2. Jag somnar. 3. Jag sover hela natten. 4. Jag vaknar på morgonen. 5. Jag sträcker mig. 6. Jag stiger upp. 7. Jag tvättar mig i ansiktet. 8. Jag går in i salen. 9. Jag sitter vid bordet. 10. Jag äter. 11. Jag går i skolan.

G

Which are the literary plural verbs in these sentences? Substitute the colloquial form for each literary form. 1. Kungen och de andra män, som regera (*govern*) Sverige, bo i Stockholm. 2. Mer än en halv miljon människor ha sina hem där. 3. Slottet, Storkyrkan och många andra byggnader ligga i Staden mellan broarna. 4. Barnen gingo till sängs. 5. De sågo hur hunden hoppade upp på stolen. 6. Sverige, Norge, Danmark och Island äro de skandinaviska länderna. 7. Många svenskar bo i Finland. 8. Landskapen i Norrland heta Lappland, Västerbotten, Ångermanland, Jämtland, Medelpad, Härjedalen, Hälsingland och Gästrikland. 9. Människor kommo och räddade mannen och hunden. 10. Veta föräldrarna om barnen äro hemma?

H

Account for the inverted order; then convert these sentences into sentences with normal order: 1. På kartan ser ni att Sverige har mer än tjugo landskap. 2. Längst i söder ligger Skåne. 3. I östra Sverige ligger landets största stad. 4. Vackert är slottet i Stockholm. 5. Stadshuset såg jag många gånger, medan jag var i Stockholm. 6. I somras reste jag till Karlstad. 7. När jag var i Lund, såg jag många svenska studenter. 8. Sedan jag hade rest bort, fick jag brev från Olle och Svante.

LAPPLAND IN SPRING

Swedish Traffic Association

SWEDISH GYMNASTS

American Swedish News Exchange

SWEDISH GYMNASTS

Swedish Traffic Association

INTERNATIONAL REGATTA AT SANDHAMN

Swedish Travel Information Bureau

GYM CLASS, ÖSTERMALM SCHOOL, STOCKHOLM

Swedish Travel Information Bureau

ON THEIR WAY TO THE SKI-HUT

SUMMER AND WINTER RESORTS

All along the coast of Sweden are watering-places and summer resorts that are very popular especially during the months of July and August. Near Gothenburg is the rocky island of Marstrand, where the summer population often has a decided international air, and here are excellent opportunities for yachting. Särö, also near Gothenburg, is a fashionable resort, and the tennis courts there are often used by H. M. King Gustaf V. On the upper west coast are Strömstad, known for its salubrious mud baths, and Lysekil and Fiskebäckskil. Båstad, with the distinctive architecture of its inn, has an aristocratic charm, and offers opportunities for seaside bathing, tennis, and golf. At all of these resorts the highly salty content of the water makes a prolonged stay highly invigorating. Falsterbo, on the extreme southern tip of Sweden, with excellent tennis and golf, and with long, low-lying stretches of sandy beaches, is a center with more of a continental atmosphere. Ystad, on the southern shore, has also a magnificent sandy beach, and the town itself, with its half-timbered houses, is quaintly picturesque.

Along the eastern coast, especially in the vicinity of Stockholm, the summer life is equally varied and attractive. The fashionable resort Saltsjöbaden can be reached in less than an hour from Stockholm, and Vaxholm, with its historic fortress, is also near. Furusund, Dalarö, Nynäs, and Utö lie farther out in the skerries and offer more primitive enjoyment. Sandhamn is the center of yachting interests in Sweden and the site of the Royal Yacht Club, which has passed its centenary mark. Södertälje and Norrtälje are known for their health-restoring mud baths. Visby, on the island of Gotland, has a sandy beach that attracts hundreds through the summer.

It is bathing, swimming, yachting and motor-boat racing that are the popular summer waterside sports. Around Stockholm, both in Lake Mälaren and in the inlets of the Baltic, there are sunny afternoons when the bulging sails are so numerous that they give an impression of a great regatta. The real regattas, many of them international, take place at Sandhamn. The island is known to professional yachtsmen the world over. Almost as interesting to the yachtsmen are the waters around Gothenburg, where, in a stiff breeze filled with the salty tang of the sea, many a sailing championship has been determined.

Golf grows constantly more popular. There are good links at Lidingö, Kevinge (Stocksund), Djursholm, and at Saltsjöbaden, all near Stockholm.

The links at Båstad lie picturesquely near historic landmarks from pre-Viking times and so have a quaintly picturesque background. There are seaside links at Falsterbo and good courses also at Gothenburg (Hovås), Hälsingborg (Viken), and Kristianstad. Tennis is a favorite sport, and every city and important summer resort has excellent outdoor courts. The new indoor courts in Stockholm have been booked to capacity from the time they were completed. International matches with programs announced far in advance are a regular summer feature.

Horseraces are another attraction in Stockholm and in Malmö during the months of June, August, and September. Though they take place on a modest scale, compared with those in Paris, London, and other world centers, they do occupy an important place in national sportsmanship. Many visitors in Stockholm who stay for a longer period take up riding as a pastime. The instruction, for those who need it, is excellent, and the terms per hour or per course are relatively moderate. The large parks and the wide reaches of wooded areas around Stockholm make this a truly enjoyable sport.

In northern Sweden, outdoor life in summer has many more unique features. In the rivers along the eastern coast and in the streams of Lappland there is good fishing in season. Hiking is popular among the young people, and as you see them by the dozens tramping with rucksacks on their backs or camping along some mountain lake, you sense a sturdy, invigorating quality in the bracing life of the North. The high fjelds of Arctic Sweden offer trails that are a joy and delight to intrepid mountaineers. Kebnekaise, the highest peak in Sweden, rises 6,900 feet above sea level and is the goal of the most seasoned mountain climber. The novel feature in summer is the midnight sun on the heights and the continuous daylight—a silvery, mystic sheen through the midnight hours—in the valleys.

But it is in late winter and early spring that these northern regions offer the greatest pleasure for the sportsman. Åre and Storlien, in the province of Jämtland, offer the finest gradients for skiing and some of them rival the best in Switzerland. The nearer one comes to the boundary between Sweden and Norway, the more majestic the mountainous scenery becomes. It is usually during February and March that the snow conditions are at their best. Bob-sleighing is also enjoyable in these regions.

The practiced ski-runner also seeks the snow fields of the province of Dalarna. Here the Vasa ski race takes place every year near the end of February or the beginning of March. It commemorates a great national historical event and that fact adds to its popularity. Gustav Vasa, sixteenth-century champion of national independence, resisted the tyrannous rule of

Denmark at the time when the three Scandinavian countries were united under one ruler. Here in Dalarna he was forced to seek escape from the Danish spies and went on skis from Mora, coming as far as Sälen, on the Norwegian boundary, when his countrymen called him back, and the return ended triumphantly as he was chosen their leader and finally became king of a united Sweden. For the annual ski race, in which sixty or more participate, the run is reversed for technical reasons and is made from Sälen back to Mora.

On the east coast the province of Hälsingland at Järvsö and Hudiksvall, and farther north in the district between the two big rivers Indalsälven and Ångermanälven at Sundsvall, Härnösand, and Sollefteå, also have good gradients for skiing and bob-sleighing, while around Gothenburg and Stockholm there is good cross-country running if the weather permits. When winter conditions are at their best, there is excellent ice for skating and skate sailing around Stockholm. The momentum is so great that these sports require cool courage and skill, but they are unparalleled as sport for those who have mastered them. Hockey, curling, and trotting races are also in high favor. The Stockholm Stadium is the center for football and athletic games during the summer months, and when winter sets in, the arena is turned into a skating rink.

—From Erik Lindberg's *Sweden: Glimpses of Its Charm, Traditions, and Modern Progress,* by permission of the Swedish Traffic Association.

LESSON XX

The Demonstratives. The Determinatives. The Personal Pronouns.

Speech Drill

Kvinnan: Tycker du inte, att jag blir tio år yngre i den här hatten?

Mannen: Jo, men hur gammal är du?

Kvinnan: Tjugonio år.

Mannen: Med eller utan hatten?

Hustrun: Sånt väder!

Mannen: Ja, om folk inte blir sjuka i det här vädret, så är de inte friska.

Herr Alm: Hur kan du sätta på dig en sån gammal hatt?

Herr Olsson: Det beror på min hustru.

Herr Alm: Men hon kan väl aldrig vilja, att du sätter den där på dig!

Herr Olsson: Hon sade, att om jag satte den på mig, så ville hon inte följa med mig ut.

69. The Demonstratives. The demonstrative adjectives and pronouns point out living beings or objects for special attention.

Illustrative sentences

ADJECTIVES		PRONOUNS
Denne gosse är flitig.		*Denne* är flitig.
Denna flicka är vacker.	*this,*	*Denna* är vacker.
Detta barn är snällt.	*this one*	*Detta* är snällt.
Den här mannen är lat.		*Den här* är lat.
Det här barnet leker.		*Det här* leker.

PASS FORM

____
Student's Name

From ______________________________________

To ______________________________________

Reason ______________________________________

____

Excused Unexcused
(Circle One)

Date ____________ Time ______________

____
Signature of Staff Member

PASS FORM

Student's Name ______________________

From ______________________

To ______________________

Reason ______________________

____

Excused Unexcused
(Circle One)

Date ____________ Time ____________

Signature of Staff Member ______________________

ADJECTIVES		PRONOUNS
Dessa män arbetar. *De här* studentskorna läser.	*these*	*Dessa* arbetar. *De här* läser.
Den gossen är lat. *Det* barnet sover. *Den där* flickan är inte vacker. *Det där* barnet leker inte.	*that,* *that one*	*Den* är lat. *Det* sover. *Den där* är inte vacker. *Det där* leker inte.
De männen sjunger. *De där* studentskorna talar.	*those*	*De* sjunger. *De där* talar.
Den förre studenten heter Bo. *Den förra* flickan läser högt. *Det förra* barnet är vackert. *De förra* studenterna reste hem.	*the former*	*Den förre* heter Bo. *Den förra* läser högt. *Det förra* är vackert. *De förra* reste hem.
Den senare studenten heter Tor. *Den senare* flickan läser inte. *Det senare* barnet är fult. *De senare* barnen kommer.	*the latter*	*Den senare* heter Tor. *Den senare* läser inte. *Det senare* är fult. *De senare* kommer.
En sådan hatt vill han ha. *Ett sådant* hus tycker jag om. Jag har träffat *sådana* män.	*such a* (one) *such*	*En sådan* vill han ha. *Ett sådant* tycker jag om. Jag har träffat *sådana.*
Samme gosse kommer. *Samma* flicka får boken. *Samma* hus tyckte han om. *Samma* gossar (flickor, barn) kommer.	*the same* (one) *the same* (ones)	*Densamme* kommer. *Densamma* får boken. Han tyckte om *detsamma.* *Desamma* kommer.

Notice the pronunciation: *de* [de: ; coll. di:]; *de där* [de′ dæ:r]; *de här* [de′ hæ:r]; *den* [dän:]; *den där* [dän′ dæ:r]; *den här* [dän′ hæ:r]; *denna* [dän·a‘]; *densamma* [dän′sam·a‘]; *desamma* [de′-sam·a‘]; *dessa* [däs·a‘]; *det* [dä:t, coll. dä: or de:]; *det där* [dä′(t) dæ:r]; *det här* [dä′(t) hæ:r]; *detsamma* [dä′(t)sam·a‘]; *detta* [dät·a‘]; *förra* [fœr·a‘]; *samma* [sam·a‘]; *senare* [se·narə‘]; *sådan* [så·dan‘; coll. så:n].

(a) A demonstrative is an adjective if it precedes a noun; if it stands alone it is a pronoun.

(b) When *den*, *det*, and *de* are used as demonstratives, they have stronger stress than when they are used as prepositive definite articles. These three demonstratives are declined like the pronouns of reference (*den*, *det*, *de*). See section 26.

(c) Every demonstrative adjective except *denna* (*denne*, *detta*, *dessa*), *sådan* (*sådant*, *sådana*), and *samma* (*samme*) is followed by the definite form of the noun it modifies. In spoken Swedish, *denna* (*denne*, *detta*, *dessa*) is sometimes followed by the definite form of the noun.

(d) Each demonstrative agrees in gender and number with the noun it modifies, except as noted in section 70.

(e) *Denne*, *den förre*, and *samme* are used as adjectives before a noun denoting a masculine being. *Denne*, *den förre*, and *densamme* are pronouns which refer to a noun denoting a masculine being.

(f) *Den där*, *det där*, *de där*, *den här*, *det här*, and *de här* are colloquial.

(g) *Denne* (*denna*, *detta*, *dessa*), *densamma* (*detsamma*, *desamma*), *den förre* (*den förra*, *det förra*, *de förra*), and *den senare* (*det senare*, *de senare*) take *-s* in the possessive.

(h) All the demonstrative adjectives except *sådan* (*sådant*, *så-* and *såna* in colloquial Swedish.

Den här gamla hatten (this old hat).

But

En sådan gammal hatt (such an old hat).

(i) *Sådan*, *sådant*, and *sådana* frequently become *sån*, *sånt*, and *såna* in spoken Swedish.

70. Special Use of Neuter Singulars. *Det*, *detta*, *det här*, and *det där* are used in reference to a predicate noun without regard to gender or number if the demonstrative idea is not very pronounced or if there is no contrast. They are to be translated *it*, *they*, *this*, *these*, *that*, and *those*, according to the context.

Det var en skön höstdag.	It was a beautiful fall day.
Det var ett otrevligt hus.	It was an unpleasant house.
Detta är min kusin.	This is my cousin.
Det där är norrmän.	Those are Norwegians.

But

Den där vill jag ha.	I want that one.
Denna är lat.	This (girl) is lazy.
Den som arbetar får priset.	He who works gets the prize.

71. Determinatives. When a demonstrative adjective or pronoun directs attention to the following dependent clause or infinitive, it is known as a determinative. Study these examples:

Det barn(et), som du ser, är hennes.	The child you see is hers.
Är det inte *samma* hatt, som du hade på dig i går?	Isn't that the same hat you were wearing yesterday?
Den, som arbetar flitigast, får priset.	The one who works most diligently will receive the prize.

A plural noun after the determinative does not take the postpositive definite article. A singular noun may or may not take the postpositive definite article.

72. The Personal Pronouns (Objective and Dative Cases). Review sections 26, 27, 58, and 68, in which you have already been given much information about the personal pronouns. Then study these examples carefully.

Han såg mig (dig, er, honom, henne, den, det, oss, er, dem).
He saw me (you, you, him, her, it, it, us, you, them).

Han gav mig (dig, er, honom, henne, det, oss, er, dem) klockan.
He gave me (you, you, him, her, it, us, you, them) the clock.

These forms of the personal pronouns are used when the pronoun is a direct object or an indirect object, or when it is governed by a preposition.

(a) *eder* is used in formal Swedish in place of *er*.

(b) *den* refers to a non-neuter antecedent; *det* to a neuter.

(c) Notice the pronunciation: *dem* [däm: ; coll. dɔm:]; *den* [dän:]; *det* [dä:t; coll. dä: *or* de:]; *dig* (familiar) [di:g; coll. däj:]; *eder* (formal) [e:dər]; *er* (coll.) [e:r]; *henne* [hän·ə']; *honom* [hɔn·ɔm']; *mig* [mi:g; coll. mäj:]; *oss* [ɔs:].

VOCABULARY

In addition to the personal pronouns in 72 and the demonstratives in the illustrative sentences at the beginning of this lesson, commit these words to memory.

aldrig, never [al·drig'; coll. al·(d)ri']
bero (*-dde; -tt*), depend (on) [berω:]
bil (*-en, -ar*), car, automobile [bi:l; bi·lar']
den som, the one who
folk (*-et, —*), people [fɔl:k]
frisk (*-t, -a*), fresh, healthy [fris:k]
ful (*-t, -a*), ugly [fɯ:l]
följa med, accompany. See *följa*.
ge. See *giva*.
giva (*gav; gåvo; givit*), give (coll. *ge*, supine *gett*) [ji·va'; gɑ:v; gå·vω'; ji·vit'; je: ; jet:]
ha på sig, wear. See *ha*.
hatt (*-en, -ar*), hat [hat: ; hat·ar']
kunna (*kunde; kunnat;* pres. *kan*), be able to, can [kun·a'; kun·də' (coll. kun·ə'); kun·at'; kan:]
lat (*lat, lata*), lazy [lɑ:t]
lätt (*lätt, lätta*), light, easy [lät:]
pris (*-et, —*), prize, price [pri:s]
sjuk (*-t, -a*), sick [ʃɯ:k]
svår (*-t, -a*), difficult [svå:r; svå:ṭ; svå·ra']
sätta på sig, wear, put on. See *sätta*.
tillhör/a (*-de; -t*), belong (to) [til·hœ'ra]. See *höra*.
tjugonio, twenty-nine [çɯ'gωni·ω'; coll. çɯ'gəni·ə']
träff/a (*-ade; -at*), meet [träf·a']
utan (prep., adv.), without [ɯ·tan']
väd/er (*-ret, -er*), weather [vä:dər]

DRILLS

A

Substitute Swedish equivalents for the English expressions: 1. (*This*) lilla pennan tillhör Karl, men (*that*) stora tillhör Erik. 2. (*This*) lilla penna tillhör (*the former*), men (*that*) stora tillhör (*the latter*). 3. (*These*) stolar är mycket större än (*those*). 4. (*These*) borden är likaså stora som (*those*). 5. (*This one*) är doktor, (*that one*) är lärare. 6. (*The former*) läxan är mycket svår, men (*the latter*) är lätt. 7. (*That one's*) bok ligger på bänken i klassrummet, (*this one's*) ligger här. 8. (*That*) var hans bok, som hon gav till professorn. 9. (*The same*) student kom hit i går och hjälpte mig med (*this*) uppsats. 10. Rut och Elsa är (*the ones*) som läser flitigt. 11. (*Such a*) man tycker de om. 12. Jag har aldrig sett (*such*) blommor hemma. 13. (*The same one*) kommer i kväll. 14. (*The same*) studentskor besökte oss för en månad sedan. 15. (*Those*) är svenska studenter.

B

Answer in complete sentences; use demonstratives. 1. Är det här rummet stort? 2. Har den där gossen ljust hår? 3. Har den här flickan vackra ögon? 4. Tycker ni om en sådan läxa? 5. Tycker ni om sådana elever? 6. Vill ni inte ge mig den här boken? 7. Vad skall ni göra med den där pennan? 8. Vad gör de här eleverna? 9. Har du sett sådana stolar förr? 10. Är det där samma hatt, som lärarinnan hade på sig i går? 11. Är det sant, att den, som arbetar flitigt, får priset? 12. Har du svarat på det där brevet, som du fick i går?

C

Supply the Swedish equivalents of the English expressions: 1. (*The man who*) kom in i rummet, heter herr Dalman. 2. Han är (*the same man who*) köpte en ny bil av Lantz i går. 3. Säljer Lantz (*the cars which*) vi såg, när vi var inne hos honom? 4. Ja, det är (*the same ones*). 5. Det var (*the former girls*) som talade svenska, (*the latter*) kan inte tala svenska. 6. (*The one who*) pratar med mamma är (*the one who*) skrev den långa uppsatsen. 7. (*The children who*) kommer om en stund, är elever i Bremer-skolan. 8. Är det (*the ones who*) skall resa hem till Sverige? 9. Nej, det är (*the ones who*) reste till Sverige i somras. 10. (*Such women*) som fröken Lund är snälla.

D

Read aloud; then translate each sentence carefully: 1. Bröderna var visst lata. 2. Den uppsatsen är nog bra. 3. Det är visst ännu längre sedan du såg honom. 4. Att du inte kan komma är då tråkigt (*too bad*). 5. Du sade ju, att du inte kunde komma. 6. Du vet väl, att Johan har fått en ny båt. 7. Det kan jag visst göra. 8. Jag kan väl sitta här en stund. 9. Att han har gått är sant förstås. 10. Det var visst inte sant.

E

Convert these sentences into imperative sentences: 1. Du finner hunden, om du kan. 2. Vi följer med de andra studenterna. 3. Ger du mig hatten? 4. Du sätter på dig hatten. 5. Barnen stänger dörrarna, när de kommer in. 6. Vi öppnar fönstren så mycket vi kan. 7. Eleverna lägger böckerna på lärarens bord. 8. Vi börjar tala svenska. 9. Gustav läser högt. 10. Alma går till svarta tavlan. 11. Hon skriver den svenska satsen på svarta tavlan. 12. Eleverna läser satsen högt.

F

Give sliding synopses: 1. Jag tvättar mig om fötterna. 2. Jag lägger mig på min säng. 3. Jag sätter på mig hatten. 4. Jag har en ny hatt på mig. 5. Jag kan tala svenska. 6. Jag följer med studenten. 7. Jag ger min vän tjugo kronor. 8. Jag träffar mina vänner var dag.

G

Translate: 1. This is my father; that is my youngest brother. 2. Do you have the same old car? No, I have a new one. 3. Have you seen these cars? No, I have not seen them yet. 4. When you come in, do not forget to shut the door. 5. This is the most beautiful day I have seen. 6. Are you the ones who have read Strindberg's *Röda rummet?* 7. No, we have not read that book yet; we have not had time to read it. 8. Did those boys who live in that large house go to school today? 9. Yes, they accompanied me to school. 10. Those boys like to play much better than to read.

LESSON XXI

The Interrogatives. *Själv.* *Varandra.* The Uses of *det.*

SPEECH DRILL

Herr Andersson: "Gamle vän, vad tycker du om kvinnorna nu för tiden?"

Herr Broberg: "De är lika vackra som i min ungdom[1], men de behöver längre tid för att bli det."

Herr Alm: "Det är i alla fall en sak, som jag tycker bra om hos din hustru."

Herr Dalman: "Vad är det?"

Herr Alm: "Att hon är din."

Fadern: "Varför fick min pojke E i engelska?"

Läraren: "Vi ger inte lägre betyg."

73. The Interrogatives. Most of the interrogatives are either adjectives or pronouns:

Vem är det? *Vems* bok är den här? *Vem* kan jag lita på? Jag vet inte, *vem som* har kommit.	one person: *vem* (who, whom) *vems* (whose)	*Who* is that? *Whose* book is this? On *whom* can I depend? I do not know *who* has come.
Vilken kom? *Vilken* kan jag lita på? *Vilket* tåg ska jag ta? *Vilkens* penna är den här? *Vilket* ser du? *Vilken* vacker hatt! *Vilken av dem* tycker du bäst om?	one of several persons or things: (*vilken*, who, which, what; *vilket*, which, what)	*Who* came? On *whom* can I depend? *Which* train shall I take? *Whose* pen is this one? *Which* one do you see? *What* a beautiful hat! *Which one* do you like best?

---

1 [uŋ·dωm‘], youth.

Vilka kommer hit?		*Who* are coming over here?
Vilkas uppsatser har du läst?	two or more persons or things: (*vilka*, who, what, which; *vilkas*, whose, of which)	*Whose* themes have you read?
Vilka böcker har du med dig?		*Which* books do you have with you?
Vet du, *vilka* som trodde honom?		Do you know *who* believed him?
Vet Anna, *vilka* han träffade?		Does Anna know *whom* he met?
Vad är det?	one thing: *vad*, what	*What* is it?
Vad nytta kan ni göra?		*What* good can you do?
Vad slags person är hon?		*What sort* of person is she?
But		
Hur ser han ut?		*What* does he look like?
Vilkendera litar ni på?	one of two persons or things: (*vilkendera, vilketdera, vilkenderas, vilketderas*)	On *which one* do you depend?
Vilketdera är ert hus?		*Which* (*one*) is your house?
Vilkenderas mor kommer?		*Which one's* mother is coming?
Vad för en människa är det?	What (kind of) (*vad för en, vad för ett, vad för ena*)	*What* (*kind of*) person is that?
Vad är den där *för en* man?		*What* (*kind of*) man is that?
Vad för ett hus köpte ni?		*What* (*kind of*) house did you buy?
Hurdan flicka är det?	What kind of, how: (*hurudan, hurdan hurudant, hurdant hurudana, hurdana*)	*What sort of* girl is it?
Hurdant väder har vi?		*What kind of* weather are we having?
Hurdana människor är de?		*What kind of* people are they?

(a) Notice the pronunciation of *hurudan* [hɯ·rudan‘; coll. hɯ·ḍan‘]; *vad* [vɑ:d; coll. vɑ:]; *slags* [slak:s]; *vem* [vem:]; *vilken* [vil·kən‘; coll. vik:ən]; *vilkendera* [vil·kənde‘ra].

(b) *Vem* (*vems*) is used only as a pronoun; it refers to one person. *Vilka* is used in the plural.

(c) *Vilken* (*vilket*, n.; *vilka*, pl.) may be used either as pronoun or adjective. Notice that no indefinite article is used after *vilken* (*vilket*, *vilka*). *Vilken hatt!* (What a hat!) When *vilken*, etc., is used as a pronoun, it adds *-s* to form the possessive.

(d) *Vad* is used like English *what*. When it is used as an adjective, it is invariable.

(e) *Vad för en* (*vad för ett*, n.; *vad för ena*, pl.), used both as an adjective and as a pronoun, is used as an equivalent of English *what* or *what kind of*. Notice in the illustrative sentences that *vad* may be separated from *för en*. *Vad slags* (what kind of) is invariable.

(f) For *vilkendera* (*vilketdera*), colloquial Swedish substitutes *vilken av dem* (*vilket av dem*, *vilka av dem*).

(g) For *hurudan* (*hurudant*, *hurudana*), the colloquial forms are *hurdan* (*hurdant*, *hurdana*).

(h) *Som* is inserted after an interrogative pronoun which serves as the subject of a dependent clause.

74. The Emphasizing *själv*. Where English uses *myself*, *yourself*, *himself*, *herself*, *itself*, *ourselves*, *yourselves*, and *themselves* for purposes of emphasis, Swedish uses the adjective and pronoun *själv* (*självt*, *själva*).

Vi såg *själva* kungen.	We saw the king *himself*.
Jag gjorde det *själv*.	I did it *myself*.
Barnet tvättade sig *självt*.	The child washed (up) *itself*.
De tycker om sig *själva*.	They like *themselves*.
Han hade förlorat boken *själv*.	He had lost the book *himself*.
De hade ämnat göra det *själva*.	They had intended to do it *themselves*.

The emphasizing adjective or pronoun agrees with its noun in gender and number. The three forms are pronounced: [ʃäl:v; ʃäl:vt; ʃäl·va‘].

75. The Reciprocal Pronoun. This pronoun is *varandra* [varan·dra‘] (*varandras*), each other, one another.

Vi tyckte om varandra.	We liked *each other*.
Sten och Bo hjälpte varandra.	Sten and Bo helped *one another*.
Barnen läste varandras uppsatser.	The children read *each other's* themes.

76. The Uses of *det*. As you have already observed, *det* [dä:t, coll. dä: *or* de:] is used in a number of ways:

(a) As a pronoun of reference to a neuter noun (singular):

Har någon köpt *huset?* Ja, Andersson köpte *det.*	Has anyone bought *the house?* Yes, Anderson bought *it.*

(b) As a prepositive definite article modifying a neuter noun, singular:

Det lilla barnet skrattade.	*The* little child laughed.

(c) As a demonstrative pronoun or adjective (neuter noun, singular):

Det barnet känner jag!	I know *that* child.
Det känner jag!	I know *that one.*

(d) As the subject of an impersonal verb, especially as the subject of verbs expressing weather conditions, joy, sorrow, or pain:

Det regnade i lördags.	*It* rained last Saturday.
Det gäller honom.	*It* concerns him.
Det var roligt.	*That* (it) was fun.
Det var tråkigt.	*That* was boring (or, *that* was too bad).
Det gläder mig.	I am glad. (*That* pleases me.)
Det gör ont i foten.	My foot hurts.

(e) As the subject of *att vara* (to be) and *att finnas* as equivalents of *there is*, etc. *Det är* (*var, skall vara*, etc.) is usually used when a definite person is spoken of and time and place are emphasized. *Det finns* (etc.) is used when both place and time are not emphasized.

Det var en gång en man.	Once upon a time *there was* a man.
Det finns många studenter.	*There are* many students.
Det har funnits sådana karlar.	*There have been* such men.

(f) As the subject of a verb before a predicate noun without regard to the number or gender of that noun:

Vem är det? *Det* är min moster.	Who is it? *It* is my aunt.
Vilka är de? *Det* är studenter.	Who are they? *They* are students.

(g) As an equivalent of *so:*

Han är trött. *Det* är jag också. He is tired. *So* am I.

(h) In reference to a clause, etc.:

Han byggde huset. *Det* har jag hört. He built the house. I have heard *that.*

VOCABULARY

In addition to the pronouns and adjectives in sections 73, 74, and 76 and the uses of *det,* commit these words to memory.

bara, only [bɑ·ra‘]
behöv/a (*-de; -t*), need [behø:va]. See 18.
betyg (*-et,* —), grade [bety:g]
fall (*-et,* —), case, fall [fal:]
  i fall, in case, if
  i alla fall, in any case, at any event
fin (*-t, -a*), fine, nice [fi:n]
fråg/a (*-an, -or*), question [frå·ga‘]
förlor/a (*-ade; -at*), lose [fœḷω:ra]
gäll/a (*-de; -t*), concern, be a question of [jäl·a‘]. See 76(d).
karl (*-en, -ar*), man [kɑ:r; kɑ·rar‘]
kör/a (*-de; -t*), drive [çœ·ra‘]
lit/a på (*-ade på; -at på*), depend on [li·ta‘ på:]
låta (*lät; läto; låtit*), let, permit, cause [lå·ta‘; lä:t; lä·tω‘; lå·tit‘]
most/er (*-ern, -rar*), maternal aunt [mωs:tər; mωs·trar‘]
nytt/a (*-n*), use [nyt·a‘]
också, also [ɔk·så‘]
ont, pain [ωn:t]
  göra ont i, hurt, have a pain in
person (*-en, -er*), person [pæʂω:n]
pojk/e (*-en, -ar*), boy [poj:kə]
regn/a (*-ade; -at*), rain [räŋ·na‘]. See 76(d).
rolig (*-t, -a*), pleasant [rω·lig‘; coll. rω·li‘]
  ha roligt, have fun, a good time
  vara roligt, be pleasant, amusing
räkn/a (*-ade; -at*), count [rä·kna‘]
skratt/a (*-ade; -at*), laugh [skrat·a‘]
trött (—, *-a*), tired [tröt:]
tåg (*-et,* —), train [tå:g]
vit (*-t, -a*), white [vi:t; vit: ; vi·ta‘]
ämn/a (*-ade; -at*), intend, plan [äm·na‘]

DRILLS

A

Supply the Swedish equivalents of the English expressions within the parentheses: 1. (*Who*) har fått brev i dag? Johan, tror jag. 2. (*Which*) hus vill ni köpa? (*The*) vita huset ämnar jag köpa. 3. (*Whom*) träffade ni på gatan för en stund sedan? (*That*) var fröken Lindblom. 4. (*Who*) är det? Hon är lärarinna i vår skola. 5. (*What kind of*) kvinna är hon? Hon är en mycket snäll kvinna, säger min syster, (*who*) känner henne. 6. (*Which*) böcker har ni läst? Jag har läst många böcker, i går läste jag Ahlgrens *Pengar*. 7. (*Which*) barn gav ni boken? Jag gav (*it*) till det minsta. 8. (*What kind of*) hatt köpte Johan? Han köpte en mycket fin, svart hatt. 9. Jag vet inte (*who*) kommer hit i kväll. 10. Låt mig se (*which*) hatt du har på dig. 11. (*What a*) hatt! 12. (*Such*) städer som Stockholm tycker jag om. 13. (*The same*) man gick ut för en stund sedan. 14. (*The same one*) vill köpa en ny bil. 15. (*What kind of*) väder har vi i dag?

B

Read aloud; translate; explain the use of *det:* 1. Det är vi, som skall fråga. 2. Det var en svår fråga. 3. Det räknar vi bara som ett. 4. Det var tråkigt. 5. Det gläder mig, att ni har det. 6. Den store pojken ville inte svara på det. 7. Det är svenskar, tror jag. 8. Han är lat. Det är jag också. 9. Har du sett barnet? Nej, jag har inte sett det. 10. Det huset är det vackraste i stan. 11. Det var en gång en flicka, som inte ville gå i skolan. 12. Det är roligt att gå i skolan. 13. Det lilla huset är det vackraste. 14. Vad är det? Det är dörren till klassrummet.

C

Select the correct expression (if both of any pair can be used, explain the difference in meaning): 1. (Vad för en, Vad för ett) hus är det där? 2. (En sådan, Ett sådant) vän tycker jag inte om. 3. Pojken förlorade (hans, sin) hatt i parken. 4. Vill du ha (dina, era) böcker nu? 5. Vilken kvinna träffade (hennes, sin) mor här i går? 6. Behöver eleverna (deras, sina) pennor? 7. Arbetade både han och hon (länge, långt) i går? 8. Har ni (länge, långt) att gå? 9. Barnet har funnit (dess, sin) hatt. 10. Sätter ni på (dig, er) hatten? 11. (Kan, Vet) du (din, er) läxa? 12. (Känner, Vet) ni om det är sant, att han har varit lärare? 13. (Vilja, Vill) ni hjälpa mig att skriva brevet? 14. (Vilkendera, Vilken av dem) såg ni?

D

Answer in complete sentences: 1. Vad är ni? 2. I vilken stad bor ni? 3. Vad gör ni? 4. Vilka ser ni? 5. Hurdana människor är de? 6. Vad är det, som ligger på bordet? 7. Vem är det, som har ljust hår? 8. Såg ni vem som lade boken på golvet? 9. Hjälper ni varandra att läsa svenska? 10. Skriver du uppsatser själv? 11. Hur många stolar är det i klassrummet? 12. Vilka elever kan tala svenska? 13. Vad gjorde du i går? 14. Vill du vara snäll och stänga fönstren? 15. Kan du läxan i dag? 16. Vad för ett betyg fick du i engelska? 17. Regnar det i dag?

E

Give synopses: 1. I alla fall gör jag det själv. 2. Jag tvättar mig om händerna. 3. Hon behöver många saker. 4. Litar du på honom? 5. Barnet skrattar. 6. Var träffar Emil oss? 7. Varför ämnar Olle bli student? 8. Det regnar hela dagen. 9. Det är inte tråkigt att gå i skolan. 10. Förlorar han brevet? 11. Det gäller eleverna. 12. Det gör ont i fingret. 13. Jag är trött.

F

Give opposites or near-opposites: 1. Sälj den gamla. 2. Stäng det stora. 3. Kom hit. 4. Han vaknar i morgon. 5. Han mår illa. 6. Läraren frågar, om flickan har köpt en ny. 7. En vacker flicka kommer hit. 8. Pojkarna köper alltid litet. 9. Farmor kommer hit. 10. For han hem? 11. Steg karlen upp?

G

Translate: 1. What has Anna done? I don't know what she has done. 2. Which of the two girls is coming? I believe the older one is coming. 3. Who is it? It is Mr. Dahlberg, I believe. 4. Whose book is it? It is John's. 5. I do not know whose book it is. 6. Whose books have you? I have Gustav's and Hans'. 7. Whose child is that? That is Mrs. Ahl's little son. 8. Who is working? I don't know; it isn't Karl. 9. To whom does this hat belong? It belongs to Karin, I believe. 10. What do you need? I need a new hat. 11. They did not ask each other who needed a book. 12. What kind of man is he? He is very kind. 13. Who are those? They are Swedes, I believe. 14. How is the weather? It is very fine today.

LESSON XXII

The Relative Adjectives and Pronouns. Indefinite Interrogative Pronouns. The Cardinal Numbers.

SPEECH DRILL

Studenten: Skall vi dansa eller sitta och prata?
Studentskan: Jag är så trött—låt oss hellre dansa.

———

Fröken Eriksson: Skulle[1] du gifta dig med honom, om du var jag?

Fröken Johansson: Om jag var[2] du, skulle jag gifta mig med vem som helst.

———

Doktorn: Har du någonsin hört ett sällskap kvinnor sitta tysta?

Professorn: Ja, en gång. Jag frågade vem av dem som var äldst.

77. The Relative Adjectives and Pronouns. The following sentences illustrate the uses of the relative pronouns and adjectives:

Det var han, *som* kom.	It was he *who* came.
Mannen, *vilkens* bok jag har, kommer.	The man *whose* book I have is coming.
Det var inte det, *som* läxan handlade om.	It was not that with *which* the lesson dealt.
Berget, på *vilket* huset ligger, är högt.	The mountain on *which* the house lies is high.
Berget, *som* huset ligger på, är högt.	The mountain on *which* the house lies is high.

1 [skul·ə‘], would. 2 were.

Han tror, att han blir färdig i tid, *vilket* gläder mig.	He believes he will be ready in time; *that* pleases me.
Kvinnorna, *som* kom, är lärarinnor.	The women *who* came are teachers.
Jag tror inte *vad* han säger.	I do not believe *what* he says.
Vad (*som*) jag tycker om är hans vänlighet.	*What* (that which) I like is his friendliness.
Det är *allt vad* jag vet.	That is *all* I know.

(a) *Som* (who, whom, which, that), which is invariable, is used more than any other relative both in formal and colloquial Swedish. The possessives are *vilkens* (n. *vilkets*, pl. *vilkas*) or, in literary Swedish, *vars* [vɑ:ʂ]. A preposition is not placed before *som* but at the end of the clause.

(b) The only relative which can be used as an adjective is *vilken* (n. *vilket*, pl. *vilka*). It agrees in number and gender with the noun it modifies or represents.

(c) *Vilken* (*vilket*, *vilka*) is used primarily in written Swedish. A preposition may appear before *vilken* (*vilket*, *vilka*). If the relative refers to a whole clause, *vilket* is used.

(d) *Vad* is used after *allt* (all, everything) and instead of *det som* (that which). When *vad* is used as the subject of a clause, it is usually followed by *som*.

(e) A relative is often omitted.

78. Indefinite Interrogative Pronouns. Study the italicized expressions in these sentences:

(a)	*Vem som helst* får gå.	*Anyone at all* may go.
	Vad som helst går an.	*Anything at all* will do.
	Han talar till *vem* (*som*) *helst som* kommer.	He talks to *whoever* comes.
(b)	Det kan du göra *var som helst.*	You can do that *wherever you please.*
	Kom *när som helst.*	Come *whenever you want to.*
	Gör det *hur som helst.*	Do it *however you want to.*
(c)	*Vem* han *än* är, får han inte göra det.	*Whoever* he is, he may not do that.
	Vad ni *än* gör, kom inte för sent.	*Whatever* you do, don't come too late.

In the first group, the interrogative pronouns are combined with *som helst* (at all). *Vilken* (*vilket, vilka*) as well as *när* (when), *hur* (how), *hurudan* (how, what kind of), *var* (where), *någon* (any one), *ingen* (no one) and *vart* (where, whither), may be used with *som helst.* In the third group *vad, vem* or *vilken,* etc., are used with *än* as the equivalents of *whatever* or *whoever* (you are, etc.).

79. The Cardinals. Review the cardinal numbers (one, two, etc.) given in Lesson VII and memorize those you have not already had:

0. *noll* [nɔl:]
1. *ett* (n.) [et:]; *en* (nn.) [en:]
2. *två* [två:]
3. *tre* [tre:]
4. *fyra* [fy·ra‘]
5. *fem* [fäm:]
6. *sex* [säk:s]
7. *sju* [ʃɯ:]
8. *åtta* [ɔt·a‘]
9. *nio* [ni·ω‘, coll. ni·ə‘]
10. *tio* [ti·ω‘, coll. ti·ə‘]
11. *elva* [äl·va‘]
12. *tolv* [tɔl:v]
13. *tretton* [trät·ɔn‘]
14. *fjorton* [fjω·ṭɔn‘]
15. *femton* [fäm·tɔn‘]
16. *sexton* [säk·stɔn‘]
17. *sjutton* [ʃut·ɔn‘]
18. *aderton* [ɑ·dəṭɔn‘, coll. ɑ·ṭɔn‘]
19. *nitton* [nit·ɔn‘]
20. *tjugo* [çɯ·gω‘, coll. çɯ·gə‘]
21. *tjugo/en* (*-ett*) [çɯ′gωen:]
22. *tjugotvå* [çɯ′gωtvå:]
23. *tjugotre* [çɯ′gωtre:]
24. *tjugofyra* [çɯ′gωfy·ra‘]
25. *tjugofem* [çɯ′gωfäm:]
26. *tjugosex* [çɯ′gωsäk:s]
27. *tjugosju* [çɯ′gωʃɯ:]
28. *tjugoåtta* [çɯ′gωɔt·a‘]
29. *tjugonio* [çɯ′gωni·ω‘]
30. *tretti*(*o*) [trät:iω; coll. trät:i]
40. *fyrti*(*o*) [fœṭ:iω; coll. fœṭ:i]
50. *femti*(*o*) [fäm:tiω; coll. fäm:ti]
60. *sexti*(*o*) [säk:stiω; coll. säk:sti]
70. *sjutti*(*o*) [ʃut:iω; coll. ʃut:i]
80. *åtti*(*o*) [ɔt:iω; coll. ɔt:i]
90. *nitti*(*o*) [nit:iω; coll. nit:i]
100. *hundra* [hun:dra]
101. *hundra/en* (*-ett*) [hun′draen:]
122. *hundratjugotvå* [hun′draçɯgω-två:]
1000. *tusen*
1248. *ett tusen tvåhundrafyrtioåtta*
2000. *två tusen*
1,000,000. *en miljon*

(a) All the cardinals except *en*, the compound numerals ending in *-en*, and *en miljon* (a million) are invariable. *En* is used before a non-neuter noun and *ett* before a neuter noun.

(b) The plural of *en miljon* is *miljoner*. Compare två miljon*er*, två hundra, två tusen.

(c) In colloquial Swedish the *-o* in *trettio*, *fyrtio*, etc., is not pronounced.

(d) Compound numerals do not have an equivalent of *and* before tens and digits: tvåhundratio.

(e) *Ett* is frequently omitted before *hundra* and *tusen*.

Jag såg mer än hundra. I saw more than *one* hundred.

(f) *Båda* or *bägge* (both) may be used before *två* for emphasis.

Båda två gick i går. *Both* went yesterday.

(g) Notice these expressions:

De kom två och två. They came in *two's*.
Vasagatan 5. 5 Vasa Street.

Notice that not only does the number follow the name of the street but also that the definite form of *gata* is used. Compare also *Riddarholmskyrkan* (Riddarholm Church).

80. Derivatives from the Cardinals. Study the following expressions:

(a) *Tjugotalet* or *20-talet*, the 20's.
1900-talet (*nittonhundratalet*), the 1900's.
Decades or centuries are indicated by taking the cardinal numeral and adding the neuter *tal*. An equivalent of *1900-talet* is *tjugonde århundradet*.

An approximate number is indicated by adding *tal* to the cardinal. Estimated numbers are expressed by means of a cardinal plus *tals:*

ett tiotal elever, about ten pupils
ett tjogtalstudenter, about twenty (a score of) students

Notice that Swedish does not use a preposition in these expressions.

hundratals byggnader, *hundreds* of buildings
tusentals studenter, *thousands* of students

(b) The first twelve cardinals and *noll* form nouns of the first declension, thus: *en nolla, en etta, en tvåa, en trea, en fyra, en femma, en sexa, en sjua, en åtta, en nia, en tia, en elva,* and *en tolva.*

Jag har förlorat ett par femmor. I have lost a couple of *fives.*

81. The Absence of the Preposition. In many expressions, Swedish has no equivalent of the preposition "of."

Ett tjog ägg.	A score *of* eggs.
Ett dussin ägg.	A dozen (of) eggs.
Ett och ett halvt dussin ägg.	One and one-half dozen eggs.
Ett par femmor.	A couple *of* fives.
Ett sällskap kvinnor.	A group *of* women.
Två slags kaffe.	Two kinds *of* coffee.
Dussintals vänner.	Dozens *of* friends.

In addition to these expressions of quantity, notice these geographical terms:

Staden Stockholm.	The city *of* Stockholm.
Landskapet Närke.	The province *of* Närke.
Konungariket Sverige.	The kingdom *of* Sweden.

Notice also: *Tre kronor kilot.* Three crowns per kilogram.

VOCABULARY

In addition to the relatives and the cardinal numbers, commit these to memory:

båda (primarily formal), both [bå·da‘]

bägge, both [bäg·ə‘]

dans/a (*-ade; -at*), dance [dan·sa‘]

dussin (*-et,* —), dozen [dus·in‘]
  dussintals (adv.), dozens [dus·intɑ‘ls]. See 80(a).

försök/a (*-te; -t*), try [fœʂø:ka]

gif/ta sig (*-te sig; -t sig*), marry [jif·ta‘]

som helst, as you please, at all. See 78.
  hur som helst, in any way (at all)
  när som helst, at any time
  vad som helst, anything (at all)
  var som helst, anywhere (at all)
  vem som helst, anyone (at all)

någonsin (coll. *nånsin*), ever [nå·gɔnsin‘; nɔn·sin‘]

ha ont i, have a pain in, hurt. See *ha.*

par (*-et,* —), pair [pɑ:r]

så, so [så:]

sällskap (*-et,* —), company, group, club [säl·skɑ‘p]

tal [tɑ:l]. See 80.
  tals:
    dussintals, dozens (of)
    hundratals, hundreds (of)
    tjogtals, scores (of)
    tusentals, thousands (of)

i tid, in time
tjog (*-et*, —), score [çå:g]
tyst (—, *-a*), quiet, silent [tys:t]
än. See 78.
vem . . . *än* . . ., whoever
vad . . . *än* . . ., whatever

DRILLS

A

Supply the Swedish equivalents of the English expressions: 1. Det är den gamle (*whom*) vi såg i Stockholm för ett år sedan. 2. (*Who*) är det? Jag vet inte (*who*) han är. 3. Det är väl samme pojke (*who*) var här för en liten stund sedan. 4. Låt oss fråga pappa (*what*) mannen heter. 5. Du skall väl inte ge bort allt (*which*) du har. 6. Vi skall ju hjälpa (*each other*). 7. Parken, i (*which*) han går, är den största i huvudstaden. 8. Sängkammaren, (*which*) han sover i, är inte stor. 9. Byggnaden, (*which*) kungen bor i, är slottet. 10. (*Whoever she*) är, är hon mycket trött. 11. (*The one who*) inte vill arbeta, skall inte äta. 12. (*Whatever he*) var förr, är han snäll nu. 13. Säg det (*as you please*). 14. Skall vi besöka våra gamla vänner (*at any time*)? 15. Jag begriper inte (*what*) du sade.

B

Supply the appropriate relatives: 1. Staden, i ______ vi bor, heter . . . . 2. Staden, ______ vi bor i, heter . . . . 3. Rummet, ______ vi är i, är ett klassrum. 4. Boken, ______ ligger på mitt bord i biblioteket, är Helgas. 5. Studentskan, ______ blommor jag har, reste hem för ett par dagar sedan. 6. Studenten, ______ bok jag har, har alltid läst flitigt. 7. Den, ______ kommer först, får fem kronor. 8. Alla elever, ______ kom, leker på holmen i sjön. 9. Det, ______ han säger, är nog sant. 10. De svarta tavlor, ______ hänger på väggarna, tillhör Sten.

C

Answer in complete sentences: 1. Hur många stolar är det i klassrummet? 2. Hur många fönster är det? 3. Har du fem hattar? 4. Är det tjugo böcker på lärarens bord? 5. Har ni tio fingrar och två händer? 6. Har ni läst tjogtals svenska böcker? 7. Vem är det, som har ljust hår? 8. Vad slags hår har Gustav? 9. Vill ni hellre simma än meta? 10. Tycker ni om att dansa? 11. Har ni någonsin fått högre betyg än B i engelska? 12. Vems bok är det, som ligger på lärarens bord? 13. Har ni rest i Sverige? 14. Var bor ni här i stan?

D

Supply the appropriate demonstratives: 1. (*That one*) är flitig, (*this one*) är lat. 2. (*This*) fågeln är större än (*that one*). 3. (*This*) stad är huvudstaden, men (*that one*) är den största staden. 4. (*This*) flicka är hans syster, men (*that*) gossen är min bror. 5. (*The same*) familj bodde i vårt hus i somras. 6. Det är (*the same teacher, feminine*), som vi träffade för en stund sedan. 7. (*Those*) studenterna heter Emil Olsson och Erik Dalman, (*these*) heter Sten Boman och Alf Dahl. 8. Vilka är (*those*) männen? Det är visst Broberg och Bergman. 9. Har du läst (*this*) bok av Lagerlöf? Ja, det har jag. 10. (*The former*) lägger pennan på bänken, (*the latter*) tar bort den. 11. (*The former*) kvinnorna kommer hit i dag, men (*the latter, plural*) kommer inte. 12. (*Such*) människor vill aldrig arbeta.

E

(1) Count by ones from 1 to 20; from 21 to 40; from 41 to 60; from 61 to 80; from 81 to 100; from 101 to 120; from 121 to 140; from 241 to 260; from 761 to 780. (2) Count by fives from 0 to 100; from 100 to 200; from 200 to 300; from 300 to 400; from 400 to 500. (3) Count by tens from 10 to 100; from 100 to 200; from 200 to 300; from 300 to 400; from 400 to 500; from 500 to 600; from 700 to 800; from 800 to 900. (4) Count by 100's from 100 to 1000; from 2000 to 3000; from 4000 to 5000.

F

(a) Give the following multiplication tables in Swedish: 2×2=4 (två gånger två gör fyra); 4×1; 5×1; 6×1; 7×1; 8×1; 9×1; 10×1; 11×1; and 12×1.

(b) Add or subtract: 2+2=4 (två och två gör fyra); 4—2=2 (två från fyra gör två): 69+7; 191+11; 177+17; 81—10; 63—62; 81+10; 1060+43; 999—101; 332—16; 16+1; 442—42; 889—169; 15+15.

G

Translate: 1. We try to speak Swedish in the classroom. 2. The teacher, who has been in Sweden, speaks it very well. 3. My parents also speak Swedish. 4. What kind of coffee did your mother say she wanted to buy? 5. I do not know what kind it was. 6. Have you ever been in Chicago? 7. Yes, my parents and I drove to Chicago last summer. 8. My brother, whose car I need this evening, has not come home yet. 9. Do you believe that he will come home in time? 10. We shall go to Chicago whenever we want to. 11. Do you have a pain in your knee? 12. No, but my foot hurts.

LESSON XXIII

Numerals

En svensk kalender

December					
Söndag		6	13	20	27
Måndag		7	14	21	28
Tisdag	1	8	15	22	29
Onsdag	2	9	16	23	30
Torsdag	3	10	17	24	31
Fredag	4	11	18	25	
Lördag	5	12	19	26	

Vad är detta? Det är en svensk kalender, som visar månaderna, veckans dagar och helgdagarna.

Vad är ett år? Ett år består[1] av 365 dagar eller 52 veckor eller 12 månader eller 4 årstider. Vart fjärde år har naturligtvis 366 dagar.

Vilka är månaderna? De är januari, februari, mars, april, maj, juni, juli, augusti, september, oktober, november och december. Hur många månader är det i året? ________.

Vilka är årstiderna? De är vår, sommar, höst och vinter.

Veckan har sju dagar—söndag, måndag, tisdag, onsdag, torsdag, fredag och lördag.

Vilka är de viktigaste helgdagarna i Sverige? De viktigaste är nog nyår (den 1 januari), påsk, midsommar (den 24 juni), Gustaf Adolfs dag (den 6 november) och jul (den 25 december).

---

1 [bestå:r], consists.

Många svenska kalendrar visar namnsdagarna[1] också. Till exempel, Gustavs dag är den 6 juni, Eriks den 18 maj, Ruts den 4 januari och Ebbas den 6 mars.

Trettio dagar har november,
april, juni och september,
tjugoåtta februari allen[2]:
alla de övriga[3] trettioen.

82. The Ordinals. Memorize these ordinal numbers (first, second, etc.):

	(den) (det)	
1st	*först/a (-e)*	[fœʂ·ta‘]
2nd	*andr/a (-e)*	[an·dra‘]
3rd	*tredje*	[tre·djə‘]
4th	*fjärde*	[fjæ·ḍə‘]
5th	*femte*	[fäm·tə‘]
6th	*sjätte*	[ʃät·ə‘]
7th	*sjunde*	[ʃun·də‘]
8th	*åttonde*	[ɔt·ɔndə‘]
9th	*nionde*	[ni·ɔndə‘]
10th	*tionde*	[ti·ɔndə‘]
11th	*elvte*	[äl·ftə‘]
12th	*tolvte*	[tɔl·ftə‘]
13th	*trettonde*	[trät·ɔndə‘]
14th	*fjortonde*	[fjω·ṭɔndə‘]
15th	*femtonde*	[fäm·tɔndə‘]
16th	*sextonde*	[säk·stɔndə‘]
17th	*sjuttonde*	[ʃut·ɔndə‘]

	(den) (det)	
18th	*adertonde*	[ɑ·ṭɔndə‘]
19th	*nittonde*	[nit·ɔndə‘]
20th	*tjugonde*	[çɯ·gɔndə‘]
21st	*tjugoförst/a (-e)*	[çɯ′gωfœʂ·ta‘]
22nd	*tjugoandr/a (-e)*	[çɯ′gωan·dra‘]
30th	*trettionde*	[trät·iɔndə‘]
40th	*fyrtionde*	[fœṭ·iɔndə‘]
50th	*femtionde*	[fäm·tiɔndə‘]
60th	*sextionde*	[säk·stiɔndə‘]
70th	*sjuttionde*	[ʃut·iɔndə‘]
80th	*åttionde*	[ɔt·iɔndə‘]
90th	*nittionde*	[nit·iɔndə‘]
100th	*(ett) hundrade*	[hun·dradə‘]
101st	*(ett) hundraförst/a (-e)*	[hun′drafœʂ·ta‘]
1000th	*tusende*	[tɯ·səndə‘]

(a) The only ordinals which are not invariable are *första*, *andra*, and the compound ordinals ending in *första* or *andra*. These substitute *-e* for the final *-a*, if they modify or represent a noun denoting a masculine being: Den först*e* gossen, *or* den först*e*.

(b) The ordinals may take the possessive *-s:* Den förste*s* bok (the first one's book).

---

[1] [nam·sdɑ‘g], the namesdays. [2] [ale:n], alone. [3] rest.

(c) The noun following an ordinal has the definite form, but the prepositive definite article is often omitted: *första läxan*, the first lesson; *tredje delen*, the third part; *på femte dagen*, on the fifth day.

(d) In dates, ordinals are written with Arabic numerals alone or with the endings of the ordinals: *den 6 december*, December 6; *1–15 maj*, or, *den 1:a till den 15:e maj*, May 1–15. The abbreviated forms of ordinals are: *1:e* or *1:a*, *2:e* or *2:a*, *3:e*, *4:e*, *5:e*, etc., superceding the old forms *1:ste(a)*, *2:dre(a)*, *3:dje*, *4:de*, *5:te*, *10:de*, *11:te*, etc.

(e) A Roman numeral with the name of a ruler represents the ordinal: *Gustaf V* (Read: *Gustaf den femte*).

83. Other Uses of the Ordinals. The ordinals are used in forming other expressions:

(a) Most of the fractions are formed by adding *del* (part; pl. del*ar*) to the ordinals: one half = *en halv;* one third = *en tredjedel;* one fourth = *en fjärdedel;* one fifth = *en femtedel;* one sixth = *en sjättedel;* one seventh = *en sjundedel;* one eighth = *en åttondel;* one ninth = *en niondel;* one tenth = *en tiondel;* one eleventh = *en elvtedel*, etc. Plural: two tenths = *två tiondelar.* Notice that in forming the fractions on the basis of the ordinals ending in *-de*, the *-de* is dropped upon adding *del* except in *fjärdedel* and *sjundedel.* A fractional number may take the possessive *-s: Fem och en fjärdedels mil* (five and a fourth miles). Common forms are: *en fjärndel*, one fourth, and *en fjärdingsväg*, a quarter of a mile.

(b) *Var* (*vart*, n.) is often used with an ordinal in expressing distribution:

var femte dag, *every* fifth day.
vart tredje år, *every* third year.

Compare the use of *annan* (other) in:

varannan gosse, *every other* boy
vartannat barn, *every other* child

(c) *In the first place* or *firstly*, etc., are expressed by *för det första*, etc.

(d) A century is expressed by *ett århundrade* (pl. *århundraden*).

84. The Expression of Time. Study these examples carefully:

Questions: What time is it?	Answers: It is one o'clock, etc.
Vad är klockan?	*Klockan är ett* (1:00 o'clock).
Hur mycket är klockan?	*Klockan är halv två* (1:30 o'clock).
Hur dags är det?	*Klockan är en kvart i* (*före, till*) *två* (1:45 o'clock).
The Swedes now reckon the time by twenty-four hours in train and other schedules, not by two twelve-hour periods, as we do in America. In Swedish homes, however, the older system is retained. Then: A.M. = *på förmiddagen* = *f.m.* P.M. = *på eftermiddagen* = *e.m.*	*Klockan fattas* (lacks) *tjugo minuter i tretton* (12:40 o'clock or 12:40 P.M.). *Klockan är tjugotre minuter över tio* (10:23 o'clock). *Klockan är en kvart över två* (2:15 o'clock). *Klockan är tre kvart på två* (1:45 o'clock). *Klockan slår* (strikes) *tolv.*
När avgår (leaves) *tåget?*	*På slaget sju* (at 7 o'clock sharp). *or* *Klockan nitton precis* (7 P.M.).
När skall jag komma?	*Vid tiotiden* (about 10 o'clock).

Notice these expressions:

en kvart	a quarter of an hour
en halv timme	half an hour
en och en halv månad	a month and a half
halvannan månad	a month and a half
halvtannat år	a year and a half

85. The Units of Time. Many of the units of time are expressed by means of prepositional phrases.

Past: *Jag gjorde det i går* (yesterday); *i går kväll* (last evening); *i förrgår kväll* (the evening before last); *i måndags* (last Monday); *i vintras* (last winter); *i morse* (this morning).

Present: *Jag gör det i dag* (today); *i år* (this year); *i kväll* (this evening); *i vinter* (this winter); *i förmiddag* (this forenoon); *i eftermiddag* (this afternoon); *i middags* (this noon).

Future: *Jag skall göra det i morgon* (tomorrow); *i morgon kväll* (tomorrow evening); *i vinter* (this winter); *i kväll* (this evening); *i januari* (in January).

A minute ago, etc.: *Jag gjorde det för en minut sedan; för en timme sedan; för ett par dagar sedan; för en vecka sedan; för en månad sedan; för ett år sedan.*

During the hour, etc.: *Vad skall ni göra under timmen? under dagen? under veckan? under månaden? under året?*

In a minute, etc.: *Jag skall göra det om en minut; om en timme; om en dag; om en vecka; om en månad; om ett år.*

In the mornings, etc.: *Vad gör du om morgnarna? på morgnarna? om nätterna?*

At the beginning of, etc.: *i början på året* (at the beginning of the year); *i slutet på mars* (at the end of March); *i mitten av* or *mitt i maj* (in the middle of May).

Next (day), etc.: *Vill du följa med mig om söndag? om en vecka? nästa vecka?*

86. Dates. Study carefully the following expressions:

Vad datum har vi i dag?	What date is it today?
Det är den 14 (Read: *fjortonde*) *december.*	It is December 14.
Stockholm, den 16 april 1938 (Read: *sextonde, nittonhundratrettiåtta*).	Stockholm, April 16, 1938.
År 1939.	The year of 1939.
Han är född den 7 (Read: *sjunde*) *januari 1920.*	He was born January 7, 1920.
Han föddes den 7 januari 1920.	He was born January 7, 1920.
Han fyller aderton år den 1 januari.	He will be eighteen years old on January 1.
Min bror reste hem den 2 (Read: *andra*) *mars.*	My brother went home on March 2.

VOCABULARY

In addition to the ordinals in section 82 and the expressions of time in sections 84 and 85, commit these words to memory.

april, April [april:]
augusti, August [augus:ti]
en början (inv. sg.), beginning [bœr·jan‘]
i början av (på), at the beginning of
dags [dak:s]. See 84.
datum, date [dɑ·tum‘]

december, December [desäm:bər]
eftermiddag (*-en, -ar*), afternoon [äf·tərmid'a(g)]
i eftermiddag, this afternoon
på eftermiddagen, in the afternoon
exemp/el (*-let, -el*), example [äksäm:pəl]. See 30(c).
till exempel, for example
februari, February [fe'brɯɑ:ri]
fredag (*-en, -ar*), Friday [fre:dɑg; coll. fre:da]
fyll/a (*-de; -t*), fill [fyl·a']
fylla . . . år . . ., become . . . years old, have a birthday
fö/dd (*-tt, -dda*), born [föd:]
är född, was born
föddes, was born [föd·əs']
före (prep.), before, to [fœ·rə']
förmiddag (*-en, -ar*), forenoon [fœ·rmid'a(g)]
i förmiddag, this forenoon
på förmiddagen, in the forenoon
helgdag (*-en, -ar*), holiday [häl·jdɑ'(g)]
höst (*-en, -ar*), autumn, fall [hös:t]. See 85.
i (prep.), to [i:]. See 84.
januari, January [jan'ɯɑ:ri]
jul (*-en, -ar*), Christmas [jɯ:l]
juli, July [jɯ:li]
juni, June [jɯ:ni]
kalend/er (*-ern, -rar*), calendar [kalän:dər]
kvart (*-en, —*), quarter (of an hour) [kvaṭ:]. See 84.
lämn/a (*-ade; -at*), leave [läm·na']
lördag (*-en, -ar*), Saturday [lœ:ḍɑg; coll. lœ:ḍa]
maj, May [maj:]
mars, March [maʂ:]
midsommar (*-n* or *-en*), midsummer [mid:sɔmar; coll. mis:ɔmar]
mitt i, in the middle of [mit:]
morse [mɔʂ·ə']
i morse, this morning
måndag (*-en, -ar*), Monday [mɔn:dɑg; coll. mɔn:da]. See 85.
naturligtvis, naturally, of course [natɯ·ḷi(g)tvi's]. See 20.
november, November [nωväm:bər]
nyår (*-et*), New Year [ny·å'r]
oktober, October [oktω:bər]
onsdag (*-en, -ar*), Wednesday [ω:nsdɑg; coll. ω:nsta]. See 85.
precis, exactly [presi:s]
påsk (*-en, -er*), Easter [pɔs:k]
september, September [säptäm:bər]
slag (*-et, —*), stroke [slɑ:g]
slut (*-et, —*), end [slɯ:t]
i slutet på (*av*), at the end of
tisdag (*-en, -ar*), Tuesday [ti:sdɑg coll. ti:sta]. See 85.
torsdag (*-en, -ar*), Thursday [tω:ʂdɑg; coll. tω:ʂta]. See 85.
varannan (n. *vartannat*), every othe[r] [varan·an']
veck/a (*-an, -or*), week [vek·a']
viktig (*-ṭ, -a*), important [vik·ti(g)'] See 20.
vis/a (*-ade; -at*), show [vi·sa']
vår (*-en, -ar*), spring [vå:r]. See 8[5]
årstid (*-en, -er*), season [å·ʂti'd]
över, after, past [ø:vər]

DRILLS

A

Answer in complete sentences: 1. Vad är en kalender? 2. Vilka är veckans dagar? 3. Vad är den första dagen i veckan? 4. Vilka är månaderna? 5. Är detta den fjärde månaden i året? 6. Vilka är årstiderna? 7. Vilka är de viktigaste helgdagarna i Sverige? 8. När fyller ni år? 9. Vilken läxa har vi i dag? 10. Vilken läxa hade vi för en vecka sedan? 11. Är det aderton elever i klassen? 12. Skall ni gå i skolan i sommar? 13. Gick ni i skolan i somras? 14. Vad tycker ni om att göra under sommaren? 15. Hur skall ni resa hem för ferierna? 16. Var bor ni? 17. Hur länge har ni bott där? 18. Hur länge har er familj varit här i landet? 19. Hur gamla är era föräldrar? 20. När har studenterna sina ferier?

B

Supply the numerals: 1. Jag har ______ armar, ______ ben, ______ fötter, ______ mun, ______ ansikte, ______ huvud, ______ händer, ______ knän och ______ fingrar. 2. Åtta människor har naturligtvis ______ gånger så många händer som ______ människa. 3. Det är ______ flickor och ______ gossar i klassen. 4. Det är ______ stolar, ______ bord, ______ dörr, ______ fönster, ______ svart tavla, ______ väggar, ______ golv och ______ tak i rummet. 5. Jag går i skolan ______ dagar i veckan. 6. Jag har ______ lärare och ______ lärarinnor. 7. Februari har ______ dagar och mars har ______. 8. På lärarens bord ligger ______ böcker. 9. Det är ______ dagar i året. 10. Jag har fyllt ______ år.

C

Read aloud: 1. Sverige har 6,350,000 invånare [invå·narə‘] (*inhabitants*). 2. Av dessa bor 4,250,000 på landet och 2,100,000 i städerna. 3. I Sverige är det 6,469 judar [jʉː·dar‘] (*Jews*) och 3,426 katoliker [kat′ωli:kər] (*Catholics*). 4. Vid 1938 års början hade Stockholm 549,232, Göteborg 264,003, Malmö

144,548, Örebro 45,656, Uppsala 35,361 och Lund 26,236 invånare. 5. Det är mer än 2,000,000 svenskar i vårt land. 6. Det högsta berget i Sverige är Kebnekaise i Lappland, som är 2,123 meter högt. 7. Sverige är mer än tre gånger så stort som Illinois. 8. Gustaf V är Sveriges kung.

D

Interpret in Swedish: 1:30 A.M.; 1:42 A.M.; 2:00 A.M.; 2:15 A.M.; 2:32 A.M.; 2:45 A.M.; 3:01 A.M.; 3:15 A.M.; 3:30 A.M.; 3:45 A.M.; 3:58 A.M.; 4:00 A.M.; 4:10 A.M.; 4:20 A.M.; 5:00 A.M.; 6:40 A.M.; 7:45 A.M.; 8:19 A.M.; 9:47 A.M.; 12:00 A.M.; 12:01 P.M.; 3:15 P.M.; 4:40 P.M.; 5:45 P.M.; 6:00 P.M.; 7:10 P.M.; 8:12 P.M.; 9:00 P.M.; 10:30 P.M.; 11:00 P.M.; 11:30 P.M.; 12:00 P.M.; 12:02 A.M.; 12:30 A.M.; 12:50 P.M.; January 1; February 12; March 5; April 6; May 7; June 10; July 20; August 2; September 9; October 31; November 29; December 25.

E

Translate; account for each italicized expression: 1. Annas farfar kom hit *i måndags*, och han reser hem *om söndag kväll.* 2. Vad datum hade vi *i tisdags?* Det var visst den *20* december, tror jag. 3. Har du skrivit din uppsats ännu? Den skrev jag *för ett par dagar sedan.* 4. Har du skrivit din? Nej, men jag skall skriva den *i kväll.* 5. Hörde du Karl säga, att Johan ämnar resa bort *i slutet på* mars? Nej, vart skall han resa? Till New York, tror jag. 6. Vad gör fröken Lund *i vinter?* Hon är visst hemma hos föräldrarna. 7. Vad var det Gustav sade du gjorde *för en vecka sedan?* Jag var i Chicago *ett par dagar.* 8. Låt oss fara ut på landet och besöka mors föräldrar *under julen.* 9. Kommer han hit *vartannat år?* Nej, han kommer *varannan månad.* 10. Men sade inte Helga att han reste *i morse?* Det tror jag inte. Han skall resa *om fredag kväll.*

F

Supply Swedish equivalents of the English expressions within the parentheses: 1. (*Such a*) byggnad som slottet tillhör nog riket. 2. (*Whose*) hus är det som ligger vid sjön? Det är visst Johanssons. 3. (*The women who*) simmade kände inte (*each other*). 4. (*What kind of*) väder har vi i dag? Det är vackert. 5. Jag såg (*the teacher himself*) i parken i går kväll. 6. Mådde (*those pupils who*) inte kom i dag, illa? Nej, (*those*) for ut på landet. 7. (*Which one*) körde? (*Which of them*) som körde vet jag inte. 8. (*What kind of*) kaffe säljer mannen? Mamma säger att det är (*the best*) hon någonsin har köpt. 9. Skall (*that*) kvinnan gifta sig med (*that*) mannen? Nej, det tror jag inte. 10. Tycker de om (*each other*)? Ja, det gör de.

G

Translate: 1. I came here last fall. 2. I am working here this fall. 3. I shall leave in a month. 4. My brother showed me a couple of Swedish calendars a while ago. 5. My oldest sister has lived in Chicago for fifteen years. 6. She is not coming home this year. 7. My father's friend is visiting us for a couple of weeks. 8. I do not know if he is going over there this afternoon. 9. Did you have a birthday last Wednesday? 10. No, I shall be seventeen years old next Saturday.

LESSON XXIV

Review

A

Account for the use of *det* and *detta* in each of these sentences: 1. Vem är det, som håller på att äta? Det är vår gamla lärarinna, fru Lund. 2. Låter fru Dalman barnet köra? Nej, det kör aldrig. 3. Var har ni boken? Det vet jag inte, jag tror jag lade den på den lilla stolen i köket. 4. Det är många människor här i eftermiddag. 5. Det regnar var dag i den här staden. 6. Det stora huset ligger vid Kungsgatan. 7. Det är visst första gången jag har sett sådana byggnader. 8. Vem kan veta det? 9. Det bordet är större än detta. 10. Han är tröttare och tystare än Adolf. Det är jag också. 11. Det finns många båtar.

B

Substitute possessive pronouns for the italicized expressions: 1. Om du behöver *min krona,* får du den. 2. Köpte han *sin bil* i Stockholm? Nej, systern köpte *sin bil* där. 3. Är det *våra mödrar* som står och talar borta vid kyrkan? Nej, det är *deras mödrar.* 4. Har ni *era böcker?* Nej, vi gav dem till morfar när vi hade läst dem. 5. *Din mamma* kom hit med Dahlbergs i eftermiddag. 6. *Hennes svar* var det bästa i klassen. 7. Behöver *hans far* en bättre stol än den han har? Nej, det tror jag inte. 8. Fick barnen *sina kartor* i går? Nej, men de kommer att få dem i morgon. 9. Både *deras* och *våra föräldrar* har ätit. 10. Han tog hit *sina små båtar* för en stund sedan. 11. Kan vi *våra läxor* var dag? Nej, inte alltid. 12. Bygger han *sitt hus* vid sjön? Nej, men vi bygger *vårt hus* där. 13. Var lade du *ditt brev* för en stund sedan? Jag tror jag lade det där på bordet.

C

Substitute Swedish expressions for the English within parentheses: 1. (*This*) hund är mycket äldre än (*that*). 2. (*That*) priset är högre än (*this*). 3. (*Such a*) svar har jag aldrig hört förr! 4. (*Such*) är människorna i (*this*) staden. 5. Skall (*the former*) eller (*the latter*) resa till Karlstad i morgon? Jag tror, att bägge två skall resa. 6. (*The same*) karl körde (*the same*) bil i går eftermiddag. 7. Heter inte (*those*) männen Almquist? Nej, (*that*) mannen heter Lantz, och (*this one*) heter Bergman. 8. Är det (*the same*) kvinna, som jag såg i går? Ja, det är (*the same*). 9. Ropar (*the former*) flickan eller (*the latter*)? Det är visst (*the latter*). 10. Har du stängt (*that*) dörren? Nej, men jag skall stänga (*that*) nu. 11. (*How*) ser vår nya lärarinna ut? (*This one*) ser snäll och god ut. 12. Är det (*this*) fråga, som du inte kan svara på? Nej, det är (*the other*). 13. Fick eleven (*such a*) penna? Ja, han fick (*such a one*). 14. Var snäll och fråga fru Holm om hon vill berätta (*the same*) historia för Adolf. Nej, han har hört den förr.

D

Substitute Swedish expressions for the English: 1. (*Which of the two*) gossarna behövde en krona? Det var väl Karl, han ville gå ut och köpa (*a couple of*) böcker. 2. (*Who*) är pojken, som står och talar på gatan? Jag vet inte (*who*) han är. Jag har aldrig sett honom förr. 3. (*What sort of*) bil körde Per, när han kom hit för en liten stund sedan? Det var visst en Plymouth. 4. (*In which room*) tvättade flickan sig om händerna? Det gjorde hon i köket. 5. Professorn (*whose*) bil står där, heter Palm. 6. Huset, (*in which*) han bor, är stort och vackert. 7. Vad är (*it that*) ni vill? Jo, jag vill stänga den där dörren, så att vem som helst inte kan komma in. 8. Historierna (*which*) han berättade var mycket långa. 9. I (*which*) byggnad förlorade Gösta pengarna? Det var visst den där. 10. (*What kind of*) människor är de där studenterna? De är nog snälla. 11. Byggnaden, (*which*) du ser, är en kyrka. 12. (*What*) gjorde Hjalmar i går? Jag vet inte om han arbetade eller var ute och metade.

E

Interpret in Swedish: 12:00 noon; 12:15 P.M.; 12:30 P.M.; 12:30 A.M.; 12:45 P.M.; 12:45 A.M.; 1:00 P.M.; 1:00 A.M.; 1:10 P.M.; 1:10 A.M.; 2:20 P.M.; 2:20 A.M.; 3:30 P.M.; 3:30 A.M.; 4:40 P.M.; 4:40 A.M.; 5:50 P.M.; 5:50 A.M.; 6:00 P.M.; 6:00 A.M.; 6:06 P.M.; 6:06 A.M.; 7:17 P.M.; 7:17 A.M.; 8:28 P.M.; 8:28 A.M.; 9:00 P.M.; 9:00 A.M.; 9:39 P.M.; 9:39 A.M.; 10:49 P.M.; 10:49 A.M.; 11:58 A.M.; 11:58 P.M.; about 11:00 P.M.; at 10:00 exactly.

F

Read aloud; translate; explain each italicized expression: 1. Jag fick en ny kalender *för ett par veckor sedan* av fru Clark, som reste i Sverige *i somras.* 2. Hade hon köpt den där? Ja, hon köpte *flera* för att ge dem till amerikanska vänner. 3. Vad visar kalendern? Den visar naturligtvis månaderna, veckans dagar och de svenska helgdagarna. 4. Hur länge var hon i Sverige? Hon reste dit *i maj* och var där *i ett par månader,* tror jag. 5. Vad skall hon göra *i vinter?* Hon ämnar skriva en bok om Sverige. 6. Har hon börjat ännu? Ja, hon *håller på att skriva* den nu. 7. Hon kommer hit *i slutet på februari.* Vill du träffa henne? Ja, det skulle jag tycka om. 8. Har du inte sålt bilen ännu? *Jo,* den sålde jag *i början på november* till en doktor som bor *hos Holmquists.* 9. Ämnar du köpa en ny *i vår?* Nej, jag tror inte jag köper en ny *i år.* 10. Jag skall resa till Malmö *i år.* Vill du följa med? Ja, men jag vet inte, om jag kan. 11. Vad datum hade vi i går? Det var visst *den 17 december.* 12. När träffade ni Helga Blom? Jag träffade henne *i vintras.* 13. När kommer våra vänner fram? Det blir nog *om en kvart.*

G

Read aloud in Swedish: 0; den 1 januari; den 2 februari; den 3 mars; den 4 april; den 5 maj; den 6 juni; den 7 juli; den 8 augusti; den 9 september; den 10 oktober; den 11 november; den 12 december; Erik XIV; Oscar II; Karl XV; Gustaf V; Karl XII; 1200-talet; 1937; 1938; 1930-talet; den 31 januari; den 26 maj; den 17 juli; den 25 december; 1/2; 2/3; 3/4; 4/5; 5/6; 6/7; 7/8; 8/9; 9/10; 10/11; 11/12; 15/16; 42/17; 57/18; 8/19; 9/20; $14 \times 3 = 42$; $2{,}000{,}000 \times 3.5 = 7{,}000{,}000$.

Swedish Traffic Association

CANAL STEAMER ENTERING A NARROW PART OF THE GÖTA CANAL

Swedish Traffic Association

THE BROADCASTING STATION AT MOTALA

AN ESCAPE FROM SPEED AND HURRY

A picturesque and leisurely way to travel between Gothenburg and Stockholm is by the Göta Canal. This route in no way sets out to compete with the swift modes of modern transportation. Indeed, the more the latter emphasize speed, the more effective the contrast of this slow-moving, intimate contact with the idyllic landscape of central Sweden. At some points, as the steamer passes through the locks, you can walk alongside on the grassy bank and arrive at your port of call ahead of your conveyance.

This canal was built one hundred years ago. Only fifty-six of the total of two hundred and forty miles are artificial waterway, the largest part of the route being formed by natural waters—the lakes and rivers of central Sweden. When it was built, it was considered a distinct engineering feat to provide a series of locks for variations in level—a total of three hundred feet—occurring between the western and eastern coasts. The canal is just wide enough to hold the little steamer, which carries you into a play world of poetic beauty; you find yourself in possession of probably the tiniest cabin you ever have seen, but it is entirely comfortable and its satisfying dimensions are a part of the novelty of the two and a half days of voyaging that lie ahead.

If you plan the canal trip from Gothenburg, you have two alternatives at hand. You can take the steamer from coast to coast. Or, it is possible to go by motor or bus to Jönköping and continue from there by steamer to Stockholm. The first route carries you out from Gothenburg into the Göta River, and in a few hours reaches the cataracts at Trollhättan, where the wild beauty of tumbling, rushing waters still enchants, though some of the power has been harnessed and converted into hydro-electric "white coal" for industrial purposes. The Trollhättan and other Swedish power plants supply current for central and southern Sweden as well as for parts of Denmark. Some of the falling Swedish water has come from the snow-capped fjelds of Norway to reappear in Denmark transformed into light. So modern science has linked the three countries of Scandinavia and accomplished what statesmanship has so far failed to do.

Soon you come to two of the largest lakes in Europe west of Russia—Lake Väner and Lake Vätter. The former with its area of 2,150 square miles is a miniature inland sea. Lake Vätter is nineteen miles wide and eighty miles long, but, supposedly thanks to subterranean sources, its water is so clear that here and there you can see its bottom at a depth of sixty-five feet. Mirages are frequent on its calm, blue surface. West and

Swedish Traffic Association

INTERIOR OF VADSTENA CONVENT CHURCH

Swedish Travel Information Bureau

STOCKHOLM FROM THE AIR

east of this lake are the fertile provinces of Västergötland and Östergötland. The Goths figure prominently in European history from the fifth to the seventh century, when as invading barbarians they swept down upon the Roman Empire. If some of the tribes came from these very regions, there is little now that serves as a reminder of those days; for more idyllic, rustic countrysides, with many evidences of thrift and prosperity, would be hard to find. On the extreme southern tip of Lake Vätter is the industrial center, Jönköping, known the world over as the home of the Swedish safety match.

In a park on the hill overlooking Jönköping is an interesting open-air museum with a restaurant, affording a splendid view across the valley and the blue surface of the lake. Not far away is the island of Visingsö. Here lived, in the seventeenth century, Per Brahe the Younger, statesman, champion of educational reforms, and progressive agriculturist, whose grandfather, Per Brahe the Elder, was raised to the peerage by King Erik XIV, son of Gustav Vasa. The grandson established a school in the Kumlaby church which was unusually progressive for its time because girls were admitted. He also completed the great Visingsborg Castle, now a picturesque ruin. On the eastern shore of the lake towers lovely Mount Omberg, and farther south is the little town of Gränna with ruins of the Brahe Castle. A bronze tablet on a house along the main street of the town marks the birthplace of S. A. Andree, the Polar explorer. Not far from Mount Omberg is Strand, once the home of Ellen Key.

If you have come to Jönköping by motor instead of by the Canal route, you have had an opportunity, in traversing the plains of Västergötland, to visit Läckö Castle, in the seventeenth century the residence of Count Magnus Gabriel de la Gardie, one of the wealthiest noblemen of the period. This magnificent castle has recently been restored to some of its ancient splendor. At Varnhem, not far from Skara, one of the oldest towns in the country, is an old historic abbey, which is one of the most interesting survivals of mediaeval Sweden. Recent excavations have brought to light the foundations of the monastery. All of Västergötland is extremely rich in historical associations, both those linked with the migrations of the Goths and others going back to the bronze or even the stone age.

In Östergötland the high-water mark of the Canal route, not literally but historically, is the boat's visit to Vadstena. It was here that Birgitta founded a convent in the middle of the fourteenth century. The Birgittine Order gained wide renown in the western world. Birgitta's record of her revelations, which are profoundly mystical, forms an important document revealing the religious fervor of the period. She died in Rome, but her remains are said to be in the shrine in the old church at Vadstena, which was consecrated in 1430 and which contains many antiquities. The Vadstena Castle was deserted long ago and its interior has never been restored, but the building is an interesting survival of the early Vasa architectural style, a fine sample of Renaissance in Sweden.

In Östergötland, not far from Vadstena, is the city of Motala. Nearby is a monument to Count Baltzar von Platen, who built the canal. Not far from this point overland is the town of Linköping, with its magnificent cathedral, begun in the thirteenth century, and its central city square with the Folke Filbyter fountain by Carl Milles. On the Canal, an hour's ride north of the city, is Vreta Church with adjoining remains of an old monastery. The industrial town of Norrköping, the largest in the province, is an important textile center. Through the fjord Slätbaken the canal steamer enters the Baltic Sea, only to turn inland again at Södertälje, a health and summer resort. Through a short canal the boat enters Lake Mälar, and before long Stockholm comes into view. A tall church spire, the commanding tower of the Stockholm Town Hall, a cluster of roof tops—as all of these features crowd in upon your horizon, you know that your leisurely course has come to an end.

—From Erik Lindberg's *Sweden: Glimpses of Its Charm, Traditions, and Modern Progress*, by permission of the Swedish Traffic Association.

LESSON XXV

The Indefinite Adjectives and Pronouns.

SAGAN OM NORRLAND

Har ni hört, hur folk först kom att bo norr om Dalälven[1]? Jo, det var på det viset att det var för mycket folk i Svealand och många människor hade ingenting att äta. Det var svåra tider, och då beslutade riksdagen[2], att man skulle döda[3] allt folk, som hade en viss ålder.

En riksdagsman[4] hade en dotter, som hette Disa. Hon var klokare än mången karl, och när fadern kom hem, frågade hon, vad de hade beslutat. Ja, gubben svarade förstås, som sanningen var, att man skulle döda alla de gamla. "Det var då dumt," sade flickan, "om jag hade varit där, skulle jag nog ha gett dem ett bättre råd:

Jag skulle gett dem lite korn i skäppan att packa
och skickat dem norr om älven att hacka."[5]

Det där rådet började fadern att tänka på, och så gick han upp till kungen och talade om det för honom. Kungen följde Disas råd. Många människor fick korn och hackor[6], och så sände man dem norr om älven.

Efter många, många år vandrade Disa upp till Norrland för att höra, hur alla dessa människor hade det. Somliga, som bodde norr om älven, sade: "Jo, vi mår bra, och vi gästar[7] varandra." "Jaså, då får[8] ert land heta Gästrikland[9]," sade Disa.

---

[1] the Dal River. [2] parliament. [3] kill. [4] member of parliament. [5] "I would have given them some grain to put in their baskets and sent them north of the river to hoe." Notice the omission of the auxiliary verb, *ha*, before the supines, *gett* and *skickat*. In dependent clauses, literary Swedish frequently omits this auxiliary (*ha*, *har*, or *hade*). The auxiliary is rarely omitted in conversational Swedish, however. [6] grain and hoes. [7] visit. [8] *får heta*, may be called. [9] Fanciful etymology: *gäst*, guest; *rik*, rich.

Men ännu längre norrut[10] bodde andra människor vid havet. Så fort hon frågade hur de hade det, så svarade de: "Jo, för oss är det så där mitt emellan[11]." "Då får ert land heta Medelpad[12]," sade flickan och gick vidare. Då kom hon längre inåt[13] landet, där också människor bodde, men de var mindre belåtna[14] och sade: "För oss är det bara nätt och jämt[15]." "Jaså, då får ert land heta Jämtland[16]," sade hon.

De som bodde längst norrut vid havet hade förstås fått det sämsta landet. "Vi ångrar[17] oss, för att[18] vi kom hit," sade de. "Jaså," sade flickan, "då får väl ert land heta Ångermanland[19]."

Och nu vet ni, hur alla de här namnen uppe i Norrland blivit till[20].

87. Indefinite Adjectives. The following are used as adjectives only:

Han reser *vart* år.	*var, vart*	He travels *every* (each) year.
Han reser *var* dag.		He travels *every* day.
Han kommer *varje* dag.	*varje*	He comes *every* day.
But	[var·jə']	
Han har *något av varje.*		He has *something of everything.*
Min vän har *lite(t) av varje.*		My friend has *a little of everything.*

(a) *Var* is used with a non-neuter noun, singular; *vart* is used with a neuter noun, singular.

(b) *Varje,* which is invariable, is used primarily in written Swedish.

(c) For the use of *varannan* (vartannat), *var tredje,* etc., see section 83(b).

(d) Note also: Vi tog *var sin* smörgås (*var sitt* äpple). We took a sandwich (an apple) *apiece.*

(e) De läste *var för sig.* They read *each one by himself.*

---

10 to the north. 11 *mitt emellan,* so-so, neither bad nor good. 12 middle path. 13 into the interior. 14 satisfied. 15 *nätt och jämt,* barely possible to exist. 16 *jämt,* bare(ly). 17 *ångra sig,* regret. 18 *för att,* because. 19 Fanciful etymology: land of men who regret . . . 20 originated.

88. Indefinite Pronouns. The following are used as pronouns only:

Man får inte alltid göra som *man* vill.	*man* [man:] (one, you, we, they, people)	*One* is not always permitted to do as *one* wishes.
Han begär mycket av *en*.	Obj.: *en* [en:]	He demands much of *one*.
Ens liv är *ens* eget.	Poss.: *ens, sin, sitt, sina*	*One's* life is *one's* own.
Man sätter *sig*.	Refl. pron.: *sig* (See 58)	*One* sits down.
Han säger *ingenting*.	*ingenting* [iŋ·əntiŋ‘]	He says *nothing*.
Har du hört *någonting?*	*någonting* [nå·gɔntiŋ‘]	Have you heard *anything?*
Han tror, att han vet *allting*.	*allting* [al:tiŋ]	He thinks he knows *everything*.
Varenda en får en bok.	*varenda en* [varen·da‘]	*Everyone* gets a book.
Var och en gick hem.	*var och en*	*Everyone* went home.
Vart och ett är vackert.	*vart och ett*	*Every one* is beautiful.

(a) *Man* is used only as the subject of the verb, takes a singular verb, and is indeclinable. *En* serves in the objective case, *ens* in the possessive, and *sig* and *sin* (*sitt, sina*) in the reflexive.

(b) *Envar* may be used instead of *var och en*. *Envar*, the more formal expression of the two, has the possessive form *envars*, and *var och en* has the possessive form *vars och ens*.

89. Indefinite Adjectives or Pronouns. With the exception of *all* (non-neuter singular adjective), the following are either pronouns or adjectives:

Vad i *all* världen!	*all, allt, alla*	What in (*all*) the world!
Han talade om *allt*.	(all, everything)	He told *everything*.
Alla ville gå.	[al:]	*All* wanted to go.
Allas böcker är blå.		*All* (the students') books are blue.
Jag gör det en *annan* gång.	*annan* [an·an‘] *annat*,	I'll do it *another* time.
Det var ett *annat* hus.	*andra* (other; another,	It was *another* house.
Andra hade kommit.	i.e., a different one;	*Others* had come.
Jag fick en *annan* bok.	else)	I got a *different* book.

But		
Jag drack en kopp kaffe *till.*		I drank one *more* cup of coffee.
Den ene gossen var lat.	*den ena* (*e*) [e·na‘]	*The one* boy was lazy.
Det ena barnet grät.	*det ena*	*The one* child cried.
	Poss.: add -*s*	
Den andre gossen arbetar.	*den andra* (*e*)	*The other* boy works.
	det andra	
Den andra flickan kom.	*de andra*	*The other* girl came.
Det andra skrattade.	Poss.: add -*s*	*The other* (one) laughed.
Har du *de andras* böcker?		Do you have *the others'* books?
Flera kom.	*flera* [fle·ra‘] (more, several)	*Several* came.
De flesta gav honom rätt.	*flesta* [fläs·ta‘] (most, majority)	*The majority* admitted that he was right.
Få vet det.	*få* [få:] (few)	*Few* know it.
Några få har kommit.	*några få* (a few)	*A few* have come.
Ingen vet vad han gör.	*ingen* [iŋ·ən‘]	*No one* knows what he does.
Jag har *intet.*	*intet* (inget)	I have *nothing.*
Inga kvinnor kom.	*inga*	*No* women came.
Det var *någon* som kom.	*någon* [nå·gɔn‘]	*Someone* came.
Har du *något?*	*något, några* (some,	Have you *any*(*thing*)?
Några karlar kom.	someone, something)	*Some* men came.
Ingendera gossen vet det.	*ingendera* [iŋ·ənde‘ra]	*Neither* of the boys knows it.
colloquial:	*intetdera*	
Ingen av gossarna vet det.	(neither)	*None* of the boys know it.
Någondera kommer nog. (used mainly in written Swedish)	*någondera* [nå·gɔnde‘ra] *någotdera* (either of two)	*Either* one will likely come.

Mången gång.	*mången* [mɔŋ·ən‘]	*Many* a time.
Jag äger *många* böcker.	*månget, många*	I own *many* books.
Somliga gossar är små.	*somlig* (*-t, -a*) [sɔm·li(g)‘]	*Some* boys are small.
Den enda som kom var Hilda.	*den, det, de enda* (*e*)	*The only one* who came was Hilda.
De förlorade *ende* sonen.	the only one	They lost their *only* son.

(a) *hel* (*helt, hela*) is equivalent to the English *all* which means (*the*) *whole* or *all the*.

Hela staden vet det. — The *whole* city knows it.
Jag har arbetat hela dagen. — I have worked *all* day.

(b) The partitive, *lite*, is equivalent to *some* (*a little*).

Lite kaffe drack jag. — I drank *some* coffee.

(c) In an independent clause containing a compound tense, the negative pronoun or adjective follows the finite verb; in a dependent clause, the negative pronoun or adjective precedes the finite verb.

Jag har *inga* pengar haft. — I have *not* had *any* money.
Han trodde att jag *inga* pengar hade haft. — He believed that I had *not* had *any* money.

(d) The possessives of the indefinite pronouns are formed by adding *-s*.

(e) Substitutes for *ingen, intet* (colloquial *inget*) and *inga* are *inte någon, inte något*, and *inte några*.

(f) *Den ene, den ende*, and *den andre* refer to a masculine being.

(g) *Mången* and *månget* are not used very often: *mången gång* (many a time, often).

(h) *annan* (*annat, andra*) may be used not only as an equivalent of "other" or "another" but also as an equivalent of "else."

Jag såg inte någon *annan*. — I did not see anyone *else*.

(i) In conversation, *någon, något*, and *annan* are often shortened to *nån, nåt*, and *ann*.

VOCABULARY

In addition to the indefinite adjectives and pronouns, commit these words to memory:

alls, at all [al:s]
  ingen alls, no one at all
  inte alls, not at all
dum (*-t*, *-ma*), stupid [dum:]
där, where [dæ:r]
efter, after [äf·tər']
fort, quickly, soon [fω:ṭ]
följ/a (*-de; -t*), follow [föl·ja']
för, too [fœ:r]
  för mycket, too much, too many
gubb/e (*-en*, *-ar*), old man [gub·ə']
ha tråkigt, have a dull time
halv (*-t*, *-a*), half [hal:v]
hav (*-et*, —), sea, ocean [hɑ:v]
häls/a (*-ade; -at*), greet [häl·sa']
  hälsa på, visit, greet
hämt/a (*-ade; -at*), get, fetch [häm·ta']
ja (interjection), well [ja:]
jaså, indeed, really, well [ja·så']
jo, well [jω:]
klok (*-t*, *-a*), wise, clever [klω:k]
kopp (*-en*, *-ar*), cup [kɔp: ; kɔp·ar']
lite(*t*) (partitive), some, a little [li·tə(t)']
  lite(*t*) *av varje*, a little of everything
namn (*-et*, —), name [nam:n]
råd (*-et*, —), council, advice [rå:d]
sanning (*-en*, *-ar*), truth [san·iŋ']
skog (*-en*, *-ar*), forest, wood [skω:g; skω·gar']
skulle, would, should [skul·ə']
så (conj.), so [så:]
tala om (primary stress on *om*), relate. See *tala*.
  tala om för, relate to, tell
till, more [til: ; coll. te:]
tänk/a (*-te; -t*), think [täŋ·ka']
  tänka på, think about, consider
vandr/a (*-ade; -at*), wander [van·dra']
vidare, on, farther; much, in particular [vi·darə']
  gå vidare, go on
vis (*-et*, —), manner [vi:s]
viss (*-t*, *-a*), certain [vis:]
ålder (*-n*, *åldrar*), age [ɔl:dər; ɔl·drar']
älv (*-en*, *-ar*), river [äl:v; äl·var']

DRILLS

A

Answer in complete sentences: 1. Var ligger Norrland? 2. Vilka landskap är det i Norrland? 3. Vad är Öland? 4. Varför beslutade man att döda (kill) de gamla? 5. Vem var Disa? 6. Var hon dum? 7. Vad var hennes råd? 8. Vem talade om det för kungen? 9. Tyckte han om det där rådet? 10. Vart sände man många svenskar? 11. När vandrade Disa upp till Norrland? 12. Tyckte folket i Gästrikland om sitt land? 13. Vilket landskap ligger norr om Gästrikland? 14. Vad hade folket i Jämtland att säga? 15. Var var det sämsta landet i Norrland?

B

Read aloud; translate: 1. Har någon varit här? Nej, ingen har varit här i dag. 2. Träffade du någon, medan du var ute och gick i parken? Ja, en av dina vänner. 3. Vem var det? Det var Sten Bergman. 4. Hade han något att tala om? Ingenting vidare. 5. Har Gustav gjort någonting i eftermiddag? Mycket litet. 6. Har du sett någon? Nej, ingen alls. 7. Låt oss koka kaffe! Det tar inte länge. 8. Vill du vara snäll och hämta en annan stol? Ja, det kan jag göra. 9. Kaffet är gott. Jag vill ha en kopp till. 10. Jag vill ha någonting gott att äta. Låt oss se om det är någonting i köket. 11. I dag har vi alla sett hela stan. 12. Tycker du inte att allt det där blir för mycket? Jo, men Gustav vill nog äta, när han kommer hem.

C

Supply the Swedish equivalents of the English expressions: 1. (*All*) elever, som läser flitigt (*every*) dag, får höga betyg. 2. Talar (*everyone*) svenska? Nej, (*a few*) talar svenska hemma, men (*the majority*) talar bara engelska. 3. (*One*) vet inte alltid vart (*one's*) föräldrar har gått. 4. Hörde du (*something*) om de (*other*) barnen? Nej, (*no one*) talade om (*anything*) för mig. 5. (*Every other*) gosse har börjat att skriva en uppsats. 6. Tänker läraren på (*some*) viss elev, när han säger att (*someone*) inte har talat sanning? 7. Beslutade (*all the others*) att fara ut på landet för att meta i dag? 8. Nej, jag tror att (*the majority*) gick hem. 9. Har ni (*anyone else*) att hälsa på i Stockholm? Ja, (*a couple of*) vänner bor där i stan. 10. (*Some*) karlar är mindre kloka än (*others*). 11. Mamma drack två koppar kaffe (*more*). 12. (*The one*) pojken heter Nisse, (*the other*) heter Gösta.

D

What are the literary plural verb forms in these sentences? What would be their colloquial equivalents? 1. Många människor ha ingenting att äta. 2. Männen besluta att bo i Norrland. 3. Kungen och hans män börja tänka på Disas råd. 4. Många människor fingo nya hem norr om Dalälven. 5. Vi må bra. 6. Andra människor bo längre i norr. 7. De ha bott där i många år. 8. De voro mindre belåtna (*satisfied*). 9. Vi kommo hit år 1850. 10. Var bo de flesta?

E

Interpret in English and comment on each of the following expressions: 1. staden Duluth. 2. namnet Andersson. 3. en annan kopp. 4. en kopp till. 5. hela landet. 6. alla kvinnor. 7. vem som helst. 8. hur som helst. 9. vart fjärde år. 10. varannan dag. 11. halva klassen. 12. själva kungen. 13. ingen alls. 19. intet alls. 20. när som helst. 21. att bli av med fåglarna. 22. att ha ont i öronen.

F

Give synopses: 1. Gossen vandrar i skogen. 2. Min bror beslutar att resa hem. 3. Jag hämtar ett annat bord. 4. Jaså, gubben vill inte meta. 5. Vad för ett råd får du? 6. Tänker karlen på att fara till Sverige? 7. Talar han om en historia till? 8. Hans metar i älven. 9. När fyller du år? 10. Det är roligt. 11. Min syster gifter sig med Sten Dalman. 12. Jag har tråkigt.

G

Translate: 1. A few had come at a quarter after eight o'clock. 2. John had much to say, but Gustav said nothing at all. 3. Everyone can not know everything. 4. The Svenssons have a little of everything. 5. It concerned the whole world. 6. All the people (*one word*) wanted to see Charles

Lindbergh when he came to Paris. 7. Many students have gone home; the majority do not like to be here during the vacation. 8. I need another book. 9. He wanted to have that rather than anything else. 10. What does one say when one leaves? One says "Good-bye." 11. Every other girl has a book. 12. I do not have any money this evening. 13. Do you have any? No, I gave what I had left to Erik.

LESSON XXVI

Word Order

En saga från Gottland

Hoberget[1] ligger i södra Gottland. I det berget bodde för många århundraden sedan ett troll[2], som folket kallade Hobergsgubben[3]. I närheten av berget bodde en fattig bonde, som hade små åkrar och många barn. Men Hobergsgubben tyckte så bra om bonden, att han gav den senare god lycka när han metade.

Så hände det en dag, att bondens hustru fick ett barn igen. I stället för att glädja sig åt det, blev bonden ledsen, ty han undrade, hur han, som var så fattig, kunde ställa till[4] ett dopkalas[5]. Då han satt och tänkte på saken, frågade hans dräng[6], vad det var som gjorde honom ledsen. Bonden svarade: "Jag må[7] väl vara ledsen och icke glad, som är så fattig och ändå skall ställa till ett dopkalas. Dessutom vet jag icke hur jag skall ställa det med gubben. Bjuder jag honom icke till fadder[8], så blir han ond och vill icke mer hjälpa mig; och bjuder jag honom, som är ett troll, så vilja inga kristna[9] människor komma på dopkalaset."

"Är det ingenting annat än det," svarade drängen, "så var lugn. Det där skall jag ställa till rätta[10]."

"Ja, gör det," sade bonden, "så blir jag dig tacksam[11] i alla mina dagar."

Drängen tog nu med sig en stor säck[12] och gick till berget och knackade på det. Om en stund kom gubben ut ur berget.

---

1 Ho mountain. Compare Riddarholmskyrkan, Riddarholm Church. 2 [trɔl:], troll. 3 The old man of Ho mountain. 4 *ställa till,* arrange (for). 5 [dω·pkalɑ'ṣ], a christening party. 6 hired man. 7 may. 8 as godfather; *en fadder* [fad:ər], a godfather. 9 Christian. 10 arrange, take care of. 11 thankful to you. 12 sack.

"God dag," sade drängen, "min husbonde[13] hälsar och frågar, om ni vill hjälpa honom i morgon, så han får både många och stora fiskar."

"Vad skall nu hända?" frågade Hobergsgubben. "Förr var han belåten[14], antingen fiskarna voro små eller stora."

"Jo," sade drängen, "det är nu så, att mor har fått barn, och nu skall det bli dopkalas hemma. Och nu hälsar han med detsamma och beder eder komma och göra oss den äran att bli fadder åt gossen."

Gubben svarade: "Så gammal som jag är, har det aldrig hänt mig, att någon visat mig en sådan vänlighet[15]. Hälsa din husbonde och säg, att jag kommer. Och jag skall göra vad jag kan."

(*To be continued*)

90. Normal Word Order. The common word order is (1) subject, (2) verb, (3) object, modifier, or predicate nominative.

Jag brände brevet.	I burned the letter.
Hon var lärarinna, och hennes man var läkare.	She was a teacher, and her husband was a physician.

In independent clauses of declarative sentences, the subject ordinarily precedes the finite verb.

91. Inverted Order. The order of subject and finite verb in independent clauses is inverted:

(a) If a predicate adjective, an adverb, a phrase, or the direct object is placed at the beginning of the clause for the sake of emphasis:

Arbetsam var han.	He was *industrious.*
Nu är det för sent.	*Now* it is too late.
I dag vill han inte arbeta.	He does not want to work *today.*
Det märkte han inte.	He did not notice *that.*

---

13 [hɯː·sbωn‘də], master. 14 satisfied. 15 such friendliness.

(b) After a direct quotation:

"Det är skönt att vara människa ibland," *sade han* och sträckte ut sina långa ben.

"It is pleasant to be a human being occasionally," *he said* and stretched out his long legs.

(c) If a dependent clause in a complex sentence comes first:

Då jag gick hem, *mötte jag* honom. — When I went home, *I met* him.

När vi hade samlats, *föreläste professorn.* — When we had gathered, *the professor lectured.*

(d) In the latter member of a compound declarative sentence joined by a conjunctive adverb:

Hon var inte lat, *dock fullbordade hon* ingenting.
She wasn't lazy; *nevertheless, she completed* nothing.

Han arbetar flitigt, *annars kan han inte resa* i morgon.
He is working industriously; *otherwise, he can not leave* tomorrow.

(e) After *antingen* (either), *eller* (or), and *dess* in sentences containing *ju . . . dess* (the . . . the):

Antingen *reser vi* hem om lördag eller *skriver vi* nu.
Either *we shall go* home Saturday or *we shall write* now.

Ju latare *man är,* dess mindre *fullbordar man.*
The lazier *one is,* the less *he accomplishes.*

(f) The finite verb precedes the subject in interrogative sentences (questions).

Brände du brevet? — Did you burn the letter?
Har du bränt brevet? — Have you burnt the letter?
Tyckte hon om honom? — Did she like him?

Notice the place of the supine (the past participle in English) in compound tenses.

92. Word Order in Dependent Clauses. In subordinate clauses, the word order is like that in dependent clauses in English, except for the position of certain adverbs:

Han tror, att de *inte* kommer. — He believes that they will *not* come.
Jag hoppas, att han *aldrig* gör det. — I hope that he will *never* do it.
Att det *nog* är sant, vet han. — He knows that it is *undoubtedly* true.

Adverbs of negation (*inte*, *icke*, *ej*, *aldrig*, etc.), adverbs modifying the whole clause (*nog*, *väl*, *förstås*, *ju*, *visst*, etc.), adverbs of indefinite time (*ofta, snart, alltid, sällan*, etc.), are placed immediately after the subject in a dependent clause. Notice the position of such adverbs in independent clauses:

De kommer *inte*.	They are *not* coming.
Han gör det *aldrig*.	He will *never* do it.
Det är *nog* sant.	It is *undoubtedly* true.
Jag tog *inte* boken.	I did *not* take the book.
Jag tog den *inte*.	I did *not* take it.

Notice in the last two simple tenses that if the object is a noun, the negative is placed after the finite verb, but if the object is an unstressed personal pronoun, the negative is placed after the object.

Notice the position of the adverb in compound tenses:

Jag har *inte* tagit boken.	I have *not* taken the book.
Jag har *inte* tagit den.	I have *not* taken it.

When *om* (if) is omitted in a dependent clause, the clause has inverted order:

Om han kommer, får vi stanna hemma.	If he comes, we will be permitted to stay at home.
Kommer han, får vi stanna hemma.	If he comes, we will be permitted to stay at home.

Compare: Had I been there, I should have helped him.

Notice that the adverbs *inte, icke, ej, alltid*, and *aldrig* are regularly placed between *att*, the sign of the infinitive, and the infinitive itself.

Att *inte* göra det är möjligt.	*Not* to do it is possible.

Other adverbs may be placed in the same position or after the infinitive. See also 89(c).

93. The Positions of the Object. The indirect object is placed after the direct object if a preposition is used:

Jag skall göra det åt *honom*.	I will do it for *him*.

If no preposition is used, the indirect object precedes the direct object:

Jag gav *honom* en penna.	I gave *him* a pen.

VOCABULARY

annars, otherwise [an·aʃ‘]
antingen . . . eller . . ., either . . . or . . . [an·tiŋən‘]
bedja or *be* (*bad; bådo; bett*), pray, ask (for a favor) [be·dja‘; be: ; bɑ:d; bå·dɯ‘; bet:]
bjuda (*bjöd; bjödo; bjudit*), invite [bjɯ·da‘; bjø:d; bjø·dɯ‘; bjɯ·dit‘]
bonde (*-n, bönder*), farmer [bɯn·də‘; bön:dər]
dessutom, besides (that) [däsɯ·təm‘]
med detsamma, at once [mä:(d) dä′(t)sam·a‘]
då (conj.), when [då:]
därom (primarily formal), about that [dæ:rəm]. See 64(c).
fattig (*-t, -a*), poor [fat·i(g)‘]. See 20.
fisk (*-en, -ar*), fish [fis:k; fis·kar‘]
födelsedag (*-en, -ar*), birthday [fø·dəlsədɑ‘(g)]
glad (*glatt, glada*), glad, happy [glɑ:d; glat: ; glɑ·da‘]
hän/da (*-de; -t*), happen [hän·da‘]. See 44(c).
igen, again [ijän:]
inom, within [in·əm‘]
kalas (*-et,* —), party, feast [kalɑ:s]
leds/en (*-et, -na*), sad [led·sən‘; coll. les·ən‘]
lugn (*-t, -a*), calm [luŋ:n; luŋ:t; luŋ·na‘]
lycka (*-n*), fortune, luck, happiness [lyk·a‘]
nyss, recently [nys:]
närhet (*-en*), neighborhood [næ·rhe‘t]
i närheten av, in the neighborhood of
rik (*-t, -a*), rich [ri:k]
ställe (*-t, -n*), place [stäl·ə‘]
i stället (*för*), instead (of)
så att, so that
sällan, seldom [säl·an‘]
teat/er (*-ern, -rar*), theater [teɑ:tər]
gå på teatern, attend the theater
undr/a (*-ade; -at*), wonder [un·dra‘]
ur [ɯ:r], out of; *ut ur*, out of
åk/er (*-ern, -rar*), field [å:kər; å·krar‘]
århundrade (*-t, -n*), century [å·rhun‘dradə]
åt, for, to, toward [å:t]
ändå, anyway [än·då‘]
ära (*-n*), honor [æ·ra‘]

DRILLS

A

Answer in complete sentences: 1. Var ligger Hoberget? 2. Vem bodde i berget? 3. Vad är en gubbe? 4. Vem bodde i närheten av Hoberget? 5. Var mannen rik? 6. Tyckte gubben och bonden om varandra? 7. Hur vet ni det? 8. Blev bonden glad, när hustrun fick ett barn igen? 9. Varför ville bonden inte bjuda gubben till fadder (as godfather)? 10. Bad drängen (the hired man) gubben, att han skulle hjälpa bonden? 11. Hur kunde gubben hjälpa? 12. Ville gubben göra det?

B

Translate; account for the inverted word order: 1. I stället för att resa hem på Johans födelsedag, gick Erik på teatern. 2. Vad sade Johan om det? Han blev mycket ledsen. 3. Har du nyss fått brev från Gustav? Nej, det var länge sedan han skrev. 4. Kanske han inte mår bra. 5. Det tror jag inte, han är aldrig sjuk. 6. Bor Johans föräldrar i närheten av Eriks? Ja, det gör de. 7. Inom en månad kommer vi att resa dit. 8. I alla fall är det roligt att du kom i kväll. 9. Antingen gör vi det med detsamma, eller gör mamma det. 10. I går såg vi en vacker båt, som tillhörde någon vän till Karl. 11. En sådan skulle ni nog tycka om. 12. I eftermiddag skall jag visa dig den. 13. Kom med detsamma, annars hämtar inte Olle stolarna åt oss. 14. Gör han det, blir jag inte ledsen.

C

Place each italicized expression at the beginning of the sentence: 1. Barnen hade *roligt* på kalaset i går kväll. 2. Föräldrarna gick på teatern, *innan barnen kom.* 3. De såg oss *med detsamma.* 4. Min äldsta syster skall fara till Stockholm *om en månad.* 5. Pappa var ute och metade *i morse.* Han hade femton fiskar med sig hem. 6. Han gav Svenssons *några.* 7. Svenssons tyckte *nog* om det. 8. Min bror kommer att bjuda Olle och Nisse *i stället för Sten och Bo.* 9. Jag hörde *för en stund sedan* att någonting hände i skolan i förmiddag. 10. Johan och Anna var dumma, *när de talade om det för gubben.* 11. Läxorna är *svåra.*

D

Account for the position of the italicized expression: 1. Gubben sade, att han *inte* ville komma. 2. Visste ni att de *inte* kommer hit i kväll? 3. Jag går *sällan* på teatern, men jag går *ofta* i kyrkan. 4. Hustrun sade att hon *ofta* hjälper honom. 5. Är det sant, att de *aldrig* har rest i Europa? 6. Vi kan *väl* bjuda dem, de kommer *nog* inte ändå. 7. Om han *bara* hör mig, svarar han mig. 8. Det var *förstås* roligt att du kom. 9. Sade han, att han *ingenting* har att göra? 10. Blir han ond, så svara honom *inte*. 11. Jag har *inte* sett Johan. 12. Vi lämnade honom *inte*, innan vi träffade hans bror. 13. Jag vet *inte* det. 14. Jag vet det *inte*.

E

Supply the equivalents of the English expressions: 1. Undrade (*anyone*) om (*the others*) hade gått vidare? Nej, (*no one*) sade (*anything*) om det. 2. Talade (*the older ones*) om för (*the younger ones*) att det blir kalas på fru Bergmans födelsedag? Nej, (*no one*) har velat säga (*anything*) om det. 3. (*A few*) kommer nog hit att tala om det för mamma. 4. Har (*the majority*) gått ännu? Ja, bara (*a few*) sitter kvar och pratar. 5. (*All*) kvinnorna har hört vad som hände på kalaset hos fru Alm. 6. Var det (*something*) viktigt? Nej, bara att fru Qvist talade om (*everything*) som hon visste om Lunds. 7. Fick du en kopp kaffe (*more*)? Nej, jag tycker inte om att dricka mer än en kopp. 8. Är det den (*only*) koppen i huset? Nej, det är (*dozens of others*). 9. (*Every*) elev i skolan gläder sig över ferierna. 10. För sex århundraden sedan bodde (*no*) vita människor i vårt land. 11. (*One*) tycker inte om, att (*others*) gör (*everything*). 12. Vad i (*the world*) gör du med den där boken?

F

Interpret these expressions in English: för det tredje; antingen du eller jag; vartannat hus; något av varje; för några få veckor sedan; i tisdags; hos en vän till Erik; på svenska; vilka som helst; ute på åkern; om somrarna; i många år; att sitta kvar; stackars människa; hålla på att falla i sjön; sätta sig; gå till sängs.

G

Translate: 1. Tomorrow I will do it. 2. He thought the book was the best he had ever read. 3. If you are not going to the theater this evening, why don't you come over here? 4. I seldom see Hilda nowadays; she has too much to do. 5. Will you greet her? 6. Tell her that I often hear from her brother Olle. 7. I wonder if he is coming to the city soon; he has not said anything about it. 8. If you like to read, you do not need to go to the theater every evening. 9. What sort of coffee did you buy yesterday? 10. Mother said she liked it very much.

LESSON XXVII

The Modals

En saga från Gottland

(Continued)

"Men tala om för mig, vem mer som skall bli fadder[1]," sade gubben.

"Sankt Per[2]," svarade drängen[3].

"Nej," sade gubben, "har din husbonde[4] bjudit Sankt Per, så vet jag icke, om jag kan komma. Vi komma icke väl överens. Men emedan din husbonde har gjort mig den äran att bjuda mig, så kommer jag nog. Jag får försöka reda mig med Sankt Per. Har din husbonde bjudit någon annan?"

"Sankt Mikael[5]."

"Jaså, jaså," sade gubben, "då blir det omöjligt, om Sankt Mikael skall komma med. Men—emedan aldrig någon förut har gjort mig en sådan ära, så skall jag väl komma ändå. Jag får väl i värsta fall sitta i en vrå[6] och se på. Men tala om för mig: vem skall bära barnet?"

"Jungfru Maria[7]," svarade drängen.

"Han kommer minsann att få storfrämmande[8]," sade Hobergsgubben[9]. "Blir det någon spelman[10]?"

"Ja," svarade drängen. "Tor[11] skall bli spelman och har lovat komma."

När Hobergsgubben fick höra det, blev han alldeles tyst en stund, ty Tor är den som åker omkring med sina bockar[12] och slungar[13] ljungeldar[14] efter troll.[15] Sedan sade han: "Ja,

---

1 godfather. 2 [saŋ:kt pæ:r], St. Peter. 3 the hired man. 4 master. 5 [saŋ:kt mi·kɑäl‘], St. Michael. 6 corner. 7 [juŋ·fru‘ mari:a], the Virgin Mary. 8 "He will certainly get distinguished guests." 9 the old man of Ho mountain. 10 musician. 11 [tω:r], Thor. 12 goats. 13 *slung/a* (*-ade*; *-at*), hurl. 14 [juŋ·el‘dar] bolts of lightning. 15 troll.

när jag hör, att Tor kommer, då kan jag visst icke komma. Det är icke många dagar, sedan han slungade en trumpinne[16] efter mig och träffade[17] högra benet, så att jag ännu har svårt att gå. Det ser jag, att jag omöjligt kan komma. Men brukar man icke giva faddergåvor[18]?"

"Emedan ni frågar," sade drängen, "så får jag väl lov att svara, att de, som vilja vara hedersamma[19], bruka göra det."

Då tog gubben drängen med sig in i berget. Stora kistor[20] fulla med guld[21] och silver[22] stodo vid väggarna. Gubben tog en skovel[23] och sade till drängen: "Håll hit säcken[24]!" Drängen höll, och gubben öste[25] i. Efter en stund frågade gubben: "Brukar man ge mer än det?"

Drängen svarade: "Nog har jag sett några få, som givit mer."

"Icke vill jag vara den sämste," sade Hobergsgubben och öste i en bra skovel till. "Säg nu då, om någon brukar giva mer."

"Sanningen att säga," svarade drängen, "en har jag sett giva mer."

"Icke vill jag vara sämre än andra," svarade gubben. Därmed öste han ännu en skovel i säcken och frågade åter: "Har du sett någon giva mer?"

Nu kände drängen på säcken och förstod, att han icke kunde bära mer. Därför svarade han, att han icke hade sett någon giva mer. Därpå tog han säcken på ryggen och gick hem. Och det kan man väl tänka, att hans husbonde blev glad. Bonden ställde till[26] ett stort dopkalas[27]. Och drängen fick bli kvar hos honom så länge som han levde, och där var han som barn i huset.

---

16 drumstick. 17 hit. 18 godfather's gifts. 19 respectable. 20 [çis·tωr‘], chests. 21 gold. 22 silver. 23 shovel. 24 the sack. 25 poured. 26 arranged. 27 christening party.

94. The Modals. In Swedish, as in English, the modals are auxiliary verbs indicating ability, desire, possibility, obligation, cause, necessity, and the like.

Man *bör* inte vara lat.	*bör*	One *ought* not be lazy.
Han *borde* sjunga.	*borde*	He *ought* to sing.
Anna *bör* komma om en liten stund.	*har bort*	Anna *ought* to come in a little while.
Får jag göra det?	*får*	*May* I do that?
Det *får* du göra.	*fick, fingo*	You *may* do that.
Fick han *lov?*	*har fått*	Did he *get permission?*
Har hon *fått lov?*	*få lov*	Has she *received permission?*
Det *får* ni inte *lov* att göra.		You *may* not do that.
Det *får* du göra.		That you *must* (have to) do.
Du *får lov* att göra det.		You *must* (have to) do that.
Det *får* du *inte* göra.		That you *must not* do.
Johan *fick se* Gustav.	*få se*	John *saw* (caught sight of) Gustav.
Han *fick höra* henne.	*få höra*	He *heard* (got to hear) her.
Det *fick* han inte *veta.*	*få veta*	He did not *learn* (get to know) that.
Det *kan* jag göra.	*kan*	I *can* (am able to) do that.
Jag *kan* läxan.	*kunde*	I *know* the lesson.
Det *kan* vara sant.	*har kunnat*	It *may* be true.
Det *kunde* inte hjälpas.		That *could* not be helped.
Ni *kan* göra det.		You *can* do that.
Han *låter* oss vila.	*låta*	He *lets* us rest.
Han *lät laga* kostymen.	*lät* (*läto*) *har låtit*	He *had* the suit *repaired.*
Må det vara han!	*må*	*May* it be he!
Måtte han bli doktor!	*måtte*	*May* he become a doctor!
Det *måtte* vara sant.		It *must* be true.
Jag *måste* lämna det!	*måste*	I *have to* (*had to*) leave it.
Jag *har måst* göra det.	*har måst*	I *have had to* do it!
Han *måste* resa.		He *must* (*has to*) leave.

Det *skall* jag göra.	*skall* (*ska*)	I *will* do that.
But	*skola*	But
Det *kommer* jag att göra.	*har skolat*	I *shall* do that.
Det *skulle* jag ha gjort.		I *should* have done that.
Han *skall* vara professor.		He *is said* to be a professor.
Jag *vill* läsa boken.	*vill, vilja*	I *want to* read the book.
Han *ville* inte arbeta.	*ville*	He *did* not *want to* work.
Systern *ville gärna* följa med.	*har velat*	The sister *would like* to go along.
Jag *vill hellre* stanna här.		I *would prefer* to stay here.
Det *tör* vara sant.	*tör*	That *is likely* true.
	torde	
Det *lär* vara omöjligt.	*lär*	That is *most likely* impossible.

Notice that each modal is followed by the infinitive without *att.*

95. The Functions of the Modals.

att få:

(a) In asking for permission and in granting it, one uses a form of *att få* or *att få lov.*

(b) A form of *att få* or *att få lov* is also used in expressions of necessity.

(c) A form of *att få* and a negative (*inte*, *icke*, *ej*) are used to express absolute prohibition. The exact meaning of a sentence containing a form of *att få* depends on the mood of the speaker or on the context of the passage in which the sentence occurs.

(d) The past tense of *att få* is used with the infinitives *höra*, *se*, and *veta* to express perception at a definite time.

(e) When a form of *att få* is used alone, it often is to be translated by a form of *to receive* or *to get.*

att kunna: The various forms of this modal are used in expressing ability or knowledge, possibility, permission, or polite request.

att låta: Forms of this verb may be translated by appropriate forms of *to let*, *to permit*, or *to cause* (something to be done).

må, måtte: (a) *Må* and *måtte* are used in expressing a wish or a concession.

(b) When *måtte* expresses a supposition or conjecture, it signifies *must.*

måste: (a) It has the same form in the present, past, and future tenses. It has a supine *måst* used in the present and past perfect tenses.

(b) According to the context, *måste* may be translated by *must*, *have to*, *had to*, or *shall have to.*

att skola: (a) The primary function of *skall* is aiding in the formation of the future of determination. If determination is not implied, the future is expressed by *kommer att* plus another verb. When *jag skall,* for example, is used in forming the future of determination, it may be translated by *I will*, *I am going to*, *I am about to.*

(b) *Skall* is often used as an equivalent of English *is said to be.*

(c) *Skulle* is the Swedish equivalent of *should, would, was about to, was going to.*

(d) *har skolat* is replaced in speech by *har bort, hade bort*, or *skulle ha.*

att vilja: (a) This verb is never used in forming the future tense.

(b) The forms of *att vilja* are to be translated by appropriate forms of *to want to*, *to desire*, *to be willing to.*

(c) *Gärna* is used after a form of *att vilja* to express a wish or willingness; *hellre* and *helst* are used after a form of *att vilja* to express preference.

96. The Principal Parts of the Modals. Memorize the following forms of the modals:

INFINITIVE	PRESENT	LITERARY PRESENT PLURAL	PAST	LITERARY PAST PLURAL	SUPINE
att böra [bœ·ra‘]	*bör* [bœ:r]	*böra*	*borde* [bω·ḍə‘]		*bort* [bω:ṭ]
att få [få:]	*får* [få:r]	*få*	*fick* [fik:]	*fingo* [fiŋ·ω‘]	*fått* [fɔt:]
att kunna [kun·a‘]	*kan*	*kunna*	*kunde* [kun·(d)ə‘]		*kunnat* [kun·at‘]
att låta [lå·ta‘]	*låter* [lå:tər]	*låta*	*lät* [lä:t]	*läto* [lä·tω‘]	*låtit* [lå·tit‘]
	må [må:]		*måtte* [mɔt·ə‘]		
	måste [mɔs·tə‘]		*måste*		*måst* [mɔs:t]
att skola [skω·la‘]	*skall* (*ska*) [skal: ; skɑ:]	*skola*	*skulle* [skul·ə‘]		*skolat* [skω·lat‘]
att vilja [vil·ja‘]	*vill* [vil:]	*vilja*	*ville* [vil·ə‘]		*velat* [ve·lat‘]
	tör [tœ:r]		*torde* [tω·ḍə‘]		
	lär [læ:r]				

VOCABULARY

In addition to the modals, commit these words to memory:

alldeles, entirely, quite [al·de‘ləs]
arbete (*-t*, *-n*), work [ar·be‘tə]
bruk/a (*-ade; -at*), use (to) [brɯ·ka‘]
därför, therefore, for that reason [dær:fœr]. See 64(c).
därmed, therewith, by (with) that [dær:mäd]. See 64(c).
därpå, thereupon, upon (after) that [dær:på]. See 64(c).
emedan, because [eme·dan‘]
full (*-t*, *-a*), full [ful:]
förut, before, previously [fœrɯ:t]
höger (def. *högra*), right [hø:gər; hø·gra‘]. See 57(a).
ibland, sometimes, occasionally; among (prep.), [iblan:(d)]
lag/a (*-ade; -at*), mend, repair; prepare (food) [lɑ·ga‘]
lov (*-et*), permission [lå:v]. See 94, 95.

lov/a (*-ade; -at*), promise [lå·va‘]

omkring, round, about, around [ɔmkriŋ:]

omöjlig (*-t, -a*), impossible [ω·möj‘li(g)]

red/a sig (*-de sig; rett sig*), get along (on), manage [re·da‘]

rygg (*-en, -ar*), back [ryg: ; ryg·ar‘]

se på, look at. See *se*.

sen (*-t, -a*), late [se:n]

stann/a (*-ade; -at*), stop, stay [stan·a‘]

tidigt (adv.), early [ti·dig‘t]. See 20.

åk/a (*-te; -t*), ride [å·ka‘]

åter (adv.), again, back [å:tər]

öre (*-t, —*), coin. 100 öre = 1 krona [œ·rə‘]

överens (adv.), [ø′vəren:s]

komma överens, agree, get along

DRILLS

A

Answer in complete sentences: 1. Vad kallade bönderna gubben? 2. Vilka skulle komma på kalaset? 3. Varför skulle det bli kalas? 4. Kom Sankt Per och gubben väl överens? 5. Kunde gubben reda sig med Sankt Per? 6. Vem skulle bära barnet? 7. Var det sant? 8. Vem skulle bli spelman (*musician*)? 9. Varför hade gubben svårt att gå? 10. Ville gubben ge bonden någonting? 11. Var det någon annan som gav bonden så mycket som gubben? 12. Varför blev drängen (*the hired man*) som barn i huset?

B

Supply the Swedish equivalents and write answers in the form of complete Swedish sentences: 1. (*Does Mr. Blom let*) dem säga vad de vill om den gamla kvinnan? 2. (*Is he going to*) träffa några få studenter, som (*want*) ha arbete under sommaren? 3. (*Are we going to let*) honom göra precis som han (*wants to*)? 4. (*Is it likely*) vara sant att han har blivit rik? 5. (*May I*) stanna hemma om fredag? 6. (*Are they able to*) arbeta flitigt? 7. (*Could it be*) de, som gick i kyrkan för en stund sedan? 8. (*Shall*) jag göra som jag (*want to*)? 9. (*Should*) vi skriva ett brev varenda vecka till våra föräldrar? 10. (*Ought*) hon ligga vid universitetet, när hon (*would rather*) stanna hemma? 11. (*Did you get to see*) Anders i går? 12. (*Was he able to*) sova länge i morse?

C

Read aloud and interpret: 1. Anna vill gärna dansa, annars vill hon ingenting göra. 2. Det får du göra om du vill eller inte. 3. I dag har eleverna kunnat sina läxor. 4. Vad gjorde studentskorna under ferierna? Det är svårt att säga. 5. Ibland går lärarinnan hem tidigt. 6. Hur mycket kostar ett tjog ägg (*eggs*)? En krona och femtio öre, tror jag. 7. "Det var tråkigt att du inte vill följa med mig," sade han. 8. Om fredag kommer min gamla mormor hit för att besöka oss. Hon kommer att stanna ett par veckor. 9. När hon reser hem, skall min yngsta syster följa med henne. 10. Hon bor på ett vackert ställe vid sjön. 11. Ja, nu måste jag gå, jag har så mycket att göra. 12. Det lär vara sant, att han inte har fyllt tjugo år ännu. 13. Vad borde jag göra? 14. Gör som du vill, det blir nog det bästa.

D

What are the literary plural verb forms in these sentences? What are their colloquial equivalents? 1. Inga andra människor vilja komma på kalaset. 2. Fiskarna voro antingen för stora eller för små. 3. Vi komma väl överens. 4. De, som vilja vara snälla, bruka göra det. 5. Många kistor stodo vid väggarna. 6. Nog har jag sett några, som ha givit mer. 7. De kunna vara de sämsta. 8. Bonden och hans hustru blevo glada.

E

Account for the inverted word order; then convert each sentence into normal word order. 1. När jag först kände henne, gick hon i skolan hemma. 2. "Kan ni bära så mycket som det?" frågade fröken Wallin. 3. Det brukade de aldrig göra förr. 4. "Får jag inte göra det i morgon?" frågade jag. 5. "Jo, det får du," svarade farmor. 6. Glad var han, men hon var ledsen. 7. Dumt är det att säga något ont om andra. 8. Nu fick han höra att mor och de yngre barnen inte hade kommit. 9. Klok blir han aldrig så länge han lever. 10. Om en stund måste vi koka kaffe.

F

Give synopses: 1. Jag får gå på teatern. 2. Du får veta sanningen. 3. Ni kan inte göra det bra. 4. Läraren låter oss skriva uppsatser. 5. Hilma skall göra det. 6. Barnet får lov att lägga sig. 7. Får han se deras nya hus? 8. Jag vill inte arbeta. 9. Vill de hellre stanna där? 10. Jag vill gärna följa med på teatern.

G

Translate: 1. You may go to the theater this evening if you want to. 2. Did he get permission to go home at the beginning of February? 3. I do not know if he got permission or not (*eller inte*). 4. I have had to write themes for several years. 5. It may be true that he knows his lesson. 6. You can speak good English if you want to. 7. They should have visited Mrs. Dahlberg yesterday. 8. That may be so, although one can not believe everything that he says. 9. He had his shoes (*skor*) mended yesterday. 10. That must be true if she says so. 11. He is said to be a doctor. 12. I should like to go along if I may.

LESSON XXVIII

Review

A

Supply the Swedish equivalents of the English expressions within parentheses: 1. Kommer (*anyone*) hit i kväll? Nej, (*no one at all*) kommer. 2. (*The whole*) sällskapet har hört om saken. 3. (*Some*) kaffe kan (*one*) behöva, när (*one*) har arbetat (*all*) dagen. 4. Har (*several*) beslutat att resa tidigt i morgon? Nej, bara (*a few*) skall resa tidigt, (*the others*) kommer att resa fram på eftermiddagen. 5. Vad hände, när (*all*) talade om sanningen för honom? (*Nothing at all*) som jag har hört om. 6. Tänkte de (*former*) på vad de skulle säga, när (*the latter, pl.*) kom hem? Nej, det var omöjligt att veta vad (*the latter, pl.*) skulle göra. 7. Får gossarna meta (*every*) dag? Nej, de får meta bara (*every seventh*) dag. 8. (*Everyone*) i klassen undrar om han får lov att gå på teatern i kväll. 9. Gjorde (*no one*) det på det viset? Jag vet inte hur (*the majority*) gjorde det, bara (*a few*) har sagt (*anything*) om det. 10. (*One*) kan vara lugn för Gösta. Han vet hur han skall reda sig.

B

Read aloud; interpret: 1. Gustav måste resa hem i går. Han reste tidigt på morgonen. 2. Körde han? Ja, han fick ta sin brors bil. 3. Vad slags bil är det? Det är visst en Chrysler. 4. Vad skulle han göra hemma? Johan sade, att han måste tala vid någon om arbete i sommar. 5. Vill du vara så snäll och visa min yngste bror stan? Ja visst, det gör jag gärna. 6. Du bör inte glömma att visa honom slottet. 7. Skall ni besöka Bergmans? Nej, vi får inte tid att träffa några vänner. 8. Sten måtte vara sjuk, annars hade han nog varit här. 9. Har du den där boken jag skulle få? Nej, jag förstår inte hur jag kunde glömma den. 10. Du kan ge mig den en annan gång. 11. Vad borde jag göra? 12. Det är väl bäst, att du skriver uppsatsen med detsamma.

C

Account for the inverted word order; then convert the sentence into normal order: 1. Emedan herr Palm inte har något arbete, är han alltid ledsen. 2. Om någon ville ge honom arbete, skulle han kunna vara en glad människa. 3. "Det var då roligt, att du kom hem," sade hustrun. 4. På teatern träffade de några vänner. 5. Sedan gick pojken hem för att sova. 6. Sjuka har gubben och hans hustru varit under flera månader. 7. Så snart som föräldrarna mår bättre, reser barnen hem. 8. För några år sedan hade bägge två sett henne. 9. När jag var ute på åkern i morse, såg jag många blommor. 10. Den där byggnaden ser ut som ett slott. 11. Sällan får vi höra något gott om den rike mannen. 12. Inte mår jag illa. 13. Antingen får du bjuda honom eller får jag be mamma göra det. 14. Omöjligt är det inte.

D

Rewrite these sentences, placing the italicized expression first: 1. Gubben bor vid havet *om somrarna.* 2. Han har *sällan* fisk med sig hem. 3. Han har aldrig någon lycka, *när han metar.* 4. Herr Andersson lovade, *att Hilda fick följa med mig på teatern.* 5. Mors föräldrar äger *ett vackert ställe vid havet.* 6. Du får gärna göra det, *om du vill.* 7. Jag har inte *25 öre.* 8. Bönderna var inte *dumma.* 9. Hilma far på kalas *i kväll.* 10. Han fyller år *inom en vecka.*

E

Select the appropriate form: 1. Kommer de (hämtat, hämta, att hämta) några stolar till? 2. Skall det (bli, blivit, att bli) kalas hos Bergs? 3. Har han (låta, låtit, att låta) laga hatten? 4. Vill du (se, sett, att se) en klok hund? 5. Kan det han säger (vara, varit, att vara) sant? 6. Har du (lova, lovat, att lova) stanna hemma? 7. En viss flicka som du ofta har (träffa, träffat, att träffa) talade om sanningen för mig. 8. Mamma, får jag (göra, gjort, att göra) det nu? 9. Skall karlarna (komma, kommit, att komma) överens? 10. Kommer jag (få, fått, att få) en ny båt? 11. Får jag lov (stanna, stannat, att stanna) hemma? 12. Kommer bönderna (kunna, kunnat, att kunna) reda sig?

F

Interpret these expressions in English: bli kvar i salen; sanningen att säga; en annan stol; tänka på saken; att fara vidare; i stället för Johan; att ha gått på teatern; att göra någonting med detsamma; i närheten av Bergs; icke alls; att komma överens om saken; att se på för en stund; tidigt i maj; sent på kvällen; att göra ont i knät; att hålla på med att skriva; att hålla på att sova; att komma tre och tre; ett par tior; det var en gång en karl, som inte kunde höra; ett dussin stolar; han begriper allt; om morgnarna.

G

(a) Read aloud in Swedish: den 2 maj; den 14 juli; den 9 oktober; den 1 januari; den 12 december; den 18 juni; den 21 april; den 12 mars; den 19 augusti; den 17 februari; den 10 november; Erik XIV; Gustav III; Johan II; Karl XII; Gustav II Adolf; Karl XIV.

(b) Count 119 to 135; 1,637 to 1,652; 777 to 803.

(c) Count by ordinals up to one hundredth.

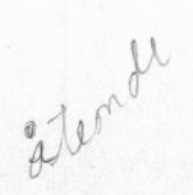

Swedish Traffic Association

THE KEBNEKAISE MOUNTAINS IN LAPPLAND

Swedish Traffic Association

SKIING IN JÄMTLAND

Swedish Traffic Association

NÄMNFORSEN
Falls of the Ångerman River

A SHADOWLESS WORLD OF LIGHT

In the far north of Sweden, beyond the Arctic Circle, summer will offer you the unique spectacle of the midnight sun. For weeks before and after Midsummer Day, June 24, the high peaks know no darkness but bask continuously in the glow of a never-setting sun. In the valleys there is an ethereal beauty through the night, as the lofty ranges in a vivid panorama seem to radiate light from their snow-capped heights. In striking contrast, midwinter means a world without sunshine. At the winter solstice there are a few hours of daylight, but the sun is absent and the stars come out before your late luncheon hour is over. This, too, is something to be experienced. Modern science and inventions have defeated many of the perils of the cold season, and a center like the modern town of Kiruna, fully ninety miles north of the Arctic Circle, offers genuine novelty in winter and none of the discomforts of frontier existence for the traveler who comes for a few days' stay.

But the real season to enjoy the North is, of course, the summer. In the fjelds the Swedish Touring Club maintains a number of hotels and tourist stations. The tourist station at Abisko has a beautiful location on the shores of the Lake, Torne Träsk. At night it is an easy climb to the top of Njulja Peak to see the midnight sun. An unexpected pleasure is the abundance of the Arctic flora. You can pick yellow violets, purple orchids, the white mountain avena, reindeer flowers, and the Lappland rhododendron.

On the opposite shore, at Pålnoviken, you can visit an encampment of Lapps, the "tourist variety," to be sure, but a vivid picture with their tall pointed blue caps tipped with red tassels and with their bobbing coat tails standing out straight below the closely drawn wide leather belt to which the ubiquitous sheathed Lapp knife is attached. In the summer you rarely see reindeer, for then most of the Lapps have wandered with them up to the high grazing grounds of the fjelds and fjords on the Norwegian side, but in the late autumn and early winter you can see herds numbering hundreds trekking down to the warmer regions along the coast. The reindeer industry is wholly in the hands of the Lapps, and from it they get their food and clothing. Out of the fur and skin they get their bedding, and the hide is the covering for their tents. The hide and bone supply utensils and cords and sewing thongs. The Lapp sledge, the pulka, used as a boat in summer, is made from reindeer hide.

Swedish Traffic Association

THE MIDNIGHT SUN AT PORJUS
(Exposed on the same negative from 10:30 p. m. at intervals of twenty minutes).

Swedish Traffic Association

LAPPS AT HOME

The other main tourist stations are up the Great Lule River at Saltoluokta and Suorva. The route passes the famous waterfall, Stora Sjöfallet, 130 feet high. Farther down the Lule is another series of falls, Harsprånget (at Porjus), where the water falls 245 feet along a course of nearly two miles. Kebnekaise (6,900 feet) is the highest peak in Sweden. It is fairly easily accessible to the alp climber who sets out by train from Gällivare on the branch line to Luspebryggan and from there goes by motorboat to Saltoluokta. An interesting route for the descent is to go back by way of Kalixfors. Along the different routes to the top of Kebnekaise are many private mountain huts. So fine is the spirit of sportsmanship that prevails in these parts that their privileges are never misused. The view from atop the highest peak of Kebnekaise is a succession of glittering snow-tipped ranges, of sunlight that never fails, of a starless world.

There are comfortable hotels also at Porjus and Kiruna. . . . At Porjus the falling water of Great Lule River has been harnessed to supply power for the electrified railway coming up from Luleå on the eastern coast to Narvik, in Norway. Kiruna is a progressive modern mining center of about 10,000, lying between the two mountains of iron ore, Kirunavaara and Luossavaara. The ore is quarried down the mountain sides and the "benches" produce huge terraces that are extremely picturesque. As much as nine million tons of iron ore have been mined here annually. The estimated potential wealth is a billion tons. Luossavaara is one of the "outposts" of the North for seeing the midnight sun.

In lower Norrland, the province of Jämtland, along the Norwegian border, offers picturesque and stimulating mountain scenery. Åre, on the slope of the mountain, Åreskutan, is the chief tourist center. Its summer popularity is rivaled only by all the delights it offers to skiers and sport lovers in general in winter. Storlien, nearer the Norwegian border, is another popular resort. The scenery around the lakes, Storsjön, where Östersund, the capital of the province, is situated, and Kallsjön, attracts many who love to wander through these lower fjelds. Tännforsen is a spectacular waterfall, not least beautiful in winter when it is often enclosed by walls of ice.

Along the eastern coast of Norrland, from Haparanda near the Finnish border, down through the provinces of Ångermanland and Hälsingland, a picturesque feature of the scenery is the timber floating on the mighty rivers. Huge rafts of logs are carried by the strong current down the Ångerman and Indal Rivers to seaport or sawmill along the coast. Alongside are tall forests of spruce and pine. More than a century ago Sweden adopted forest conservation, and you will be constantly reminded of it as you see how well the forests have been preserved. Near Skellefteå is the Boliden mine, the ore containing a high percentage of gold as well as copper, zinc, arsenic, and lead. Before you come to Härnösand, you can stop in the idyllic little town of Sollefteå, on the Ångerman River, and from there continue in an attractive river boat to Härnösand. Sundsvall is one of the leading industrial centers, principally for sawmilling, on the coast. In these regions and in the province of Hälsingland, there is pastoral beauty in the rolling meadows and wooded hillsides. Just as in upper Norrland, the air is invigorating and you have a sense of pleasant remoteness in the midst of thriving, prosperous towns and villages.

—From Erik Lindberg's *Sweden: Glimpses of Its Charm, Traditions, and Modern Progress*, by permission of the Swedish Traffic Association.

LESSON XXIX

Present and Past Participles. Differences in Usage.

En saga från Halland

Det var en gång en handlande[1], som hette Per, och han var så rik, att folket kallade honom Rike-Per[2].

En gång kom Rike-Per gående i sällskap med Sankt Per[3]. Om kvällen gingo de in i en fattig stuga för att få stanna där över natten. Sankt Per fick stanna där, men Rike-Per måste söka ett annat ställe. I stugan hade en liten gosse nyss kommit till världen. För att han skulle bli en lycklig människa, hade Sankt Per sagt "Gud hjälp[4]," då pojken första gången nös[5]. Han hade också sett i stjärnorna[6], att gossen skulle bli ett lyckobarn[7].

Om morgonen kom Rike-Per ifrån det ställe, där han hade varit om natten, och skulle ha Sankt Per med sig igen. Men innan de nu gingo, sade Sankt Per till folket: "Detta barn blir ett lyckobarn, för jag sade 'Gud hjälp,' när det nös för första gången, och jag har sett i stjärnorna, att det sker." Så tackade han dem och följde med Rike-Per ut.

Då sade han till Rike-Per: "Det barnet skall bli din måg, så stod[8] det skrivet i stjärnorna."

Men Rike-Per blev ond och sade: "Det sker aldrig. Inte ger jag min enda dotter åt en torparunge[9]." "Det blir så ändå," sade Sankt Per. Då blev Rike-Per så ond, att han inte ville följa med Sankt Per längre, utan han gick sin egen väg. Och nu tänkte han inte på annat än det, som Sankt Per hade sagt.

---

1 [han·dlandə‘], merchant. 2 Peter the Rich. 3 St. Peter. 4 "God help." 5 [nø:s], sneezed. 6 [ʃæ·ṇωṇa‘], the stars. 7 child of fortune. 8 was. 9 [tɔr·paruŋ‘ə], cottager's brat.

Så vände han om till stugan och bad folket att få köpa barnet. Men kvinnan ville inte sälja den lille för något pris i världen. Då sade han, att han skulle bli som en far mot pojken, och bjöd dem sex hundra kronor, om han bara fick ta honom med sig. När det skulle bli ett sådant lyckobarn, så ville han ha det till hjälp vid handeln[10]. Nej, kvinnan ville inte sälja barnet ändå. Men så tyckte fadern, att det var stora pengar, och så övertalade[11] han kvinnan. På det viset fick Rike-Per barnet. När han hade kommit undan en bit[12], gjorde han ett litet skrin[13], lade barnet i skrinet, och sköt[14] ut skrinet och lät det flyta med strömmen[15]. Nu behövde han inte vara rädd för att gossen skulle bli hans måg. Och så skrattade han riktigt gott åt det som Sankt Per hade sagt.

Men skrinet flöt bort till en kvarndamm[16], och där fastnade det vid luckan[17], så att kvarnen[18] stannade. Så skulle mjölnaren[19] gå ut och se, vad det var, som hade fastnat vid luckan, och då hittade han det lilla skrinet. Han tog det och öppnade det. Där låg ett litet barn och sträckte ut armarna emot honom. Och mjölnaren blev riktigt glad och hans hustru också, för de hade inga barn förut, och så togo de upp den lille pojken som sitt eget barn. Och han växte upp och blev en snäll och duktig pojke.

En gång kom Rike-Per dit och fick se honom. "Det var en bra pojke, ni har," sade Rike-Per till mjölnaren. "Ja," sade mjölnaren, "han gör allting väl." Och så talade han om, att det inte var hans egen son utan ett hittebarn[20].

Då ville Rike-Per veta, både när och var och hur mjölnaren hade hittat det där barnet. Jo, mjölnaren behövde inte ljuga om det, och så talade han om allt.

Nu visste allt Rike-Per vad som hade hänt. Och så bad

---

[10] *till hjälp vid handeln*, to assist in his business. [11] persuaded. [12] a bit, a short distance. [13] [skri:n], skrin (-et, —), box. [14] [ʃø:t], pushed, shoved. [15] the stream. [16] [kvɑ·ṇdam‘], mill dam. [17] [luk·an‘], the sluice-gate. [18] the mill. [19] [mjø·lnarən‘], the miller. [20] foundling.

han mjölnaren, att pojken skulle gå hem till hans hustru med ett brev. Ja, det fick han förstås. Och så fick pojken brevet och gick.

(*To be continued*)

97. The Present Participle. Study carefully these sentences which illustrate the uses of the present participle:

Adjective:	En *kringvandrande* spelman började spela.
	A *wandering* musician began to play.
Adverb:	Hon talar svenska *flytande*.
	She speaks Swedish *fluently*.
Adverbial	Anna kom *gående*. Hon blev *stående*.
appositive:	Anna came *walking*. She remained *standing*.
Noun:	Den lilla fick ett stort *leende* över ansiktet.
	A big *smile* appeared on the little girl's face.

(a) The present participle is formed by adding *-ande* to the stem of an infinitive ending in *-a* and by adding *-ende* to the stem of an infinitive ending in another vowel.

att kall*a*, kall*ande;* att g*å*, gå*ende;* att b*o*, bo*ende*.

(b) When used as a noun, the present participle takes *-s* in the possessive.

Den resande*s* hatt (the traveler's hat).

(c) When used as an adjective or adverb, the present participle may be compared by means of *mer*(*a*) and *mest.*

Hanna talar svenska *mera flytande* än hon talar engelska.

Hanna speaks Swedish *more fluently* than she speaks English.

(d) The present participle of a verb with two infinitive forms is based on the longer form.

INFINITIVE	PRESENT PARTICIPLE	INFINITIVE	PRESENT PARTICIPLE
att bedja, att be	*bedjande*	*att giva, att ge*	*givande*
att bliva, att bli	*blivande*	*att hava, att ha*	*havande*
att draga, att dra (pull, drag)	*dragande*	*att taga, att ta*	*tagande*

(e) Present participles which have the primary stress on the first syllable have the grave accent: *flytande* [fly·tandə‘].

98. Differences in Usage. The functions of the Swedish present participle differ in a number of important ways from those of the English present participle:

(a) A present participle is not used in the progressive form of the verb.

Jag arbetar.	I am working.
Jag arbetade.	I was working.
Jag har arbetat.	I have been working.
Jag hade arbetat.	I had been working.

If the idea of progression must be indicated, there are means of doing so. See section 49.

(b) Swedish uses two finite verbs where English normally has one finite verb and a present participle.

Tor *satt* vid bordet och *läste.*	Tor *sat* at the table *reading.*

(c) Swedish uses a relative clause or a clause of time or of cause where English uses a present participle or a participial construction.

Att jag var försenad betydde att jag fick stanna hemma.	*My being late* meant that I had to stay at home.
Emedan jag var trött, kunde jag ingenting göra.	*Being tired,* I could do nothing.
Flickan *som går i parken* är Alma.	The girl *walking in the park* is Alma.
Då Johan hade fått veta att hon inte kunde komma, skrev han till henne.	*Upon learning that she could not come,* John wrote to her.

Where English has participial constructions, use clauses in Swedish.

(d) Swedish often uses an objective with an infinitive where English would use a present participle:

Jag hörde *honom komma.*	I heard *him coming.*
Jag hörde *Johan komma.*	I heard *John coming.*

(e) Swedish uses an infinitive after a preposition, where English frequently uses the gerund (the verbal noun).

Jag är intresserad i *att läsa.*	I am interested in *reading.*
Jag tycker om *att meta.*	I like *fishing.*

When an infinitive follows a preposition, *att* (to, the sign of the infinitive) is not omitted.

99. The Past Participle. The past participle is declined and used as an adjective. According to the conjugation, it will have three forms:

CONJUGATION	INDEFINITE NON-NEUTER SINGULAR	INDEFINITE NEUTER SINGULAR	DEFINITE SINGULAR, AND PLURAL
I	älsk*ad* (beloved)	älsk*at*	älsk*ade*
IIa	stäng*d* (shut)	stäng*t*	stäng*da*
	sänd (sent)	sän*t*	sän*da*
IIb	väck*t* (awakened)	väck*t*	väck*ta*
III	tro*dd* (believed)	tro*tt*	tro*dda*
IV	avbrut*en* (interrupted)	avbrut*et*	avbrut*na*

In using a past participle of an irregular verb or of a strong verb, you should consult the appendix which consists of lists of the irregular and the strong verbs together with their principal parts.

(a) The past participle agrees in gender and number with the noun or pronoun it modifies:

en älskad moder	*ett älskat barn*	*älskade mödrar (barn)*
(a beloved mother)	(a beloved child)	(beloved mothers, children)
en stängd dörr	*ett stängt fönster*	*stängda dörrar (fönster)*
(a closed door)	(a closed window)	(closed doors, windows)

(b) The past participle may be compared by means of *mer(a)* and *mest: mera älskad* (more beloved).

(c) If the stem of an infinitive of the second conjugation ends in *-d* preceded by a consonant, the *-d* is omitted in adding the ending: *sänd, sänt, sända.* If the stem ends in *-d* preceded by a vowel, the participles will have the endings *-dd, -tt,* and *-dda* as in *klädd, klätt,* and *klädda* (dressed).

(d) As we shall see in the next lesson, the past participles are also used after a form of *att bli(va)*, to become, and *att vara.*

VOCABULARY

betal/a (*-ade; -at*), pay [betɑ:la]

duktig (*-t, -a*), fine, able [duk·tig‘]. See 20.

eg/en (*-et, -na*), own [e·gən‘] Note *min egen son*[1]

emot, against, toward [emω:t]

fastn/a (*-ade; -at*), stick [fas·tna‘]

flyta (*flöt; flöto; flutit*), flow [fly·ta‘; flø:t; flø·tω‘; flɯ·tit‘]

flytande (inv.), fluent; fluently [fly·tandə‘]

förlid/en (*-et, -na*), last [fœl̥i:dən]

hitt/a (*-ade; -at*), find [hit·a‘]

ifrån, from [ifrå:n]

lycklig (*-t, -a*), fortunate, happy [lyk·lig‘]. See 20.

mot, toward, against [mω:t]

måg (*-en, -ar*), son-in-law [må:g; må·gar‘]

riktigt, really [rik·tigt‘]. See 20.

riktigt gott, heartily

rädd (—, *-a*), afraid [räd:]

vara rädd för, be afraid of

ske (*-dde; -tt*), happen [ʃe: ; ʃed·ə‘]

stug/a (*-an, -or*), cottage [stɯ·ga‘]

i sällskap med, in the company of

sök/a (*-te; -t*), seek [sø·ka‘]

tack/a (*-ade; -at*), thank [tak·a‘]

timm/e (*-en, -ar*), hour [tim·ə‘]

undan, aside, out of the way [un·(d)an‘]

utan, but (conj. after negative statement) [ɯ·tan‘]

väg (*-en, -ar*), way, road [vä:g; vä·gar‘]

vän/da (*-de; -t*), turn [vän·da‘]. See 44(c).

vända om, turn about, return

väx/a (*-te; -t*), grow [väk·sa‘]

DRILLS

A

Answer in complete sentences: 1. Vem var Rike-Per? 2. Varför kallade man honom det? 3. Varför gick Rike-Per och Sankt Per in i den fattiga stugan? 4. Vad måste Rike-Per göra? 5. Varför sade Sankt Per "Gud hjälp"? 6. Hur visste Sankt Per att gossen skulle bli en lycklig människa? 7. Ville Rike-Per ge sin enda dotter åt gossen? 8. Varför blev Rike-Per ond? 9. Hur mycket ville han betala för barnet? 10. Ville modern sälja det? 11. Var Rike-Per rädd för att gossen skulle bli hans måg? 12. Hur vet ni det? 13. Var fastnade skrinet (*the box*)? 14. Räddade någon den lille gossen? 15. Hurdan gosse blev han, när han växte upp? 16. Fick Rike-Per veta, att mjölnaren (*the miller*) hade räddat gossen?

[1] *egen* and *eget* do not change in the singular.

B

(a) What is the present participle of each of these verbs? att hänga, att ligga, att säga, att tro, att knacka, att falla, att komma, att följa, att gå, att sitta, att stiga, att ta, att leva, att resa, att flyta, att leka, att sjunga, att bli, att betyda, att ha, att dansa, att förstå, att vandra, att bero, att stå.

(b) Interpret each of these expressions: lekande barn, ett knackande, att bli hängande, att tala svenska flytande, beroende människor, flytande svenska, vandrande studenter, fallande träd, de gående, kommande vecka, följande vecka, att bli stående, att bli sittande, en resande, att bli liggande, levande människor, de troende.

C

Translate into idiomatic English; explain the use of each present participle: 1. Om den där studentskan fick bo i Sverige ett par månader, skulle hon kunna tala svenska flytande. 2. Hanna kom gående, när jag fick se henne. 3. Kan alla studenter tala flytande svenska? 4. Nej, bara några få talar svenska flytande. 5. Följande kväll lade hunden sig på golvet och somnade. 6. Vad skall du göra under kommande vecka? 7. Blev han sittande när ni kom in? 8. Ett sådant mottagande (*reception*) har jag aldrig sett.

D

Translate; point out the differences in usage: 1. Vad gjorde du förliden vecka? Jag höll på att bygga en liten båt. 2. Emedan fru Alm var sjuk, ville hennes döttrar inte följa med mig på teatern. 3. Den där pojken låg på sängen och läste. 4. Sitter du och tänker? Ja, jag sitter och tänker på vad jag bör göra i kväll. 5. Jag höll på att skratta. 6. Att skriva brev är inte svårt, om man skriver till vänner. 7. Sitter du där och ljuger? Nej, jag ljuger inte. 8. Johan satt vid sjön och läste i en svensk bok. 9. Han tycker alltid om att gå ut och gå. 10. Att han inte vill göra det, vet jag. 11. Då jag fick veta att han inte skulle komma, gick jag och lade mig. 12. Jag tycker om att läsa svenska historier.

E

Which are the literary plural verb forms in these sentences? What would be their colloquial equivalents? 1. Innan de nu gingo, tackade han dem. 2. Karlarna blevo onda. 3. De behöva inte vara rädda för Per. 4. Mannen och hans hustru blevo riktigt glada. 5. De ha inga barn. 6. De togo den lille med sig hem. 7. Det var bra pojkar, ni ha. 8. De fingo stanna i stugan över natten. 9. De tycka om den lille gossen. 10. Vilja de sälja det till Per? 11. Kvinnorna voro trötta. 12. Pojkarna äro glada.

F

(a) What are the past participles of these verbs? att bära, att laga, att bjuda, att hämta, att lämna, att sända, att tänka, att fråga, att förlora, att göra, att köra, att räkna, att stänga, att sträcka, att låtsa, att tvätta, att väcka, att sälja, att hjälpa, att hålla, att kasta, att rädda, att bygga, att köpa, att öppna, att dricka, att kalla, att hänga, att läsa, att skriva, att sätta.

(b) Decline: 1. en älskad fader. 2. ett älskat barn. 3. ett öppnat fönster. 4. en öppnad dörr. 5. en stängd dörr. 6. ett stängt fönster. 7. ett förlorat brev.

G

Translate (use literary plural of verbs with plural subjects): 1. The pupils were giving their themes to the teacher (feminine). 2. Having come from Chicago today, I do not know my lesson. 3. Gustav does not like to read aloud. 4. They were walking in the park. 5. Reading can be easy. 6. The woman singing in the dining room is his mother. 7. I have been working diligently for several hours. 8. Being lazy, they do not want to do their own work. 9. Having heard what they said, he did not believe it was true. 10. When walking, one should have one's dog along. 11. I was sitting in the library reading when my sisters came home. 12. They are out walking, I believe.

LESSON XXX

The Passive Voice

En saga från Halland

(Continued)

Men när han kom fram[1] till kyrkan, så gjorde han som han var lärd, han läste[2] sitt Fader vår[3], innan han gick förbi: Då kom där en gammal man, som frågade: "Vad gör du här?"

"Jag har läst mitt Fader vår," svarade pojken och ville gå vidare.

"Vart skall du gå?" frågade mannen.

"Jo," sade pojken, "jag skall gå till Rike-Pers[4] med ett brev."

"Låt mig se det!" sade mannen, och så tog han och läste brevet. Rike-Per hade skrivit att de skulle ta livet av pojken, så snart som han kom fram. Men mannen gav pojken ett nytt brev, och Rike-Pers brev behöll han.

När pojken kom till Rike-Pers, läste Rike-Pers hustru brevet. Hon fick veta, att de skulle hålla bröllop[5] med detsamma för pojken och dottern. Och de unga tyckte om varandra ifrån första stunden. Och så firades bröllopet med lust och glädje[6].

Så kom Rike-Per hem, och han blev rasande[7], när han fick veta, att vigseln[8] var skedd.

Nu visste han inte vad han skulle göra med mågen. Men så hittade han på råd och bad pojken gå och hämta tre fjädrar[9] av den visaste i världen, så skulle han sedan ha allt gott och väl.

---

1 *komma fram*, arrive. 2 *läsa en bön*, say a prayer. 3 "Our Father," the Lord's Prayer. 4 *Rike-Per*, Peter the Rich. 5 [bröl·ɔp'] *bröllop* (*-et*), wedding. 6 pleasure and joy. 7 furious. 8 [vig:səln], the marriage. 9 [fjä:dər], *fjäder* (*-n*, *fjädrar*), feather.

Ja, pojken var genast färdig, för han brukade aldrig säga mot[10] någon. Men han visste inte vägen till den visaste i världen, och inte Rike-Per heller. Och så fick pojken gå på måfå[11], tills han träffade någon, som kunde ge honom bättre besked[12].

Så kom han fram till en kungsgård[13] och frågade folket där, var den visaste i världen bodde. Nej, där fanns ingen, som kunde visa honom vägen. Men så snart kungen fick höra, att pojken skulle fara till den visaste i världen, ville han ha ett bud[14] med honom.

"Jag hade en enda dotter, och hon blev bergtagen[15]," sade kungen. "Fråga den visaste i världen, var hon är." Det skulle pojken göra. Och så fick han ligga i kungsgården över natten.

Så gick han vidare och kom till en annan kungsgård och frågade folket där var den visaste i världen bodde. Nej, det hade ingen reda på. Men kungen sade: "Skall du fara till den visaste i världen, vill jag ha ett bud med dig."

Det kunde pojken visst göra.

"Jag har ett guldäppelträd[16] i min trädgård," sade kungen. "Men nu bär det vita äpplen på den ena sidan och röda på den andra. Fråga den visaste i världen, varpå[17] det beror!" Ja, det skulle pojken göra. Och så fick han god mat och fick ligga där över natten.

Så gick han och kom senare till en tredje kungsgård och frågade, om någon där hade reda på, var den visaste i världen bodde. Nej, ingen visste det här heller. Men kungen ville ha ett bud med pojken. Jo, det skulle pojken göra.

"Jag har låtit gräva brunnar[18] överallt här omkring," sade kungen, "men jag har inte kunnat få upp något vatten. Fråga

---

[10] *säga mot,* contradict. [11] at random. [12] information. [13] royal estate. [14] *ha ett bud,* send a message. [15] bewitched; taken into the mountain, home of trolls and giants. [16] an apple tree bearing golden apples. [17] on what. [18] *brunn (-en, -ar),* well.

den visaste i världen, varpå det beror!" Det skulle pojken göra, det var säkert. Och så fick han stanna där till nästa dag.

Så lämnade han gården och gick och gick och kom så fram till en stor älv. Där satt en gumma i en båt och rodde[19]. Och på stranden gick en häst med sele[20] på ryggen, och en vagn stod bredvid. Så frågade pojken gumman, om hon kunde visa honom vägen till den visaste i världen.

"Jo," sade gumman, "det är hans berg, som ligger där rätt[21] i norr på den andra sidan älven."

(*To be continued*)

100. The Simple Passive. A verb is in the passive voice when the subject is the recipient of the action (I was hit by John). There are two forms of the passive, the simple and the compound. The simple passive follows:

	PRESENT	SIMPLE PAST
I	*jag kallas*, I am called	*jag kallades*, I was called
IIa	*jag hörs*, I am heard	*jag hördes*, I was heard
	Literary plural: *vi höras*, we are heard	
IIb	*jag hjälp(e)s*, I am helped	*jag hjälptes*, I was helped
	Literary plural: *vi hjälpas*, we are helped	
III	*jag tros*, I am believed	*jag troddes*, I was believed
IV	*jag avbryt(e)s*, I am interrupted	*jag avbröts*, I was interrupted
	Literary plural: *vi avbrytas*, we are interrupted	Literary plural: *vi avbrötos*, we were interrupted

SIMPLE FUTURE

(I shall be called, etc.)

jag kommer att kallas, höras, hjälpas, tros, avbrytas, etc.

Literary plural: *vi komma att kallas, höras, hjälpas, tros, avbrytas.*

FUTURE OF DETERMINATION

(I will be called, etc.)

jag skall kallas, höras, hjälpas, tros, avbrytas, etc.

Literary plural: *vi skola kallas, höras, hjälpas, tros, avbrytas.*

---

19 *ro* (*-dde*, *-tt*), row. 20 harness. 21 *rätt i norr*, directly to the north.

PRESENT PERFECT	PAST PERFECT
jag har kallats, hörts, hjälpts, trotts, avbrutits (I have been called, etc.)	*jag hade kallats, hörts, hjälpts, trotts, avbrutits* (I had been called, etc.)
Literary plural: *vi ha kallats*, etc.	

(a) The simple passive is formed by substituting *-s* for the *-r* of the active voice in the present tense and by adding *-s* to the simple past, infinitive, or supine in the other tenses.

(b) Except in formal Swedish, verbs ending in *-er* in the present tense of the active voice generally drop the *-e* before *-s* in the passive: *Det finns.*

(c) The colloquial plural of the simple passive is identical with the singular.

(d) The agent in the passive voice is introduced by *av*.

Pojken kallades *av* sin mor.	The boy was called *by* his mother.
Jag blir hjälpt *av* läraren.	I am being helped *by* the teacher.

(e) In conversation the *-s* passive is seldom used. See sections 101 and 102.

101. The Compound Passive. A compound passive is formed by means of a form of *att bli(va)* or *att vara* and a past participle. A form of *att bli* is used with the past participle of a verb of transition, i.e., one which implies a change of state or the end of action. Verbs of transition are such verbs as *sälja, stänga,* and *finna.*

PRESENT	SIMPLE PAST
(I am being called, etc.)	(I was being called, etc.)
iag blir kallad, hörd, hjälpt, trodd, avbruten	*jag blev kallad, hörd, hjälpt, trodd, avbruten*
Colloquial plural: *vi blir kallade, hörda, hjälpta, trodda, avbrutna*	Colloquial plural: *vi blev kallade, hörda, hjälpta, trodda, avbrutna*
Literary plural: *vi bli(va) kallade, hörda, hjälpta, trodda, avbrutna*	Literary plural: *vi blevo kallade, hörda, hjälpta, trodda, avbrutna*

SIMPLE FUTURE

(I shall be called, etc.)

jag kommer att bli kallad, hörd, hjälpt, trodd, avbruten

Colloquial plural: *vi kommer att bli kallade, hörda, hjälpta, trodda, avbrutna*

Literary plural: *vi komma att bli(va), kallade, hörda, hjälpta, trodda, avbrutna*

FUTURE OF DETERMINATION

(I will be called, etc.)

jag skall bli kallad, hörd, hjälpt, trodd, avbruten

Colloquial plural: *vi skall bli kallade, hörda, hjälpta, trodda, avbrutna*

Literary plural: *vi skola bli(va), kallade, hörda, hjälpta, trodda, avbrutna*

PRESENT PERFECT

(I have been called, etc.)

jag har blivit kallad, hörd, hjälpt, trodd, avbruten

Colloquial plural: *vi har blivit kallade, hörda, hjälpta, trodda, avbrutna*

Literary plural: *vi ha blivit kallade, hörda, hjälpta, trodda, avbrutna*

PAST PERFECT

(I had been called, etc.)

jag hade blivit kallad, hörd, hjälpt, trodd, avbruten

Colloquial and literary plural: *vi hade blivit kallade, hörda, hjälpta, trodda, avbrutna*

The past participle agrees in gender and number with the subject.

(a) The *s*-passive is more common than the compound in the present tense, since *blir* (*bli*) naturally expresses a future meaning. Otherwise, the *s*-passive and the compound passive using *bli* are generally interchangeable.

(b) A form of *att vara* is used with a past participle of a *verb of duration*, i.e., one which implies continued action and which does not point to its end. When a form of *att bli* is used with the past participle of a verb of duration, it stresses the beginning of the action.

(c) When you need to indicate the result of completed action or a condition, use the present or the past form of *att vara* with the past participle of a verb of transition.

(d) Note that when a form of *att vara* is used with a verb of transition, the construction is *not* passive. The past participle is then used as an adjective only.

Study these illustrative sentences carefully:

S-PASSIVE

Plötsligt *hörs* ett rop.	Suddenly a cry *is heard.*
Även bordet *skulle säljas.*	Even the table *was to be sold.*
Kungen *skall krönas.*	The king *is to be crowned.*
Han *kallades* till viktiga tjänster.	He *was called* to important positions.
Genast *öppnas* dörren av någon.	At once the door *is opened* by someone.
Vi barn *fördes* fram.	We children *were brought* forward.
Stugan *har reparerats.*	The cottage *has been repaired.*

COMPOUND PASSIVE

Han *blir bjuden* på middag.	He *will be invited* to dinner.
Pojken *blev bjuden* på kaffe.	The boy *was offered* coffee.
Hans ögon *blevo öppnade.*	His eyes *were opened.*
En dörr *hade blivit stängd.*	A door *had been shut.*
Lärarinnan *var älskad* av barnen.	The teacher *was loved* by the children.
Barnet *är älskat* av alla.	The child *is loved* by all.
Föräldrarna *är älskade.*	The parents *are loved.*

NOT PASSIVE

Uppsatsen är skriven.	The theme is written.
Tåget är försenat.	The train is delayed.
Nu äro alla väckta.	Now all are awakened.
Bergen äro täckta med snö både vinter och sommar.	The mountains are covered with snow both winter and summer.
Dörren är stängd.	The door is shut.

102. The Substitute for the Passive. In writing and more particularly in speaking, the passive is avoided by substituting the indefinite pronoun *man* and the active form of the verb. If the agent is indicated, the active voice is preferred.

PASSIVE	PREFERRED	
Han tros inte.	Man tror honom inte.	He is not believed.
Dörren stängs av Bo.	Bo stänger dörren.	Bo shuts the door.

When possible, avoid using the passive form.

VOCABULARY

av/bryta (*-bröt; -bröto; -brutit*), interrupt [ɑ·v/bry'ta; -brø't; -brɯ'tit]

behålla (*behöll; behöllo; behållit*), keep [behɔl:a; behöl: ; behöl:ω; behɔl:it]

bredvid, beside, alongside of [bredvi:d; coll. breve:]

fir/a (*-ade; -at*), celebrate [fi·ra']

flytt/a (*-ade; -at*), move [flyt·a']

färdig (*-t, -a*), ready [fæ·ḍig']. See 20.

förbi, past, by [fœrbi:]

gå förbi, pass by

genast, at once [je·nas't]

gräv/a (*-de; -t*), dig [grä·va']

gumm/a (*-an, -or*), old woman [gum·a']

göm/ma (*-de; -t*), hide, conceal [jöm·a']. See 19.

heller, either [häl:ər]

inte heller, nor, neither

hitta på, hit upon. See *hitta*.

häst (*-en, -ar*), horse [häs:t; häs·tar']

liv (*-et*), life [li:v]

ta livet av, kill

lär/a sig (*-de sig; -t sig*), learn

lära, teach [læ·ra'; læ·ḍə'; læ:ṭ]. See 44(b).

mat (*-en*), food [mɑ:t]

möjlig (*-t, -a*), possible [möj·lig']. See 20.

möt/a (*-te; -t*), meet [mø·ta'; möt·ə'; möt:]

näst (def. pl. *nästa*), next [näs:t]. See 31.

reda [re·da']

ha reda på, know (about)

röd (*rött, röda*), red [rø:d; röt: ; rø·da']

strand (*-en, stränder*), shore [stran:d; strän:dər]

säk/er (*-ert, -ra*), sure, certain [sä:kər; sä·kra']

tills, until [til:s]

trädgård (*-en, -ar*), orchard, garden [trä·dgå'ḍ; coll. trä·gå'ḍ]. See 20.

vagn (*-en, -ar*), wagon [vaŋ:n; vaŋ·nar']

vis (*-t, -a*), wise [vi:s]

älsk/a (*-ade; -at*), love [äl·ska']

äpple (*-t, -n*), apple [äp·lə']

överallt, everywhere [ø'vəral:t]

DRILLS

A

Answer in complete sentences: 1. Vem mötte pojken vid kyrkan? 2. Vad frågade mannen? 3. Vad svarade pojken på det? 4. Vad gjorde mannen med Rike-Pers brev? 5. Vad för ett brev fick Rike-Pers hustru? 6. Tyckte pojken och flickan om varandra? 7. Gifte de sig? 8. Varför tyckte Rike-Per inte om, att pojken blev hans måg? 9. Vad bad Rike-Per pojken att göra? 10. Visste han vägen till den visaste i världen? 11. Vad ville den förste kungen, pojken skulle göra?

12. Vad betyder *bergtagen* på engelska? 13. Hade den andre kungen reda på var den visaste i världen bodde? 14. Vad ville den andre kungen att gossen skulle göra åt honom? 15. Ville gossen göra det? 16. Vad ville den tredje kungen? 17. Vad gjorde gumman? 18. Visste hon var den visaste bodde?

B

(a) Give synopses: 1. Dörren öppnas. 2. Fönstren stängs av eleverna. 3. Barnet älskas av alla. 4. Hunden kallas av pojken. 5. Gumman tros. 6. Han avbryts av läraren. 7. Han hörs inte. 8. Hjälps han?

(b) Convert each of the preceding into the active voice and give synopses.

C

(a) What are the three forms of the past participle of each of these verbs: att laga, att kalla, att älska, att tro, att avbryta, att öppna, att betala, att lära, att väcka, and att taga.

(b) Give synopses (translate each form): 1. Maten blir lagad. 2. Barnen är älskade. 3. Doktorn blir avbruten. 4. Mannen blir betalad. 5. Är han väckt? 6. Blir han väckt? 7. Vi blir hörda. 8. Jag är hjälpt.

(c) Convert each of the sentences in (b) into the active voice.

D

(a) Convert the italicized expressions into the plural: 1. Är *dörren stängd?* 2. Blev *barnet kallat* av sin mor? 3. Blev *hon trodd?* 4. Var *han älskad* av de andra studenterna? 5. Blev *saken gömd?* 6. *Ni* blir *väckt.* 7. *Jag* blev *väckt.* 8. Blev *du avbruten* med detsamma?

(b) Convert each of the sentences in (a) into the active voice.

E

Read aloud; translate; account for the use of each italicized expression: 1. Allt möjligt måste *göras.* 2. Bordet *har lagats.*

3. De *har varit gifta* i många år. 4. Han *togs* bort i går. 5. Det *blev gjort* i går. 6. Han *blir älskad.* 7. *Man kommer att älska* honom. 8. Mitt brev *är skrivet.* 9. Brevet *skrevs.* 10. *Blev* du *bjuden* på mat? 11. Det *skall göras* i dag! 12. När *skall* din födelsedag *firas?* 13. *Man talar* engelska här. 14. *Finns* det någon snällare människa än han? 15. Jag *är född* den 11 juni 1923. 16. Jag *föddes* den 20 augusti 1919.

F

Interpret each of these expressions: hos mormor, att gå vidare, likaså rik som, med detsamma, att hitta på råd, inte jag heller, det finns, jaså, i sällskap med någon, utan något, reda sig, komma överens med, i närheten av, i stället för, att gå i skolan, tänka på saken, var nionde gång, till exempel, i slutet på, att ha tråkigt, att vara tråkigt.

G

Translate (use literary plural verb forms with plural subjects): 1. They told me that he had been paid by Mr. Anderson. 2. The window had been opened by one of his sisters. 3. That child was not loved by the other children. 4. The girls were not believed by anyone. 5. The books could not be found by the pupils. 6. Gustav II was one of the greatest men in the seventeenth century. 7. Have many been asked about that? No, only a few. 8. I was awakened by my mother. 9. They say it will be done next month. 10. Our house is built; we can move in at once.

LESSON XXXI

The Reciprocal Use of the Passive. Deponent Verbs. Compound Verbs.

En saga från Halland

(*Continued*)

Då ville pojken att gumman skulle ro[1] honom över.

"Ja," sade gumman och lät honom stiga i båten. "Men skall du besöka den visaste i världen, får du allt akta[2] dig, så att han inte äter upp dig. Det har varit många, som ha gått dit, men ingen, som har kommit därifrån[3]. Sist i går var här en fin herre, som for över dit. Det är hans häst och vagn, du ser. Skola de stå här och vänta, tills han kommer igen, så hinna de allt att bli gamla. Men både häst och vagn och alla pengarna, jag har här i bottnen på båten, allt ger jag dig, om du frågar honom något åt mig." Det skulle pojken göra, och så frågade han, vad det gällde.

"Jo," sade gumman, "jag har suttit här i en lång tid, år efter år både natt och dag, och rott och rott, och aldrig slipper jag ur båten. Fråga den visaste i världen, hur jag skall kunna bli fri!" Ja, pojken lovade att göra det. Och gumman satte honom i land[4] på den andra sidan.

Nu dröjde det inte länge, innan pojken var framme vid berget och knackade på dörren. Då kom en kvinna ut. Och hon ropade: "Skynda dig härifrån[5] fort, fort! Kommer jätten[6] hem, så äter han upp dig."

Men pojken ville först ha sina ärenden uträttade[7]. Då ville kvinnan veta, vad de voro. Ja, pojken talade om allting ifrån det första till det sista.

---

1 *ro* (*-dde, -tt*), row. 2 *akta* (*sig*), be careful (of). 3 from there. 4 *i land*, on shore. 5 from here. 6 the giant. 7 *ha sina ärenden uträttade*, have his errands performed.

Då sade kvinnan till sist: "Jag får försöka hjälpa dig, men då skall du vara riktigt tyst." Så lät hon pojken krypa[8] under sängen. Men hon bad honom lyssna noga till, vad hon och gubben sade om natten.

Sent på kvällen kom den visaste i världen hem. Och han var så gammal, så att han var fjädrad[9]. Men det första han kom in så sade han: "Här luktar kristet blod!"[10]

Då svarade kvinnan: "Här kom en fågel flygande med en människas finger; den släppte[11] det, och jag tog och stekte[12] det."

"Ja," sade gubben, "akta du dina fingrar! Får jag känna lukten av ditt blod[13], så är det slut med dig."

Så lade de sig att sova. Och gubben somnade genast. Då tog kvinnan och nappade[14] av honom en stor fjäder[15] i sidan.

"Aj, aj[16], vad är det du gör?" skrek gubben och vaknade.

"Bliv inte ond!" sade kvinnan. "Jag bara drömde."

"Vad drömde du?" frågade gubben.

"Jag drömde, att jag kom till en kungsgård[17], där den enda prinsessan var bergtagen[18]; och kungen ville så gärna veta, var hon är."

"Det är du det," sade gubben. "Jag har själv tagit dig. Men sluta nu med att drömma."

Så somnade gubben igen. Då nappade kvinnan en fjäder till av honom.

"Aj, aj!" skrek gubben. "Skäms du inte!"[19]

"Käre, bliv inte ond! Jag drömde," sade kvinnan.

"Vad drömde du nu då?" frågade gubben.

"Jag drömde, att jag kom till en annan kungsgård. Och där stod ett guldäppelträd[20] i trädgården; men nu bär trädet vita äpplen på den ena sidan och röda på den andra."

---

8 creep. 9 feathered. 10 "I smell the blood of a Christian." 11 dropped. 12 fried. 13 If I ever smell your blood, etc. 14 snatched. 15 *fjäder* (*-n, fjädrar*), feather. 16 Ouch! 17 royal estate. 18 bewitched. 19 "Aren't you ashamed!" 20 golden apple tree.

"Där är en kittel[21] nedgrävd[22] med vita pengar på den ena sidan om trädet och en kittel med röda på den andra; därför bär trädet vita äpplen på den ena sidan och röda på den andra. Men om kungen låter gräva upp de bägge kittlarna ur jorden, så bär trädet riktiga äpplen överallt. Akta dig nu för att drömma mera, om du vill ha det väl!" sade han, och så somnade han igen.

När han hade somnat, tog kvinnan och nappade av honom en fjäder till.

"Aj, aj, aj!" skrek gubben, och nu var han riktigt ond. "Har jag inte sagt, att du skall akta dig?"

"Käraste, jag drömde," sade kvinnan.

"Det var då ett evigt[23] drömmande!" skrek gubben. "Vad drömde du nu då?"

(*To be continued*)

103. The Reciprocal Use of the s-Passive. Frequently an *s*-passive is used to denote reciprocal action:

Vi *träffas* i morgon.	We will see each other tomorrow.
De *möttes* i parken.	They met in the park.
Vi *hjälptes* åt.	We helped each other.
Vill du *slåss?*	Do you want to fight?

104. Deponent Verbs. Verbs of passive form but active meaning are called deponent verbs.

Han *brås på* sin far.	He *resembles* his father.
Jag *hoppades* att det var sant.	I *hoped* it was true.
Du *lyckades* att skaffa det.	You *succeeded* in getting it.
Ett barn *minns* mycket.	A child *remembers* much.
Det *tycks* vara sant.	It *seems* to be true.
Det *syns* att han är sjuk.	It *is apparent* that he is sick.

The imperative forms also end in *-s: Hoppas!* Hope! *Låt oss hoppas!* Let us hope!

The most important deponent verbs are *att fattas* (I), lack;

---

21 [çit·əl'] *kittel* (*-n, kittlar*), kettle. 22 buried. 23 eternal.

att brås på (III), to resemble (someone); *att hoppas* (I), to hope; *att lyckas* (I), to succeed; *att minnas* (IIa), to remember; *att tyckas* (IIb), to seem; *att synas* (IIb), to appear, seem, show.

105. Compound Verbs. Many compound verbs are made up of a simple verb and a prefix, a preposition, a noun, an adjective, or an adverb. There are three classes of compound verbs:

(a) *Inseparable verbs,* the component parts of which must never be separated, usually consist of a prefix and a simple verb:

*be*gynna, begin	*gen*ljuda, resound	*und*gå, avoid
*bi*draga, contribute	*här*leda, derive	*å*skåda, view
*ent*lediga, dismiss	*miss*förstå, misunderstand	*an*vända, use
*er*fara, experience	*um*gås med, associate with	
*för*dela, divide		

In pronouncing these verbs, place the primary stress on the prefixes, unless the prefix is *be-*, *ent-*, or *för-*. Since these three are unstressed, verbs containing them will have the acute accent.

(b) Most *separable verbs,* the component parts of which may be separated except in the past and the present participles, have the same meaning whether the component parts are separated or not.

följa med	or	*medfölja*	accompany
tala om	or	*omtala*	relate, tell
känna igen	or	*igenkänna*	recognize

In conversation, separation of the component parts is preferred; the participles are inseparable, however. In separable compounds, the preposition or the adverb receives the primary stress.

(c) Some *separable verbs* have one meaning when the component parts are separated and another when the parts are not separated.

SEPARABLE (LITERAL MEANING)	INSEPARABLE (FIGURATIVE MEANING)
bryta av, break (off)	*avbryta*, interrupt
gå av, break	*avgå*, leave

The participles of these as well as of all other compound verbs are inseparable.

106. The Conjugation of Compound Verbs. All these verbs are conjugated like the simple verbs on which they are based:

ACTIVE	
jag talar om, jag omtalar	I tell, am telling, do tell
jag talade om, jag omtalade	I told, was telling, did tell
jag kommer att tala om, jag kommer att omtala	I shall tell
jag skall tala om, jag skall omtala	I will tell
jag har talat om, jag har omtalat	I have told
jag hade talat om, jag hade omtalat	I had told

PASSIVE	
käppen bryts av, käppen blir avbruten	the stick is broken (off)
käppen bröts av, käppen blev avbruten	the stick was broken (off)
käppen kommer att brytas av, käppen kommer att bli avbruten	the stick will be broken (off)
käppen skall brytas av, käppen skall bli avbruten	the stick shall be broken (off)
käppen har brutits av, käppen har blivit avbruten	the stick has been broken (off)
käppen hade brutits av, käppen hade blivit avbruten	the stick had been broken (off)

The component parts of the participle are not separated.

Be sure that the verb is compound:

Han ta'lar om historien.	He is talking about the story.
Han talar om' historien.	He is telling the story.
Han ta'lar om gossen.	He is talking about the boy.

In the first sentence, the verb is simple; in the second, compound; and in the third, obviously simple. Notice the difference in stress.

VOCABULARY

avgå, leave, depart [ɑ·vgå']. See *gå*.
biograf (*-en, -er*), movie theater [bi'ɔgrɑ:f]
gå på bio [bi:ω], attend the movies
bott/en (*-nen, -nar*), bottom [bɔt:ən; bɔt·nar']
i bottnen på, on the bottom of
bryta (*bröt; bröto; brutit*), break [bry·ta'; brø:t; brø·tω'; brɯ·tit']
bryta av, break off
brå/s på (*-ddes på; -tts på*), resemble [brå:s; brɔd·əs'; brɔt:s]
djur (*-et, —*), animal [jɯ:r]
dröj/a (*-de; -t*), take time, delay [dröj·a']
dröm/ma (*-de; -t*), dream [dröm·a']
då och då, now and then
examen (*—, examina*), examination [äksɑ·mən'; äksɑ·mina']
fatt/as (*-ades; -ats*), lack [fat·as']. See 104.
fri (*-tt, -a*), free [fri:]
hinna (*hann; hunno; hunnit*), reach, have time to [hin·a'; han: ; hun·ω'; hun·it']
hinna fram, get to one's destination (in time), arrive
hopp/as (*-ades; -ats*), hope [hɔp·as']. See 104.
jord (*-en*), soil, earth [jω:ḍ]
känna igen (*igenkänna*), recognize. See *känna*.
lyck/as (*-ades; -ats*), succeed [lyk·as']. See 104.
lyssn/a (*-ade; -at*), listen [lys·na']
min/nas (*-des; -ts; minns*, pres.), remember [min·as']. See 104.
noga, carefully [nω·ga']
omtala (*tala om*), relate, tell. See *tala*.
prinsess/a (*-an, -or*), princess [prinsäs·a']
redan, already [re·dan']
riktig (*-t, -a*), real [rik·tig']. See 20.
sist (*—, -a*), last [sis:t]
till sist, at last
skrika (*skrek; skreko; skrikit*), scream, yell [skri·ka'; skre:k; skre·kω'; skri·kit']
skynd/a (*-ade; -at*), hurry [ʃyn·da']
skynda sig, hurry
slippa (*slapp; sluppo; sluppit*), get out of, escape [slip·a'; slap: ; slup·ω'; slup·it']
slut (*-et, —*), end [slɯ:t]
slut/a (*-ade; -at*), stop [slɯ·ta']
syn/as (*-tes; -ts*), seem, be apparent, show [sy·nas']. See 104.
tyck/as (*-tes; -ts*), seem, appear [tyk·as']. See 104.
underhålla, entertain [un·dərhɔl'a]. See *hålla*.
vänt/a (*-ade; -at*), wait, expect [vän·ta']

DRILLS

A

Answer in complete sentences: 1. Vad fick gossen lova, innan gumman gjorde som han ville? 2. Vad skulle han få av henne, när han kom igen? 3. Vem kom ut ur berget?

4. Vad sade hon? 5. Varför var hon rädd? 6. Vad var det, som gossen talade om? 7. Lovade kvinnan, att hon skulle hjälpa honom? 8. Var fick gossen gömma sig? 9. När kom gubben hem? 10. Visste han, att någon låg under sängen? 11. Ljög kvinnan? 12. När gick de till sängs? 13. Vem somnade med detsamma? 14. Varför vaknade gubben? 15. Vad hade kvinnan drömt? 16. Vem var prinsessan? 17. Blev gubben ond, när hon väckte honom igen? 18. Hur vet ni det?

B

Give the following for each verb: the past tense (if the verb belongs to the fourth conjugation, give two forms); the supine; the present participle; the three forms of the past participle; and the perfect infinitive: att tala; att betala; att tala om; att stå; att förstå; att hålla; att underhålla; att behålla; att gå; att avgå; att känna; att känna igen; att följa; att följa med; att medfölja; att bryta av; att avbryta.

C

Give synopses: 1. Han brås på mor. 2. Jag hoppas, att det inte var sant. 3. Det fattas några minuter. 4. Det syns, att han är sjuk. 5. Vi lyckas med detsamma. 6. Det tycks vara sant. 7. Gossen minns ingenting. 8. Vi träffas då och då. 9. Jag avbryter honom. 10. Du följer med Erik på bio. 11. Jag omtalar den senaste historien. 12. Känner jag igen honom?

D

Supply the Swedish equivalents of the English expressions: 1. Han (*was not liked*) av de andra studenterna vid universitetet. 2. Att han är lat (*means*) att han inte kommer att få stanna här. 3. Vi (*met*), när vi reste hem. 4. (*Was*) dörren (*shut*), när du kom hem? 5. (*Did he succeed*) i sin examen? Ja, det gjorde han. 6. (*Shall we meet*) igen i morgon? Nej, det gör vi nog inte, jag ämnar resa till Chicago i kväll. 7. Vill du vara så snäll och (*hold*) koppen under vattnet? Ja visst, det kan jag. 8. Var så snäll och (*entertain*) honom medan jag går ut i köket. 9. Lyssnade du till vad professorn sade? Nej, det gjorde jag inte, jag kunde inte (*understand*) honom. 10. (*Did Anna tell*) historien när hon kom hem? Nej, Sten hade redan (*told*) den. 11. Har (*anything else*) hänt i dag? Jo, mamma blev sjuk. 12. Tåget (*leaves*) om tjugotvå minuter. 13. Det (*lacks*) sju minuter i sju. 14. Hinner de att (*accompany*) oss på bio i kväll? Det vet jag inte.

E

Interpret each of these expressions: att hinna fram i tid; att hälsa på hos vänner; i bottnen på; att slippa gå i skolan; att vara riktigt roligt; tills i morgon; att skynda sig hem; att lyssna noga på vad som säges; att fylla tjugo år; om söndag; i går kväll; för femtio år sedan; en kvart på fyra; förliden vecka; det sista bordet.

F

Which are the literary plural verb forms in these sentences? What would be their colloquial equivalents? 1. Det har varit så många, som ha gått dit. 2. Skola hästen och vagnen stå här och vänta, tills han kommer igen, så hinna de allt att bli gamla. 3. Då ville kvinnan veta, vad de voro. 4. Då lägga de sig att sova. 5. Pengarna äro röda eller vita. 6. Det blevo vi bjudna hemma också. 7. Kvinnorna sutto i biblioteket och pratade. 8. När vi läsa om att hästar, hundar och andra djur tala, så veta vi, att detta icke kan vara sant. 9. Det är ju säkert, att inga djur kunna tala. 10. Den som skriver en saga, låtsar bara, att djuren tala.

G

Translate: 1. I shall not need any more books this year. 2. I wonder if I would recognize him if I met him again.

3. He did not remember what she had told him. 4. I hope he succeeded in getting work. 5. My youngest brother seems to believe he will not have to write a theme. 6. Let us hurry so that she will not have time to tell the story. 7. At last she became quiet. 9. Do you remember the old man we met last summer? 10. Yes, I saw him a couple of months ago.

LESSON XXXII

The Subjunctive Mood

En saga från Halland

(Continued)

"Jag drömde, att jag kom till en kungsgård[1], och kungen lät gräva brunn[2] efter brunn överallt men kunde inte få upp något vatten."

"Han skall bara släppa[3] ut sin häst, som han har haft bunden[4] inne i sju år. För de tre första skutten[5], som hästen tar utom gården, blir det tre källor[6]. Men ligg nu inte och dröm en gång till, för då äter jag upp dig," sade gubben. Snart somnade han.

Men litet senare nappade[7] kvinnan en fjäder[8] till av honom. "Aj, aj, aj, aj,"[9] skrek gubben, och nu var han riktigt ond och for upp ur sängen och fick tag i en kniv.[10]

"Käre, käre, tag inte mitt liv!" bad kvinnan. "Jag bara drömde."

"Drömde och drömde och drömde! Skall inte jag få sova för dina drömmar?" skrek han. Men så blev han då litet lugnare. "För denna gång får det vara, men det säger jag, nu är det slut. Hör det! Vad var det, du drömde?" sade han till sist.

"Jag drömde, att jag kom till en älv, och där satt en gumma år efter år både natt och dag, och rodde[11] och rodde och slapp aldrig ur båten."

"Det får hon göra, tills hon tar och vrider av halsen[12] på en kristen[13] människa. Då blir hon fri, men den andra får sitta där och ro i stället."

---

[1] royal estate. [2] well. [3] *släpp/a* (*-te, -t*), let (out). [4] tied up. [5] leaps. [6] springs. [7] snatched. [8] *fjäd/er* (*-ern, -rar*), feather. [9] ouch! [10] knife. [11] *ro* (*-dde, -tt*), row. [12] *vrida* (*vred; vredo; vridit*) *av halsen*, twist off the neck (of). [13] *krist/en* (*-et, -na*), Christian.

Om en stund somnade gubben.

Men kvinnan steg upp, gjorde sig färdig, och gav pojken de fyra fjädrarna av den visaste i världen.

När de kommo till älven, så ville gumman veta, hur pojken hade uträttat hennes ärende.[14]

"Det skall jag säga, sen ni har rott oss över," sade pojken.

Så rodde gumman dem över. Och pojken tog pengarna i bottnen på båten och i vagnen och spände[15] för hästen och satte sig upp i vagnen bredvid prinsessan.

Så sade han till gumman: "Den första kristna människa, som stiger i båten, den skall ni vrida halsen av. Sedan kan ni gå, vart ni vill."

"Hade jag vetat det litet förr, så skulle du allt fått dö," sade gumman. "Men tack skall du ha i alla fall!"

Så körde pojken till den närmaste kungsgården. Där ville kungen ha reda på, om pojken hade uträttat hans ärende. Då sade pojken: "Följ med mig, så att jag får tag i den hästen, som har varit inne i sju år, så skall här snart bli vatten."

Så tog han och släppte ut hästen utom gården. Och för de tre första skutten hästen tog, upprunno[16] tre källor med det klaraste vatten. Då blev kungen så glad, att han gav pojken många pengar.

Då körde pojken med prinsessan och alla pengarna till den andra kungsgården. Och så ville kungen där veta, om pojken hade uträttat hans ärende.

Då sade pojken: "Får jag, vad som finns vid sidan med de vita äpplena, så skall ni få, vad som finns vid den med de röda." Jo, det var inte någon fråga om det. Så grävde pojken upp ett skrin[17] med vita pengar, och kungen fick gräva upp ett skrin med röda på den andra sidan.

"Nu," sade pojken, "bär trädet guldäpplen[18] överallt."

---

[14] *uträtt/a (-ade,-at) ett ärende,* perform an errand. [15] *spän/na (-de, -t) för,* hitch up. [16] *upp/rinna (-rann, -runno, -runnit),* well up. [17] *skrin (-et, —),* box. [18] golden apples.

Sedan körde han med prinsessan och pengarna till den sista kungsgården. Och där kom kungen ut och ville veta hur pojken hade uträttat hans ärende.

"Här har ni er dotter!" sade pojken.

Då blev kungen så glad, att han bjöd pojken allt, vad han ville ha. Och hade pojken inte varit gift, så hade han gärna fått prinsessan och halva landet med. Men nu gav kungen honom många pengar i stället. Så körde pojken hem till Rike-Pers[19].

"Kommer du igen?" sade Rike-Per, när han fick se pojken komma åkande.

"Ja, det gör jag," sade pojken. "Här har ni de tre fjädrarna av den visaste i världen, och den fjärde får ni också."

Men när Rike-Per fick se de många pengarna, skalv[20] han i hela kroppen. Och så ville han ha reda på var pojken hade fått dem ifrån.

"Jo," sade pojken, "den som far till den visaste i världen, han får så många pengar, han vill ha. Och jag har också fått både häst och vagn."

"Då skall jag fara dit och hämta mig ett bra lass[21]," sade Rike-Per. Och nu fick han bråttom, innan han fick spänna två hästar för en stor vagn. Så körde han och kom ända ner till älven. Där satte han hästar och vagn och steg i båten. Men då var gumman färdig och vred halsen av Rike-Per, och så blev hon fri.

Och där sitter Rike-Per och ror och ror dag och natt än i denna dag.

107. The e-Subjunctive. The subjunctive mood is used in expressions of wishing, possibility, condition, concession, and the like. The simple or *e*-subjunctive is formed in the present tense by substituting *e* for the *a* of the infinitive:

---

19 Peter the Rich. 20 trembled. 21 load.

CONJUGATION	INFINITIVE	PRESENT SUBJUNCTIVE
I	kall*a*	kall*e*
IIa	sänd*a*	sänd*e*
IIb	res*a*	res*e*
III	tro	
IV	finn*a*	finn*e*

If the infinitive does not end in *-a*, the present *e*-subjunctive is lacking; the compound subjunctive (section 108) is used instead.

The past *e*-subjunctive is formed by substituting *-e* for the *-o* of the literary plural past indicative form of the strong verb:

LITERARY PL., PAST INDICATIVE	PAST SUBJUNCTIVE
fing*o*	fing*e*
höll*o*	höll*e*
ging*o*	ging*e*
komm*o*	komm*e*

In the other conjugations, the past indicative forms are also used for the past subjunctive: *kallade*, *sände*, and *reste*.

Study these illustrative sentences carefully:

PRESENT E-SUBJUNCTIVE

Gud *give* dig tron!	May God give you faith!
Gud *välsigne* dig för det!	God bless you for that!
Gud *hjälpe* mig!	May God help me!
Helgat *varde* ditt namn.	Hallowed be Thy name.
Tillkomme ditt rike.	Thy kingdom come.
Gud *bevare* dig!	May God protect you!

PAST E-SUBJUNCTIVE

Vore det inte så olyckligt, skulle de vara snällare.	If it were not so unfortunate, they would be better.
Jag önskar, att det aldrig *bleve* sommar.	I wish that summer would never come.
I fall det *vore* snö, kunde jag åka kälke.	If there were snow, I could go tobogganing.
Ginge han, *finge* jag göra det.	If he left, I would be permitted to do it.
Han bär sig åt, som om han *vore* galen.	He acts as if he were crazy.

(a) The present tense of the *e*-subjunctive is used particularly in prayers, a number of set expressions, wishes that can be realized, etc. Spoken Swedish substitutes *må* (*måtte*) and an infinitive (See section 108).

(b) The past tense of the *e*-subjunctive is used in expressing wishes that can not be or are not likely to be realized, conditional clauses of improbability or impossibility and after *som om* (as if), etc. Spoken Swedish usually substitutes the past indicative or the compound subjunctive (section 108).

(c) In the first three conjugations, the past subjunctive is identical with the past indicative:

Trodde jag honom, fick han boken.	If I believed him, he would get the book.

108. The Compound Subjunctive. *Må*, *måtte*, and *skulle* are used with an infinitive in forming the subjunctive:

PRESENT	PAST
jag *må* (måtte) kalla, sända, läsa, tro, finna	jag *skulle* kalla, sända, läsa, tro, finna
PRESENT PERFECT	PAST PERFECT
jag *må* (måtte) ha kallat, sänt, läst, trott, funnit	jag *skulle* ha kallat, sänt, läst, trott, funnit

Study these illustrative sentences carefully:

PRESENT SUBJUNCTIVE

Må du *bli* mycket lycklig!	May you be very happy!
Måtte vi *få* brevet i tid!	May we get the letter in time.
Jag hoppas, att du blir mycket lycklig.	I hope you will be very happy.
Jag hoppas, att vi får brevet i tid.	I hope we get the letter in time.

PAST SUBJUNCTIVE

Om han var här, *skulle* jag *tala om* det för honom.	If he were here, I would tell it to him.
Vore han här, *skulle* jag *tala om* det för honom.	If he were here, I would tell it to him.

PRESENT PERFECT SUBJUNCTIVE

Måtte jag *ha sänt* brevet i tid! — May I have sent the letter in time!

Jag hoppas, att jag har sänt brevet i tid! — I hope I have sent the letter in time!

PAST PERFECT SUBJUNCTIVE

Om jag hade hört honom, skulle jag ha svarat med detsamma. — If I had heard him, I should have answered at once.

Hade jag hört honom, skulle jag ha svarat med detsamma. — If I had heard him, I should have answered at once.

Om han hade gjort det, hade jag betalat honom. — If he had done it, I would have paid him.

Om han hade gjort det, skulle jag ha betalat honom. — If he had done it, I would have paid him.

(a) Spoken Swedish uses the compound subjunctive or the indicative for the *e*-subjunctive.

(b) *Må* and *måtte* are used in expressing wishes. See section 95. *Måtte* implies a more intense wish than *må* and often a fear on the part of the speaker that the wish will not be realized.

(c) *Skulle* is used in the expression of conditional statements.

(d) If *om* is omitted, the subject and the finite verb are inverted.

Review sections 94, 95, and 96.

VOCABULARY

amerikan (*-en, -er*), American [ame′rikɑ:n]

bråttom [brɔt·ɔm‘]
  få bråttom, have to hurry
  ha bråttom, be in a hurry

dö (*dog; dogo; dött*), die [dø: ; dω:g; dω·gω‘; döt:]

Gud, God [gɯ:d]

gård (*-en, -ar*), yard, farm, estate [gå:ḍ; gå·ḍar‘]

klar (*-t, -a*), clear [klɑ:r]

komma ihåg (*ihågkomma*), remember [kɔm·a ihå‘g]

kropp (*-en, -ar*), body [krɔp: ; krɔp·ar‘]

ljudfilm (*-en, -er*), talkie [jɯ·dfil‘m]

med (coll.), too [mä:(d)]

svensk/a (*-an, -or*), Swedish woman [svän·ska‘]

syskon (pl. def. *syskonen*), brothers and sisters [sys·kɔn‘]
tag (*-et*, —), hold [tɑ:g]
få tag i, get hold of
trevlig (*-t*, *-a*), pleasant [tre·vlig‘]. See 20.
utom, outside [ɯ·tɔm‘]
vänster (def. pl. *vänstra*), left [vän:stər; vän·stra‘]
än i, even to
ända, as far as [än·da‘]
ända till, quite, up to
önsk/a (*-ade; -at*), wish [ön·ska‘]

DRILLS

A

Answer these questions in complete sentences: 1. Vad skulle gubben göra, om kvinnan drömde en gång till? 2. Gjorde det ont i gubbens sida, när kvinnan nappade (*snatched*) en fjäder (*a feather*)? 3. Vad fick han tag i? 4. Vad skulle han göra med den? 5. Vad skulle gumman göra för att bli fri? 6. Fick pojken tag i de fyra fjädrarna (*feathers*)? 7. Fick pojken något av gumman? 8. Vad gjorde han med prinsessan? 9. Fick kungen upp något vatten? 10. Vad gav kungen pojken? 11. Vad gjorde gossen och prinsessan då? 12. Vad gjorde de så att trädet skulle bära samma slags äpplen överallt? 13. Vad ville den tredje kungen veta? 14. Vad svarade gossen? 15. Gifte pojken sig med prinsessan? 16. Vad sade Rike-Per, när han fick se pojken komma åkande? 17. Vad var det, som Rike-Per ville ha reda på? 18. Vad skulle Rike-Per göra för att få så många pengar som han ville ha? 19. Vad gjorde Rike-Per då? 20. Vad gör Rike-Per i dag?

B

(a) What is the present tense of the *e*-subjunctive of each of these verbs: kalla, älska, hända, leva, sända, hjälpa, giva, bliva, fara, hålla, finna, vara?

(b) Which of the verbs in (a) have special *e*-subjunctive forms in the past tense? What are they? What are *e*-subjunctive forms, past tense, of gå, få, stå, komma?

C

Read; interpret; account for the italicized expressions. 1. Jag trodde, att du *skulle förstå* mig. 2. Du *skulle* inte *förstå* mig, om jag *sade* det. 3. Gud *vare* med dig. 4. Vad *vore* livet utan böcker. 5. Länge *leve* konungen! 6. *Skulle* det *bli* möjligt att resa till Stockholm i vår? 7. *Må* han *bli* mycket rik! 8. Jag önskar, att det snart *bleve* höst! 9. *Vore* de snälla, *finge* de allt vad de ville. 10. Jag önskade, att han *måtte ha köpt* huset av farfar. 11. Vi *skulle ha sagt* sanningen. 12. *Må* det *ske* snart.

D

Substitute colloquial Swedish expressions for the English: 1. (*If I were not*) så trött i eftermiddag (*I should*) gå på teatern. 2. (*Would*) du inte hellre gå på bio i kväll? Jag fick höra i morse, att det blir en svensk ljudfilm, som skall vara bra. 3. Det (*may*) vara, men jag vet inte om jag (*may*) gå. 4. (*May*) den bara vara bra! 5. Om du (*were*) rik, (*would you not*) tycka om att resa till Sverige? 6. Jo, det (*I would*). Man säger att det är så trevliga människor och så mycket att se i gamla landet. 7. (*If I had*) pengar, gjorde jag det var sommar. 8. (*May*) jag följa med dig i kväll? Ja visst, (*you may*). 9. (*May*) vi bara komma dit i tid! 10. Kommer du i håg vad det var hon sade hon (*would*) göra om vi kom för sent? 11. Ja, hon (*would*) inte låta oss gå på bio. 12. Vad mamma (*would*) ha tyckt om att resa till Sverige! 13. (*If I were*) yngre, (*I would*) resa i sommar. 14. Jag önskar, att pappa (*were*) rik!

E

Substitute literary (plural) forms for the italicized expressions: 1. Många svenskor *talar* flytande engelska. 2. Mina systrar *träffar* flera var sommar. 3. *Reser* dina systrar hem i sommar? 4. Jo, de *reser* vart år. 5. *Får* syskonen följa med? 6. Nej, mamma och pappa *följer* med. 7. *Äger* fars föräldrar en gård? 8. Ja, de *äger* flera. 9. *Kommer* vi att resa dit i sommar? 10. Ja, vi *skall* göra det om en månad. 12. *Gick* dina vänner ofta på teatern? 13. Ja, de *gick* på teatern en gång i veckan. 14. *Fick* gossarna lov av lärarinnan? 15. Nej, de *fick* lov av sina föräldrar. 16. Vi *är* amerikaner.

Which are the literary plurals in the story?

F

Interpret each of these expressions: han fick tag i en penna; ända till Stockholm; närmaste stad; nu fick de bråttom; bredvid vägen; ingen fråga om det; han hämtar ett dussin stolar; det klaraste vatten, som finns; han hade mycket bråttom; komma gående; de är rädda för oss; vänd om i tid; ingenting annat än en hund; hans egna vänner; att ha reda på allt, som händer; hitta på något roligt; tag inte livet av gubben; på golvet i badrummet; vänstra handen.

G

Translate: 1. I am very tired, although I have not done much today. 2. I wish that tomorrow were a holiday. 3. If it were a holiday, we could go out to grandmother's (maternal). 4. I hope she is not sick. 5. Would you ask your mother? Yes, I shall be glad to do so. 6. Would you like to go to the movies this evening? 7. If I get permission from father, I should like to go along. 8. I wish I were rich. Then I could go to Sweden this summer. 9. Who told you that there would not be any class today? 10. I believe it was Anna, although it may have been Hilda.

LESSON XXXIII

Review

A

Read; interpret; explain each italicized expression: 1. Talar lärarinnan svenska *flytande?* 2. Ja, hon talar *flytande* svenska. 3. Är det hon som kommer *gående* på gatan? 4. Nej, det är hon som blev *sittande* i klassrummet. 5. Vad skall eleverna göra under *kommande* vecka? 6. Det vet jag inte, men *följande* vecka har de ferier. 7. *Lekande* barn har alltid roligt. 8. Det var då ett *drömmande!* 9. *Älskande* par har vi sett förr! 10. *Följande* morgon ville barnen ingenting göra. 11. Den lilla flickan föll och blev *liggande* på golvet.

B

Translate into idiomatic English; explain the differences in usage: 1. Så tackade han dem och följde med Rike-Per ut. 2. Men Rike-Per blev ond och sade: "Det sker aldrig." 3. Mannen skulle gå ut och se, vad det var, som hade fastnat i luckan (*the sluice-gate*). 4. Rike-Per kom dit och fick se honom. 5. Så gick han vidare och kom till ett annat hus. 6. Så lämnade han stället och gick och gick och kom så fram till en stor älv. 7. Jag har suttit här och rott (*rowed*) i många år. 8. Att köra så långt var inte roligt. 9. Men ligg nu inte här och dröm en gång till, för då äter jag upp dig. 10. Den andra får sitta där och göra det i stället. 11. Gubben mådde inte bra. 12. Emedan han inte ville ha mågen hos sig, bad han honom fara till den visaste i världen. 13. Rike-Per kunde höra pojken komma. 14. Kvinnan, som bor hos gubben, är prinsessan. 15. Pojken sitter och kör. 16. Pappa satt och läste i en ny bok. 17. Hilma läser och läser.

C

Supply the proper form of the past participle of each verb within parentheses: 1. Barnen var (älska) av sina föräldrar. 2. Gubben blev inte (tro), när han sade att fönstret var (stänga). 3. Är studentskan (väcka)? 4. Ja, hon blev (väcka) av sin mor för en stund sedan. 5. Är dörrarna till biblioteket (stänga)? 6. Ja, men fönstren är inte (stänga). 7. Kunde professorn bli (höra) av studenterna? 8. Blev fröken (hjälpa) med sitt arbete? 9. Blev hon (avbryta) med detsamma? 10. Kommer de att bli (kalla) snart? Convert each of the sentences from the passive into the active voice.

D

Read; interpret; account for the use of each italicized expression: 1. Vad är det, som *skall firas* i kväll? 2. Det är visst Annas födelsedag, som *skall firas*. 3. När *föddes* hon? Hon *är född* den 13 april 1921, tror jag. 4. *Blev* vi alla *bjudna?* Det vet jag inte, jag *är* då *bjuden*. 5. *Skall* pojken *kallas* elev eller student? 6. Pojken *skall* nog *kallas* elev, han är inte vid något universitet. 7. *Har* de svenska böckerna *hittats* ännu? 8. Nej, men mamma säger, att de lades undan i biblioteket. 9. *Avbryts* vi? Ja, de andra försöker då att avbryta oss. 10. *Är* professorn så *lärd* att han vet allting? Nej, så *lärd* kan ingen människa vara. 11. Hilma och Johan är *gifta*.

E

Account for the use of each italicized expression: 1. Jag *minns* det som om det hade hänt i går. 2. Jag kan inte *minnas* annat än att vi fick arbeta från morgon till kväll. 3. Inga människor *syntes* på gatan i morse. 4. De gamla *träffades* för många år sedan. 5. Har Olle *lyckats* köpa det där huset vid sjön? 6. *Hoppas* du vi får gå på bio? Mamma har redan sagt, att vi får gå. 7. Den vackra studentskan *brås på* sin mamma. 8. *Känns* det gott att simma så ofta?

F

Give synopses: 1. Jag lär mig att tala svenska. 2. Jag tycker om att läsa svenska. 3. Talar han om Sverige? 4. Du litar inte på Johan. 5. Vi hälsa (*literary*) på Strands. 6. Följer (*colloquial*) de med oss på bio? 7. Känner du igen henne? 8. Tänker ni på saken? 9. Jag avbryter min syster. 10. Vill du göra det med detsamma?

G

Account for each subjunctive form: 1. Gud vare med dig! 2. Må Gud vara med dig! 3. Vore jag rikare än Olle, skulle jag hjälpa honom. 4. Vore det möjligt, reste jag hem i kväll. 5. Hanna ser ut, som om hon vore sjuk. 6. Hade jag hunnit fram i tid, hade du inte behövt vara ledsen. 7. Jag önskar det vore så vackert väder under hela året. 8. Om jag sluppe gå i skolan längre! 9. "Nej," tänkte gumman, "det vore då alldeles för mycket att en gång få se kungen." 10. Finge jag bara resa hem i morgon! 11. Må det bli en vacker dag i morgon! 12. Skulle Johan ha sagt sanningen, om han hade känt honom bättre? 13. Måtte barnen bli flitiga!

Swedish Traffic Association

MÅRBACKA
Selma Lagerlöf's Home

Swedish Traffic Association

RUNE STONE AT RÖK

American Swedish News Exchange

SELMA LAGERLÖF

SOME LITERARY CENTERS IN SWEDEN

Of recent Swedish authors none has enjoyed so much popularity as Selma Lagerlöf. This gifted writer took the legends and sagas and character types of her own province, Värmland, and from Dalarna, and enveloped them in a romantic atmosphere that has captivated a world. Her novels have been translated into the languages of more than twenty countries. It was her first outstanding success, *Gösta Berling's Saga,* that won for her the Nobel prize in literature. *Jerusalem* had some basis of fact in the actual migration of a group of Swedish colonists to the Holy Land in a mood of religious ecstasy, and the novel gives a dramatic account of disillusionment and return. Mårbacka, the old homestead, passed out of the hands of the family shortly after the death of Selma Lagerlöf's father, but the Nobel prize enabled her to buy it back and restore some of its traditional charm.

Today Mårbacka is a picturesque landmark in the heart of Värmland, a typical manor house that tells of the greatness of the landed gentry of earlier centuries. Every summer, tourists motor past in large numbers; from the roadside you can catch a glimpse of the black tiles of its roof and its lemon walls and stately beauty. It is no exaggeration to say that Mårbacka and other sites in the surroundings have turned the whole province of Värmland into a populous tourist center in the summer. You are constantly reminded that you are in the heart of the Selma Lagerlöf country. On the Fryken chain of lakes it may be the very *Gösta Berling* steamer that will be waiting for you at your landing-stage.

Värmland is Sweden's miniature "lake district." It is not so well known to the world at large as the English lake district, to be sure, but its idyllic beauty has fired the imagination of many a poet. It is possible to spend two or three days motoring past historic landmarks. The logical starting-point for such tours is the largest city in the province, Karlstad, an attractive modern center. One of the tours leads past Filipstad, a city of special interest to Americans as the boyhood home of John Ericsson, the inventor of the *Monitor,* known from the battle at Hampton Roads, in 1862, during the Civil War in the United States. He spent his mature years in America, but the house in which he lived as a young man is here, a typical unit of farm buildings reflecting a quaint traditional style of building. His mausoleum is on the highest point of the beautiful hill cemetery in the town.

Swedish Traffic Association

CAROLINA REDIVIVA
The University Library in Uppsala

Swedish Traffic Association

THE CATHEDRAL AT UPPSALA AND GUSTAVIANUM
One of the Old University Buildings

Swedish Traffic Association

THE ROYAL OPERA
(In the foreground, Carl Milles' "Sunworshiper" and G. Lindberg's "Mist")

The names of three great Swedish poets and writers of a past generation are associated with sites in Värmland. Esaias Tegnér, whose *Fritiof's Saga*, translated into practically all languages of Europe, recounts romantically the story of Fritiof and Ingeborg with a Viking background, was born in the little village of Kyrkerud, one of the southwest gateways of Värmland. His contemporary, the historian Erik Gustaf Geijer, also wrote poems dealing with Viking themes, but his treatment was more realistic and historically more accurate. Ransäter, Geijer's home, has been preserved as a museum and historical manor house. The lyricist Gustaf Fröding was also a native of Värmland. In his verse one hears the sighing of the forests and catches the beauty of woodland flowers. His home, near Karlstad, lies in the heart of a noble birch forest.

In all the writings of these "lake" poets one senses the lyrical background of nature. But there is also a sterner note as some of the industrial life of the province, mostly timber felling and iron manufacture, enters as a background both in fiction and poetry. And there is an aristocratic splendor even today in what remains of the old manor-houses and country estates.

Another interesting literary "center" of Sweden is located in the Stockholm skerries, where both the beauties of nature and the picturesque life of the fisher folk have contributed many features. Albert Engström depicts this life both in pen sketches and in stories, though his satire often is bald caricature. But the great satirist and cynic was August Strindberg, novelist and dramatist, who died in 1912. Some of his most touching stories and sketches, such as *Hemsöborna* and *Skärkarlsliv* depict skerry life. However, he is also the city dweller, and Stockholm is the scene of many of his works. He has written powerful historical dramas, wherein the usual romantic treatment of historical figures yields to realism—*Master Olof, Gustav Vasa, Karl XII, Gustav III*. His portrayal of the conflict between the sexes is drastic in *Fadern* and *Fröken Julie* and in the short stories *Giftas* (Married). His period of greatest production was the early 'eighties, the age of realism. Almost from the first he began his attacks on marriage, on family life, and general social problems. His cynicism was scathing. It was a personal bitterness that developed out of his own unhappiness and maladjustment to a degree, but he was also the moralist and reformer crying out against the evils he saw around him. A haunting religious mysticism, forerunner of modern symbolism, colors the work of his final years.

A third important literary grouping can be made for the section on the eastern shore of Lake Vätter, the region between Jönköping and Vadstena. (This summary of important Swedish literature is perforce limited mostly to writers known in English translation. The bulk of Swedish literature therefore has to be passed over without comment . . .) Verner von Heidenstam, veteran novelist and also a Nobel prize winner, lives at Övralid, near Motala. In his *The Charles Men* (Karolinerna) he casts a romantic glamor over the adventures of Karl XII and his soldiers. It is the Heidenstam story of a chieftain of the Folkung period, which saw the transition of Sweden from paganism to Christianity, that Carl Milles the sculptor used in his central figure, Folke Filbyter, for the fountain that fittingly adorns the central square in Linköping.

Near Jönköping, at Mt. Omberg, lived Ellen Key, the philosopher and feminist whose writings, like those of Havelock Ellis in England, stressed eugenics and race biology. Her *Century of the Child* made a profound impression in international pedagogical circles. Strand is now a home for working women. Gränna, north of Jönköping on Lake Vätter, was the birthplace of the Arctic explorer S. A. Andree, a pioneer of aviation, who died in 1897 in an attempt to reach the North Pole in a balloon. Through the unexpected recovery of his remains and those of his two associates as well as their diaries on White Island (Vitön) in the summer of 1930, the chronicle of polar adventuring has been enriched with one of the most stirring documents of fortitude and endurance that the world has ever read. To give still greater variety to the contribution of this region east of Lake Vätter, it is only necessary to recall that Vadstena is also nearby. Here, in the Middle Ages, St. Birgitta founded her cloister and the Birgittine order. Through her published revelations she has achieved international fame.

Another section of Sweden has literary associations of a far earlier age. In the province of Uppland, in fact in the whole region north of Stockholm, are the largest number of rune stones extant in the whole country. Their inscriptions, dating back at least to the fourth century, form a scattered, unrelated chronicle of events not elsewhere recorded. From the Icelandic Eddas and the sagas of the kings, by Snorre Sturlason, one gets some additional facts to round out the inscriptions. The Anglo-Saxon epic *Beowulf* from the eighth century deals with personages and events in the North two centuries earlier. Three of the regents, Adils, Rolf, and Ale, identified with the history of the North, are mentioned in *Beowulf*, under the names of Eadgils, Hrodulf, and Onela. From this epic and from the old Swedish *Ynglingatal* one gets evidence to support the theory that the three royal mounds at Old Uppsala are probably not memorials to the gods Oden, Frey, and Thor, as was assumed until fairly recently. Now it is believed that the mounds are the actual burial places of the three sixth-century regents—Adils (northwestern mound), Aun the old (middle), and Egil (northeastern). Egil is the Ongentheow of *Beowulf* who as leader of the Swedes fell in battle when attacked by the Goths and Hygelac. At Vendel, north of Old Uppsala, is the famous Ottar Mound, the probable burial place of Ottar, son of Egil (Ongentheow). These theories, now widely accepted by scholars, make Old Uppsala one of the most interesting old literary landmarks in the whole of Sweden.

—From Erik Lindberg's *Sweden: Glimpses of Its Charm, Traditions, and Modern Progress*, by permission of the Swedish Traffic Association.

APPENDIX

THE MOST IMPORTANT IRREGULAR VERBS

First Conjugation

INFINITIVE	PRESENT		SIMPLE PAST	SUPI
	SING.	LITERARY PL.		
heta, *be called*	heter	heta	hette	heta
kunna, *be able*	kan	kunna	kunde	kunn
leva, *live*	lever	leva	levde	levat
veta, *know*	vet	veta	visste	veta
vilja, *want to*	vill	vilja	ville	velat

Second Conjugation

INFINITIVE	PRESENT[1]	SIMPLE PAST	SUPINE	PAST PART.
bringa, *bring*	bringar	bragte	bragt	bragt (—, -a)
böra, *ought to*	bör	borde	bort	
dölja, *conceal*	döljer	dolde	dolt	dol/d (-t, -da)
glädja, *gladden*	gläder	gladde	glatt	
göra, *do, make*	gör	gjorde	gjort	gjor/d (-t, -da)
lägga, *lay*	lägger	lade	lagt	lag/d (-t, -da)
skilja, *separate*	skiljer	skilde	skilt	skil/d (-t, -da)
smörja, *anoint*	smörjer	smorde	smort	smor/d (-t, -d
spörja, *ask*	spörjer	sporde	sport	spor/d (-t, -da)
städja, *hire*	städjer	stadde	statt	sta/dd (-tt, -d
stödja, *support*	stödjer	stödde	stött	stö/dd (-tt, -d
säga, *say*	säger	sade	sagt	sag/d (-t, -da)
sälja, *sell*	säljer	sålde	sålt	sål/d (-t, -da)
sätta, *set*	sätter	satte	satt	satt (—, -a)
töras, *dare*	törs	tordes	torts	
(töra)	tör (*may*)	torde (*might*)		
välja, *choose*	väljer	valde	valt	val/d (-t, -da)
vänja, *accustom*	vänjer	vande	vant	van/d (-t, -da)

Fourth Conjugation (Strong Verbs)

INFINITIVE	PRESENT	SIMPLE PAST		SUPINE	PAST PART.
		SING.	LIT. PL.		
be(dja), *ask*	beder, ber	bad	bådo	bett	be/dd (-tt, -dda)
binda, *bind, tie*	binder	band	bundo	bundit	bund/en (-et, -na)
bita, *bite*	biter	bet	beto	bitit	bit/en (-et, -na)
bjuda, *offer*	bjuder	bjöd	bjödo	bjudit	bjud/en (-et, -na)

[1] The literary plural forms, present tense, indicative mood, are identical w the infinitives.

INFINITIVE	PRESENT	SIMPLE PAST SING.	LIT. PL.	SUPINE	PAST PART.
li(va), *become*	bli(ve)r	blev	blevo	blivit	bliv/en (-et, -na)
rinna, *burn*	brinner	brann	brunno	brunnit	brunn/en (-et, -a)
rista, *burst*	brister	brast	brusto	brustit	brust/en (-et, -na)
ära, *bear, carry*	bär	bar	buro	burit	bur/en (-et, -na)
ra(ga), *draw*	dra(ge)r	drog	drogo	dragit	drag/en (-et, -na)
ricka, *drink*	dricker	drack	drucko	druckit	druck/en (-et, -na)
riva, *drive*	driver	drev	drevo	drivit	driv/en (-et, -na)
ö, *die*	dör	dog	dogo	dött	
lla, *fall*	faller	föll	föllo	fallit	fall/en (-et, -na)
ra, *go*	far	for	foro	farit	far/en (-et, -na)
nna, *find*	finner	fann	funno	funnit	funn/en (-et, -a)
yga, *fly*	flyger	flög	flögo	flugit	flug/en (-et, -na)
yta, *float*	flyter	flöt	flöto	flutit	flut/en (-et, -na)
ysa, *freeze*	fryser	frös	fröso	frusit	frus/en (-et, -na)
, *get*	får	fick	fingo	fått	
r/svinna, *disappear*	-svinner	-svann	-svunno	-svunnit	-svunn/en (-et, -a)
va (ge), *give*	g(iv)er	gav	gåvo	givit	giv/en (-et, -na)
ida, *rub*	gnider	gned	gnedo	gnidit	gnid/en (-et, -na)
ipa, *seize*	griper	grep	grepo	gripit	grip/en (-et, -na)
åta, *cry*	gråter	grät	gräto	gråtit	
, *go*	går	gick	gingo	gått	gång/en (-et, -na)
nna, *have time*	hinner	hann	hunno	hunnit	hunn/en (-et, -a)
ıgga, *cut*	hugger	högg	höggo	huggit	hugg/en (-et, -na)
lla, *hold*	håller	höll	höllo	hållit	håll/en (-et, -na)
iva, *climb*	kliver	klev	klevo	klivit	
yva, *cleave*	klyver	klöv	klövo	kluvit	kluv/en (-et, -na)
ıyta, *tie*	knyter	knöt	knöto	knutit	knut/en (-et, -na)
mma, *come*	kommer	kom	kommo	kommit	kom/men (-met, -na)
ypa, *creep*	kryper	kröp	kröpo	krupit	krup/en (-et, -na)
smile	ler	log	logo	lett	
a, *suffer*	lider	led	ledo	lidit	lid/en (-et, -na)
ga, *lie*	ligger	låg	lågo	legat	
ıga, *lie*	ljuger	ljög	ljögo	ljugit	
a, *let*	låter	lät	läto	låtit	
ga, *curtsy*	niger	neg	nego	nigit	
pa, *pinch*	nyper	nöp	nöpo	nupit	nup/en (-et, -na)
ıta, *enjoy*	njuter	njöt	njöto	njutit	njut/en (-et, -na)
a, *ride*	rider	red	redo	ridit	rid/en (-et, -na)
ına, *run, flow*	rinner	rann	runno	runnit	runn/en (-et, -a)
a, *tear*	river	rev	revo	rivit	riv/en (-et, -na)
a, *roar*	ryter	röt	röto	rutit	
see	ser	såg	sågo	sett	se/dd (-tt, -dda)
ıma (I or IV), *swim*	simmer	sam	summo	summit	
ta, *sit*	sitter	satt	sutto	suttit	
ınga, *sing*	sjunger	sjöng	sjöngo	sjungit	sjung/en (-et, -na)
ınka, *sink*	sjunker	sjönk	sjönko	sjunkit	sjunk/en (-et, -na)
na, *shine*	skiner	sken	skeno	skinit	
uta, *shoot*	skjuter	sköt	sköto	skjutit	skjut/en (-et, -na)
ika, *shriek*	skriker	skrek	skreko	skrikit	

INFINITIVE	PRESENT	SIMPLE PAST		SUPINE	PAST PART.
		SING.	LIT. PL.		
skriva, *write*	skriver	skrev	skrevo	skrivit	skriv/en (-et, -na)
skryta, *boast*	skryter	skröt	skröto	skrutit	skrut/en (-et, -na)
skära, *cut*	skär	skar	skuro	skurit	skur/en (-et, -na)
slippa, *escape*	slipper	slapp	sluppo	sluppit	
slita, *tear*	sliter	slet	sleto	slitit	slit/en (-et, -na)
sluta, *conclude*	sluter	slöt	slöto	slutit	slut/en (-et, -na)
slå, *strike*	slår	slog	slogo	slagit	slag/en (-et, -na)
smyga, *sneak*	smyger	smög	smögo	smugit	
snyta, *blow the nose*	snyter	snöt	snöto	snutit	snut/en (-et -na)
sova, *sleep*	sover	sov	sovo	sovit	
spricka, *burst*	spricker	sprack	sprucko	spruckit	spruck/en (-et, -na
sprida, *spread*	sprider	spred	spredo	spritt	spri/dd (-tt, -dda)
springa, *run*	springer	sprang	sprungo	sprungit	sprung/en (-et, -na
sticka, *stick*	sticker	stack	stucko	stuckit	stuck/en (-et, -na)
stiga, *rise*	stiger	steg	stego	stigit	stig/en (-et, -na)
stjäla, *steal*	stjäl	stal	stulo	stulit	stul/en (-et, -na)
stryka, *stroke*	stryker	strök	ströko	strukit	struk/en (-et, -na)
stå, *stand*	står	stod	stodo	stått	-stå/dd (-tt, -dda)[1]
svika, *fail*	sviker	svek	sveko	svikit	svik/en (-et, -na)
svär(j)a, *swear*	svär	svor	svuro	svurit	svur/en (-et, -na)
ta(ga), *take*	ta(ge)r	tog	togo	tagit	tag/en (-et, -na)
tiga, *be silent*	tiger	teg	tego	tegat	
tjuta, *howl*	tjuter	tjöt	tjöto	tjutit	
vika, *give way*	viker	vek	veko	vikit	vik/en (-et, -na)
vinna, *win*	vinner	vann	vunno	vunnit	vunn/en (-et, -a)
vrida, *twist*	vrider	vred	vredo	vridit	vrid/en (-et, -na)
äta, *eat*	äter	åt	åto	ätit	ät/en (-et, -na)

[1] Used in compound forms, such as *förstådd, förstått, förstådda* (understood

SWEDISH–ENGLISH

Nouns are entered:

flick/a (-an, -or), girl
hus (-et, —), house
man (-nen, män), man

Whether a noun is neuter or non-neuter can be detected by its postpositive definite article (the first entry within the parentheses). The second entry within the parentheses is the plural ending which is added to the indefinite singular noun or that part of it preceding /. If the indefinite plural differs from the singular, the whole plural form is given.

The sign (—) means that the form represented is identical with the first form in the entry.

Adjectives are entered:

stor (-t, -a), large, big, great
vack/er (-ert, -ra), pretty

The first form is the non-neuter indefinite singular; the second, the neuter indefinite singular; and the third, the definite and plural form. The ending of the second and the third forms (given within the parentheses) are to be added to the non-neuter form or to that part of it which precedes /. The *-a* or *-e* forms of adjectives having the major stress on the first syllable have the grave accent.

Weak verbs are listed:

kall/a (-ade, -at), call
tro (-dde, -tt), believe

The first form is the infinitive without its sign (*att*). The second entry is the ending of the simple past tense; the third entry is the ending of the supine.

Strong verbs are entered:

se (såg; sågo; sett), see

The first entry is the infinitive; the second, the past tense; the third, the literary plural past tense; and the fourth, the supine. For the past participles, see the appendix.

For a list of abbreviations, see Lesson VI.

The numbers following entries refer to sections.

A

aderton, eighteen [ɑ·dəʈən‘; coll. ɑ·ʈən‘]
adertonde, eighteenth [ɑ·dəʈəndə‘; coll. ɑ·ʈəndə‘]
adjö, good-bye [adjø: ; coll. ajø:]
aldrig, never [al·drig‘; coll. al·(d)ri‘]
all (-t, -a), all [al: ; al:t; al·a‘]. 89.
alldeles, entirely, quite [al·de‘ləs]
allra, of all, (the) very [al·ra‘]. 62.
alls, at all [al:s]
  ingen alls, no one at all
  inte alls, not at all
  intet alls, nothing at all
allt, surely, no doubt [al:t] See **all (-t, -a).** 66.
alltid, always [al·ti‘d; coll. al·ti‘]
allting, everything [al:tiŋ]. 88.
amerikan (-en, -er), American [ame′rikɑ:n]
amerikansk (-t, -a), American [ame′rikɑ:nsk]
andra, other(s) [an·dra‘]. See **annan.**
andr/a (-e), second. 82.
annan (annat, andra), other, another (a different one), else [an·an‘]. 89.
  annat än, other than
annars, otherwise [an·aʃ‘]
ansikte (-t, -n), face [an·sik‘tə]
  i ansiktet. See Lesson XVI, first footnote.
antingen . . . eller . . ., either . . . or . . . [an·tiŋən‘ . . . äl:ər . . .]
april, April [april:]
arbet/a (-ade, -at), work [ar·be‘ta]
arbete (-t, -n), work [ar·be‘tə]
arm (-en, -ar), arm [ar:m; ar·mar‘]
att (conj.), that [at:]
att (sign of the inf.), to [at: ; coll. å:]
augusti, August [augus:ti]
av, of, from, by, off [ɑ:v; coll. å:v *or* å:]
av/bryta (-bröt; -bröto; -brutit), interrupt [ɑ·v/bry‘ta; -brø‘t; -brɯ‘tit]
avgå, leave, depart [ɑ·vgå‘]. See **gå.**

B

badrum (-met, —), bathroom [bɑ·drum‘]. 19.
bara, only [bɑ·ra‘]
barn (-et, —), child [bɑ:ɳ]
be. See **bedja.**
bedja or **be (bad; bådo; bett),** pray, ask (for a favor) [be·dja‘; be: ; bɑ:d; bå·dω‘; bet:]
begripa (begrep; begrepo; begripit), understand [begri:pa; begre:p; begre:pω; begri:pit]
behålla (behöll; behöllo; behållit), keep [behɔl:a; behöl: ; behöl:ω; behɔl:it]
behöv/a (-de, -t), need [behø:va]. 18.
ben (-et, —), leg, bone [be:n]
berg (-et, —), mountain [bær:j]. 14.
bero (-dde, -tt), depend [berω:]
berätt/a (-ade, -at), tell (a story) [berät:a]
besök/a (-te, -t), visit [besø:ka]
betal/a (-ade, -at), pay [betɑ:la]
betrakt/a (-ade, -at), watch, consider [betrak:ta]
bety/da (-dde, -tt), mean, signify [bety:da]. 4.
betyg (-et, —), grade [bety:g]
bibliotek (-et, —), library [bib′liωte:k]
bil (-en, -ar), car, automobile [bi:l; bi·lar‘]

biograf (**-en, -er**), movie theater [bi′ɔgrɑ:f]
gå på bio [bi:ω], attend the movies
bjuda (**bjöd; bjödo; bjudit**), invite [bjɯ·da‘; bjø:d; bjø·dω‘; bjɯ·dit‘]
bjuda på, offer, treat
bli. See **bliva.**
bliva or **bli,** coll. (**blev; blevo; blivit;** pres. **bliver,** coll. **blir**), become [bli·va‘; bli:]
bli av med, to get rid of
bli kvar, remain
blomm/a (**-an, -or**), flower [blωm·a‘]
bo (**-dde, -tt**), live (dwell) [bω:]. 4.
bok (**-en, böcker**), book [bω:k; bök:ər]. 35.
bonde (**-n, bönder**), farmer [bωn·də‘; bön:dər]. 35.
bord (**-et, —**), table [bω:ḍ]
bort, away [bɔṭ:]. 65.
borta, away [bɔṭ·a‘]. 65.
bott/en (**-nen, -nar**), bottom [bɔt:ən; bɔt·nar‘]
i bottnen på, on the bottom of
bra (inv.), good, fine, well [brɑ:]
bredvid, beside, alongside of (bredvi:d; coll. breve:]
brev (**-et, —**), letter [bre:v]
broder (**-n, bröder**), brother [brω·dər‘; brø:dər]. 37(c).
bror (**brodern**), brother [brω:r]. See **broder.** 37(c).
bruk/a (**-ade, -at**), use (to) [brɯ·ka‘]
bryta (**bröt; bröto; brutit**), break [bry·ta‘; brø:t; brø·tω‘; brɯ·tit‘]
bryta av, break off
brå/s på (**-ddes på, -tts på**), resemble [brå:s; brɔd·əs‘; brɔt:s]. 104.
bråttom [brɔt·ɔm‘]
få bråttom, have to hurry
ha bråttom, be in a hurry
bygg/a (**-de, -t**), build [byg·a‘]
byggnad (**-en, -er**), building [byg·nad‘]
båda (primarily formal), both [bå·da‘]
både . . . och . . ., both . . . and . . . [bå·də‘ . . . ɔk: (coll. å:) . . .]
båt (**-en, -ar**), boat [bå:t; bå·tar‘]
bägge, both [bäg·ə‘]
bänk (**-en, -ar**), bench [bäŋ:k; bäŋ·kar‘]
bära (**bar; buro; burit**), carry [bæ·ra‘; bɑ:r; bɯ·rω‘; bɯ·rit‘]
bäst (**-a, -e**), best [bäs:t]. 61, 67.
bättre, better [bät:rə]. 61, 67.
böra (**borde; bort**), ought to [bœ·ra‘; bω·ḍə‘; bω:ṭ]. 95, 96.
börj/a (**-ade, -at**), begin [bœr·ja‘]
en början (inv. sg.), beginning [bœr·jan‘]
i början av (**på**), at the beginning of

D

dag (**-en, -ar**), day (coll. **da, dan, dar**) [dɑ:g; dɑ·gar‘; coll. dɑ: ; dɑ:r]
i dag, today
dags [dak:s]. 84.
Hur dags är det? What time is it?
dans/a (**-ade, -at**), dance [dan·sa‘]
datum, date [dɑ·tum‘]
de, they [de: ; coll. di:]
de, those [de: ; coll. di:]. See **den.**
de där (coll.), those [de′ dæ:r]

de här (coll.), these [de′ hæ:r]
december, December [desäm:bər]
del (-en, -ar), part [de:l; de·lar‘]
For use in fractions, see 83.
dem, them [däm: ; coll. dɔm:]
den, it [dän:]. 72.
den, that [dän:]
den (det, de), the (def. article)
den där (coll.), that (one) [dän′ dæ:r]
den här (coll.), this (one) [dän′ hæ:r]
denn/a (-e), this [dän·a‘]
densamm/a (-e) (pron.), the same one [dän′sam·a‘]
deras, their(s) [de·ras‘]
desamma (pron.), the same ones [de′sam·a‘]
dess, its [däs:]
dessa, these [däs·a‘]
dessutom, besides (that) [däsɯ·tɔm‘]
det, it, that [dä:t; coll. dä: *or* de:]. 26, 76.
det där (coll.), that (one) [dä′(t) dæ:r]
det här (coll.), this (one) [dä′(t) hæ:r]
detsamma (pron.), the same one [dä′(t)sam·a‘]
i detsamma, just then
med detsamma, at once
detta, this [dät·a‘]
dig (familiar), you [di:g; coll. däj:]. 27(c), 58.
din (ditt, dina), your(s) (familiar) [din: ; dit: ; di·na‘]. 27(c), 68.
dit, there, over there [di:t]. 65.
djur (-et, —), animal [jɯ:r]
doktor (-n, doktorer), doctor [dɔk:tɔr; dɔktω:rər]. 30(b).
dotter (-n, döttrar), daughter [dɔt·ər‘; döt·rar‘]. 33(b).
dricka (drack; drucko; druckit), drink [drik·a‘; drak: ; druk·ω‘; druk·it‘]
dröj/a (-de, -t), take time, delay [dröj·a‘]
dröm/ma (-de, -t), dream [dröm·a‘]. 19.
du, you (familiar) [dɯ:]. 27(c).
duktig (-t, -a), fine, able [duk·tig‘]. 20.
dum (-t, -ma), stupid [dum:]. 19.
dussin (-et, —), dozen [dus·in‘]
dussintals (adv.), dozens of [dus·intɑ‘ls]. 80(a).
då (conj.), when [då:]
då (adv.), then [då:]
då och då, now and then
då, certainly [då:]. 66.
dålig (-t, -a), poor (in quality, health), bad [då·lig‘; coll. då·li‘]. 61, 20.
dåligt, poorly [då·lik‘t; coll. då·lit‘]. See **sämre, sämst.** 20, 61, 67.
där, where [dæ:r]
där, there (in that place) [dæ:r]. 65.
därefter (primarily formal), after that [dæ:räftər]. 64(c).
därför, therefore, for that reason [dær:fœr]. 64(c).
därmed, therewith, by (with) that [dær:mäd]. 64(c).
därom (primarily formal), about that [dæ:rɔm]. 64(c).
därpå, thereupon, upon (after) that [dær:på]. 64(c).
dö (dog; dogo; dött), die [dø: dω:g; dω·gω‘; döt:]
dörr (-en, -ar), door [dœr: ; dœr·ar‘]

E

eder (formal sg.), **you** [e:dər]. 72.
ed/er (**-ert, -ra**), your(s) (formal adj., pron.) [e:dər; e:dəṭ; e·dra‘]. 68(d).
efter, after [äf·tər‘]
eftermiddag (**-en, -ar**), afternoon [äf·tərmid‘a(g)]
i eftermiddag, this afternoon
på eftermiddagen, in the afternoon
eg/en (**-et, -na**), own [e·gən‘] Note **min egen son!**
elev (**-en, -er**), pupil [ele:v]
eller, or [äl:ər]
elva, eleven [äl·va‘]
elvte, eleventh [äl·ftə‘]
emedan, because [eme·dan‘]
emot, against, toward [emω:t]
en (nn.), one, a, an [en:]
en/a (**-e**), (the) one [e·na‘]. 89.
engelska (**-n**), English (the language) [äŋ:əlska]
på engelska, in English
ens, one's. See **man.** 88.
er (coll. sg.), you [e:r]
er (coll. pl.), you [e:r]. 72.
er (**-t, -a**), your(s) (coll. adj., pron.) [e:r; e:ṭ; e·ra‘]. 68.
ett (n.), one, a, an [et:]
en examen (pl. **examina**), examination [äksɑ·mən‘; äksɑ·mina‘]
exemp/el (**-let,-el**), example [äksäm:pəl]. 30(c).
till exempel, for example

F

fader (**-n, fäder**), father [fɑ·dər‘; fä:dər]. 37(c).
fall (**-et, —**), case, fall [fal:]
i fall, if, in case
i alla fall, in any case, at any event
falla (**föll; föllo; fallit**), fall [fal·a‘; föl: ; föl·ω‘; fal·it‘]
familj (**-en, -er**), family [famil:j]
far, father. See **fader.** [fɑ:r]
fara (**for; foro; farit**), fare, go [fɑ·ra‘; fω:r; fω·rω‘; fɑ·rit‘]
farbror (**farbrodern**), paternal uncle [far·brωr‘]. See **broder.**
farfar (**farfadern**), paternal grandfather [far·far‘]. See **fader.**
farmor (**farmodern**), paternal grandmother [far·mωr‘]. See **moder.**
fast (conj.), although [fas:t]
fastn/a (**-ade, -at**), stick [fas·tna‘]
fatt/as (**-ades, -ats**), lack [fat·as‘]. 104.
fattig (**-t, -a**), poor. [fat·ig‘] 20.
februari, February [fe′brɯɑ:ri]
fem, five [fäm:]
femte, fifth [fäm·tə‘]
femti(o), fifty [fäm:tiω; coll. fäm:ti]
femtionde, fiftieth [fäm·tiəndə‘]
femton, fifteen [fäm·tən‘]
femtonde, fifteenth [fäm·təndə‘]
ferier (pl.), vacation (from school) [fe:riər]
fin (**-t, -a**), fine, nice [fi:n]
fing/er (**-ret, -rar**), finger [fiŋ:ər; fiŋ·rar‘]
finna (**fann; funno; funnit**), find [fin·a‘; fan: ; fun·ω‘; fun·it‘]
finnas, be found. 76(e).
fir/a (**-ade, -at**), celebrate [fi·ra‘]
fisk (**-en, -ar**), fish [fis:k; fis·kar‘]
fjorton, fourteen [fjω·ṭən‘]
fjortonde, fourteenth [fjω·ṭəndə‘]

fjärde, fourth [fjæ·ḍə']
flera, more, several [fle·ra']. 89.
flesta, most, majority [fläs·ta']. 89.
flick/a (-an, -or), girl [flik·a']
flitig (-t, -a), diligent, industrious [fli·tig'; coll. fli·ti']. 20.
  flitigt, diligently
flyga (flög; flögo; flugit), fly [fly·ga'; flø:g; flø·gω'; flɯ·git']
flyta (flöt; flöto; flutit), flow [fly·ta'; flø:t; flø·tω'; flɯ·tit']
flytande (inv.), fluent; fluently [fly·tandə']
flytt/a (-ade, -at), move [flyt·a']
folk (-et, —), people [fɔl:k]
fort, quickly, soon [fω:ṭ]
fot (-en, fötter), foot [fω:t; föt:ər]. 35.
fram, forward, on [fram:]. 65.
framme, there, at destination [fram·ə']. 65.
fredag (-en, -ar), Friday [fre:dɑg; coll. fre:da]. 85.
  i fredags, last Friday
  om fredag, next Friday
  om fredag kväll, next Friday evening
fri (-tt, -a), free [fri:]
frisk (-t, -a), fresh, healthy [fris:k]
fru, Mrs. [frɯ:]
fru (-n, -ar), lady [frɯ: ; frɯ·ar']
fråg/a (-an, -or), question [frå·ga']
fråg/a (-ade, -at), ask (a question) [frå·ga']
från, from [frɔn:]
fröken (—, fröknar), young woman [frø:kən]. 33(d).
  fröken Lund, Miss Lund
  fröknarna Lund, the Misses Lund
ful (-t, -a), ugly [fɯ:l]
full (-t, -a), full [ful:]
fyll/a (-de, -t), fill [fyl·a']
  fylla . . . år . . ., become . . . years old, have a birthday
fyra, four [fy·ra']
fyrti(o), forty [fœṭ:iω; coll. fœṭ:i]
fyrtionde, fortieth [fœṭ·iɔndə']
få (fick; fingo; fått), get, receive, may [få: ; fik: ; fiŋ·ω'; fɔt:]. 95, 96.
  få lov, get permission, have to
få, few [få:]. 89.
  några få, a few
fåg/el (-eln, -lar), bird [få:gəl]. 30(a).
färdig (-t, -a), ready [fæ·ḍig']. 20.
födas (föddes, fötts), be born [fø·das']
fö/dd (-tt, -dda), born [föd:]
  är född, was born
föddes, was born [föd·əs']
födelsedag (-en, -ar), birthday [fø·dəlsədɑ'(g)]
följ/a (-de, -t), follow [föl·ja']
följande (inv.), following [föl·jandə']
följa med, accompany. See **följa.**
fönst/er (-ret, -er, fönstren), window [fön:stər]. 30(a).
för (adv.), too [fœ:r]
  för mycket, too much, too many
för (conj.), for [fœ:r]
för (prep.), for [fœ:r]
  för länge sedan, a long time ago
för att, in order to [fœ:r at: (coll å:)]
förbi, past, by [fœrbi:]
  gå förbi, pass by
före (prep.), before, to [fœ·rə']
förlid/en (-et, -na), last [fœḷi:dən
förlor/a (-ade, -at), lose [fœḷω:ra

förmiddag (**-en, -ar**), forenoon [fœ·rmid‘a(g)]
i förmiddag, this forenoon
på förmiddagen, in the forenoon
förr, formerly, before [fœr:]
förr/a (**-e**), (the) former [fœr·a‘]. 69.
förstå (**förstod; förstodo; förstått**), understand [fœʂtå: ; fœʂtω:d; fœʂtω:dω; fœʂtɔt:]
förstås, of course [fœʂtå:s]. 66.
först (adv.), first [fœʂ:t]
försök/a (**-te, -t**), try [fœʂø:ka]
förut, before, previously [fœrɯ:t]
föräldrar (pl.), parents [fœräl:drar]

G

gam/mal (**-malt, -la**), old [gam·al‘]. 19.
gat/a (**-an, -or**), street [gɑ·ta‘]
ge. See **giva.**
genast, at once [je·nas‘t]
gif/ta sig (**-te sig, -t sig**), marry [jif·ta‘]. 58.
giva (**gav; gåvo; givit**), give; coll. **ge** (supine **gett**). 97(d). [ji·va‘; gɑ:v; gå·vω‘; ji·vit‘; je: ; jet:]
glad (**glatt, glada**), glad, happy [glɑ:d; glat: ; glɑ·da‘]. 56(a).
glädja (**gladde; glatt;** pres. **gläder**), please [glä·dja‘; glad·ə‘; glat: ; glä:dər]. 76(d).
glöm/ma (**-de, -t**), forget [glöm·a‘]. 19.
god (**gott, goda**), good [gω:d, coll. gω: ; gɔt: ; gω·da‘]. 56(a).
golv (**-et, —**), floor [gɔl:v]
goss/e (**-en, -ar**), boy [gɔs·ə‘]
gräv/a (**-de, -t**), dig [grä·va‘]
Gud, God [gɯ:d]
gubb/e (**-en, -ar**), old man [gub·ə‘]
gumm/a (**-an, -or**), old woman [gum·a‘]
gå (**gick; gingo; gått**), walk, go [gå: ; jik: ; jiŋ·ω‘; gɔt:]
gå i skolan, go to school
gång (**-en, -er**), time [gɔŋ: ; gɔŋ·ər‘]
en gång, once; **två gånger,** twice
går [gå:r]
i går, yesterday
i går kväll, last evening
gård (**-en, -ar**), yard, farm, estate [gå:ḍ; gå·ḍar‘]
gäll/a (**-de, -t**), concern, be a question of [jäl·a‘]. 76(d).
gärna, willingly [jæ·ṇa‘]. 67.
göm/ma (**-de, -t**), hide, conceal [jöm·a‘]. 19.
göra (**gjorde, gjort,** pr. **gör**), do, make [jœ·ra‘; jω·ḍə‘; jω:ṭ; jœ:r]

H

ha. See **hava.**
en halv, one-half [hal:v]
halv (**-t, -a**), half [hal:v]. See Lesson XVII, footnote 1.
han, he [han:]
hand (**-en, händer**), hand [han:(d); hän:dər]
om händerna. See Lesson XVI, footnote 1. 35.
hans, his [han:s]
hatt (**-en, -ar**), hat [hat: ; hat·ar‘]
hav (**-et, —**), sea, ocean [hɑ:v]
ha(va) (**hade; haft;** pr. **har,** pr. formal **haver**), have [hɑ: ; hɑ·va‘; hɑ·də‘; haf:t]. 48, 53.
ha på sig, wear
hel (**-t, -a**), whole, all the [he:l; he·la‘]. 31.
hela dagen, all day

helgdag (**-en, -ar**), holiday [häl·jdɑ‘(g)]
heller, either [häl:ər]
 inte heller, nor, neither
hellre, rather [häl:rə]. 67.
helst, preferably [häl:st]. 67.
som helst, as you please, at all. 78.
 hur som helst, in any way (at all)
 när som helst, at any time
 vad som helst, anything (at all)
 var som helst, anywhere (at all)
 vem som helst, anyone (at all)
hem (**-met, —**), home [hem:]. 19.
hem (adv.), home [hem:]. 65.
hemma (adv.), at home [hem·a‘]. 65.
henne, her [hän·ə‘]
hennes (poss.), her, hers [hän·əs‘]. 68.
herr, Mr. [hær:]. 22.
herre (**herrn, herrar**), gentleman [hær·ə‘; hæ:n̥; hær·ar‘]
 Herren, the Lord
 min herre, you (polite). 27(c).
heta (**hette, hetat,** pr. **heter**), be named [he·ta‘; het·ə‘; he·tat‘; he:tər]
 jag heter . . ., my name is . . .
hinna (**hann; hunno; hunnit**), reach, have time to [hin·a‘; han: ; hun·ω‘; hun·it‘]
 hinna fram, arrive, get to one's destination in time
histori/a (**-en, -er**), story, anecdote [histω:ria]
hit (adv.), here, over here, to this place [hi:t]. 65.
hitt/a (**-ade, -at**), find [hit·a‘]
 hitta på, hit upon
hjälp/a (**-te, -t**), help [jäl·pa‘]
holm/e (**-en, -ar**), island [hɔl·mə‘]
hon, she [hωn:]
honom, him [hɔn·ɔm‘]
hopp/a (**-ade, -at**), jump [hɔp·a‘]
hopp/as (**-ades, -ats**), hope [hɔp·as‘]. 104.
hos, at, with, at the home of [hω:s *or* hωs:]. 34(d).
hund (**-en, -ar**), dog [hun:(d); hun·dar‘]
hundra (inv.), hundred [hun:dra]
hurdan (**-t, -a**). See **hurudan.**
hurudan (**-t, -a**), what kind of, how; coll. **hurdan** (**-t, -a**) [hɯ·rudan‘; coll. hɯ·d̤an‘]
hus (**-et, —**), house [hɯ:s]
hustru (**-n, -r**), wife [hus·tru‘]
huvud (**-et, —**), head; coll. **huve** (-t, -n) [hɯ·vud‘; coll. hɯ·və‘]
huvudstad (**-en, huvudstäder**), capital [hɯ·vudstɑ‘(d)]
hålla (**höll; höllo; hållit**), hold [hɔl·a‘; höl: ; höl·ω‘; hɔl·it‘]
 hålla på (**att**), keep on, be on the point of. 49.
hår (**-et, —**), hair [hå:r]
häls/a (**-ade, -at**), greet [häl·sa‘]
 hälsa på, visit, greet
hämt/a (**-ade, -at**), get, fetch [häm·ta‘]
hän/da (**-de, -t**), happen [hän·da‘] 44(c).
häng/a (**-de, -t**), hang [häŋ·a‘]
här, here (in this place) [hæ:r]
häst (**-en, -ar**), horse [häs:t; häs·tar‘]
hög (**-t, -a**), high [hø:g; hök:t; hø·ga‘]
höger (def. **högra**), right [hø:gər; hø·gra‘]. 57(a).

högre, higher, louder [hø:grə]
högst (-a, -e), highest, loudest [hök:st]
högt, loudly, aloud [hök:t]
  högre, more loudly, louder
  högst, most loudly, loudest
hör/a (-de, -t), hear [hœ·ra‘]. 44(b).
höst (-en, -ar), autumn, fall [hös:t]. 45.
  i höst, this fall
  i höstas, last fall

I

i, in, of, to [i:]. 84.
  in i, into
  inne i, in, within
ibland, sometimes, occasionally; among (prep.) [iblan:(d)]
icke (formal), not [ik·ə‘]
ifrån, from [ifrå:n]
igen, again [ijän:]
komma ihåg (ihågkomma), remember [kɔm·a ihå‘g]
illa, badly, ill, poorly [il·a‘]. 67.
  må illa, feel (be) poorly, ill
  See **värre, värst.**
in, in [in:]. 65.
  in i, into
ingen (intet, coll. **inget; inga),** no one, none, no [iŋ·ən‘; in·tət‘, iŋ·ət‘; iŋ·a‘]. 89.
ingendera (intetdera, n.), neither (of) [iŋ·əndeʻra]. 89.
ingenting, nothing [iŋ·əntiŋ‘]. 88.
innan, before ,until [in·an‘]
inne, within, inside [in·ə‘]. 65.
  inne i, in, within
inom, within [in·ɔm‘]
inte, not [in·tə‘]
invid, by, next to, near [invi:d; coll. inve:]

J

ja, yes [ja:]
  ja visst, certainly; yes, of course
ja (interjection), well [ja:]
jag, I [jɑ:g, coll. ja:]
januari, January [jan′ɯɑ:ri]
jaså, indeed, really, well [jas·å‘]
jo, well [jω:]
jo, yes (answer to negative question) [jω:]
jord (-en), soil, earth [jω:ḍ]
ju, really, certainly [jɯ:]. 66.
ju . . . dess . . ., the . . . the . . . [jɯ: . . . däs: . . .]. 62.
ju . . . ju . . ., the . . . the . . . [jɯ: . . . jɯ: . . .]. 62.
jul (-en, -ar), Christmas [jɯ:l]
juli, July [jɯ:li]
juni, June [jɯ:ni]

K

kaffe (-t), coffee [kaf·ə‘]
kalas (-et, —), party, feast [kalɑ:s]
kalend/er (-ern, -rar), calendar [kalän:dər]
kall/a (-ade, -at), call [kal·a‘]
kanske, perhaps, maybe [kan·ʃə‘]
karl (-en, -ar), man [kɑ:r; kɑ·rar‘]. 20.
kart/a (-an, -or), map [kɑ·ṭa‘]
kast/a (-ade, -at), throw [kas·ta‘]
klar (-t, -a), clear [klɑ:r]
klass (-en, -er), class [klas: ; klas·ər‘]
klassrum (-met, —), classroom [klas·rum‘]. 19.

klock/a (**-an, -or**), clock, watch, o'clock [klɔk·a‘]. 84.

klok (**-t, -a**), wise, clever [klω:k]

knack/a (**-ade, -at**), knock [knak·a‘]

knä (**-t** *or* **-et, -n**), knee [knä:]

kok/a (**-ade, -at**), cook [kω·ka‘]

komma (**kom; kommo; kommit**), come [kɔm·a‘; kɔm: ; kɔm·ω‘; kɔm·it‘; kɔm:ər]. 52(b).
komma ihåg, remember

konung (**-en, -ar**), king [kå·nuŋ‘]. See **kung.**

kopp (**-en, -ar**), cup [kɔp: ; kɔp·ar‘]

kort (**—, -a**), short [kɔṭ:]

kost/a (**-ade, -at**), cost [kɔs·ta‘]

kron/a (**-an, -or**), crown (coin, about 25 cents) [krω·na‘]

kropp (**-en, -ar**), body [krɔp: ; krɔp·ar‘]

kung (**-en, -ar**), king (coll.) [kuŋ: ; kuŋ·ar‘]

kunna (**kunde, kunnat**, pres. **kan**), be able to, can [kun·a‘; kun·də‘ (coll. kun·ə‘); kun·at‘; kan:]. 95, 96.

kvar (adv.), remaining, left, over [kvɑ:r]

kvart (**-en, —**), quarter (of an hour) [kvaṭ:]. 84.

kvinn/a (**-an, -or**), woman [kvin·a‘]

kväll (**-en, -ar**), evening [kväl:]
i kväll, this evening
om kvällarna, in the evenings
om (**på**) **kvällen,** in the evening

kyrk/a (**-an, -or**), church [çyr·ka‘; coll. çœr·ka‘]

kän/na (**-de, -t**), know (people), feel [çän·a‘]. 44(e), 19.
känna igen (**igenkänna**), recognize. See **känna.**

kär (**-t, -a**), dear [çæ:r]

kök (**-et, —**), kitchen [çø:k]

köp/a (**-te, -t**), buy [çø·pa‘; çø·ptə‘ (coll. çöp·tə‘)]
kör/a (**-de, -t**), drive [çœ·ra‘]. 44(b).

L

lag/a (**-ade, -at**), mend, repair, prepare (food) [lɑ·ga‘]

land (**-et, länder**), country, land [lan:d; län:dər]. 35.
på landet, in the country

landskap (**-et, —**), province [lan·dskɑ‘p]

lat (**lat; lata**), lazy [lɑ:t]. 56(d).

leds/en (**-et, -na**), sad [led·sən‘; coll. les·ən‘]. 56(e).

lek/a (**-te, -t**), play (games) [le·ka‘]

lev/a (**-de, -t**), live (exist) [le·va‘]

ligga (**låg; lågo; legat**), lie [lig·a‘; lå:g; lå·gω‘; le·gat‘]
ligga vid universitetet, attend the university

lika . . . som . . ., just . . . as . . . [li·ka‘ . . . sɔm: . . .]. 62.

likaså . . . som . . ., just . . . as . . . [li·kaså‘ . . . sɔm: . . .]. 62.

lilla. See **liten.**

lit/a på (**-ade på, -at på**), depend on [li·ta‘ på:]

liten (**litet; små;** def. sg. **lilla, lille**), little, small [li·tən‘; li·tət‘; små: ; lil·a‘]. 57(e).

litet (**lite**), a little, some, somewhat [li·tət‘; li·tə‘]

liv (**-et**), life [li:v]
ta livet av, kill

ljudfilm (**-en, -er**), talkie [jɯ·dfil‘m]

ljuga (ljög; ljögo; ljugit), lie (tell a falsehood) [jɯ·ga'; jø:g; jø·gω'; jɯ·git']

ljus (-et, —), light [jɯ:s]

ljus (-t, -a), light (color) [jɯ:s]

lov (-et), permission [lå:v]. 94, 95.
  få lov, get permission, have to

lov/a (-ade, -at), promise [lå·va']

lugn (-t, -a), calm [luŋ:n; luŋ:t; luŋ·na']. 13.

lyck/a (-n), fortune, luck, happiness [lyk·a']

lyck/as (-ades, -ats), succeed [lyk·as']. 104.

lycklig (-t, -a), fortunate, happy [lyk·lig']. 20.

lyssn/a (-ade, -at), listen [lys·na']

låg (-t, -a), low [lå:g; lɔk:t; lå·ga']. 18.

lång (-t, -a), long, tall [lɔŋ:]

långt (adv.), far [lɔŋ:t]
  längre, farther
  längst (-a), farthest

låta (lät; läto; låtit), let, permit, cause [lå·ta'; lä:t; lä·tω'; lå·tit']. 95.
  låt(om) oss, let us. 54.

låts/a (-ade, -at), pretend [lɔt·sa'; coll. lɔs·a']

lägga (lade, lagt), lay, place 51. [läg·a'; lɑ·də', coll. lɑ: ; lak:t]
  lägga sig, lie down. 58.

lägre, lower [lä:grə]

lägst, lowest [lä:gst]

lämn/a (-ade, -at), leave [läm·na']

länge, for a long time [läŋ·ə']
  Comparative: **längre**
  Superlative: **längst (-a)**

längre, longer, taller, farther [läŋ:rə]

längst (-a, -e), longest, tallest (adj.), farthest

läpp (-en, -ar), lip [läp: ; läp·ar']

lär (pr. only), is likely [læ:r]. 94, 96.

lär/a sig (-de sig, -t sig), learn; **lära,** teach [læ·ra'; læ·ḍə'; læ:ṭ]. 44(b).
  lär/d (-t, -da), learned

lärare (-n, —, lärarna), teacher (man) [læ·rarə']
  lärare i, teacher of

lärarinn/a (-an, -or), teacher (woman) [læ'rarin·a']

läs/a (-te, -t), read, study [lä·sa']

lätt (lätt, lätta), easy, light [lät:]. 56(d).

läx/a (-an, -or), lesson [läk·sa']

lördag (-en, -ar), Saturday [lœ:ḍɑg; coll. lœ:ḍa]
  i lördags, last Saturday
  om lördag, next Saturday

M

maj, May [maj:]

mamm/a (-an, -or), mama [mam·a']

man (-nen, män, männen), man, husband [man: ; män:]. 19, 37(c).

man (pron.), one, you, they, we, people [man:]. **Obj.: en,** one [en:]. Poss.: **ens.** See **sig.** 88.

mars, March [maʃ:]

mat (-en), food [mɑ:t]

matsal (-en, -ar), dining room [mɑ·tsɑ'l]

med, with, along [mä:d; coll. mä:]

med (coll.), too [mä:(d)]

medan (conj.), while [me·dan']

mellan, between, among [mäl·an']

men, but [män:]

mer(a), more (adv.) [me:r; me·ra‘]
mest (adv.), most [mäs:t]
met/a (-ade, -at), fish [me·ta‘]
midsommar (-n or **-en),** midsummer [mid:sɔmar; coll. mis:ɔmar]
mig, me [mi:g; coll. mäj:]. 58, 72.
mil (-en, —), mile [mi:l]
miljon (-en, -er), million [miljω:n]
min (mitt; mina), my, mine [min: ; mit: ; mi·na‘]
min herre, you (polite)
mindre, smaller, less [min:drə]. 61, 62.
mindre . . . än . . ., less . . . than . . .
min/nas (-des, -ts; minns, pres.), remember [min·as‘]. 104.
minst (-a, -e), smallest, least [min:st]. 61.
minut (-en, -er), minute [minɯ:t]
mitt i, in the middle of [mit:]. 85.
i mitten av (på), in the middle of
moder (-n, mödrar), mother [mω·dər‘]. 33(b).
mor (modern), mother [mω:r]. See **moder.**
morfar (morfadern), maternal grandfather [mωr·far‘]
morg/on (-onen, -nar), morning [mɔr·gɔn‘; mɔr·gnar‘; coll. mɔr·ɔn‘; må·ṇar‘]
i morgon, tomorrow
om morgnarna, in the mornings
på morgonen, in the morning
mormor (mormodern), maternal grandmother [mωr·mωr‘]
morse [mɔʃ·ə‘]
i morse, this morning
most/er (-ern, -rar), maternal aunt [mωs:tər; mωs·trar‘]
mot, toward, against [mω:t]
mun (-nen, -nar), mouth [mun: ; mun·ar‘]. 19.
mycket (coll. **mycke**), much [myk·ət‘; coll. myk·ə‘]
för mycket, too much, too many
må (-tte), may, must [må: ; mɔt·ə‘]. 95, 96.
må (-dde, -tt), be, feel (well, ill) [må: ; mɔd·ə‘; mɔt:]
måg (-en, -ar), son-in-law [må:g; må·gar‘]
månad (-en, -er), month [må·nad‘; må·nadər‘ (coll. må·nar‘]
måndag (-en, -ar), Monday [mɔn:dɑg; coll. mɔn:da]. 85.
i måndags, last Monday
om måndag, next Monday
om måndag kväll, next Monday evening
mång/en (-et, -a), many (a) [mɔŋ·ən‘]. 89.
måste (pres. and past; supine **måst**), must, have (had) to, shall have [mɔs·tə‘; mɔs:t]. 95, 96.
människ/a (-an, -or), human being, person [män·iʃa‘; coll. män·ʃa‘]
märk/a (-te, -t), notice [mær·ka‘]
möjlig (-t, -a), possible [möj·lig‘]. 20.
möt/a (-te, -t), meet [mø·ta‘; möt·ə‘; möt:]

N

namn (-et, —), name [nam:n]
natt (-en, nätter), night [nat: ; nät:ər]. 35.
i natt, tonight
naturligtvis, naturally, of course [natɯ·ḷi(g)tvi‘s]. 18, 20.

ned (coll. **ner**), down [ne:d; ne:r]. 65.

nej, no [näj:]

ner (coll.), down [ne:r]. 65.

nere, down, below [ne·rə']. 65.

ni, you (formal sg., and pl.), [ni:] 27(c).

nio, nine [ni·ω'; coll. ni·ə']

nionde, ninth [ni·ɔndə']

nitti(o), ninety [nit:iω; coll. nit:i]

nittionde, ninetieth [nit·iɔndə']

nitton, nineteen [nit·ɔn']

nittonde, nineteenth [nit·ɔndə']

nog (adv.), undoubtedly [nω:g]. 66.

noga, carefully [nω·ga']

noll, zero [nɔl:]

norr, north [nɔr:]

  i norr, to the north

  norr om, north of

norra (def. adj.), northern [nɔr·a']. See Lesson XVII, footnote 1.

november, November [nωväm:bər]

nu, now [nɯ:]

ny (**-tt, -a**), new [ny: ; nyt: ; ny·a']. 56(b).

nyss, recently [nys:]

nytt/a (**-n**), use [nyt·a']

nyår (**-et**), New Year [ny·å'r]

någ/on (**-ot, några**), some, some one, something [nå·gɔn']. 89.

någondera (**någotdera**, n.), either (of two) [nå·gɔnde'ra]. 89.

någonsin (coll. **nånsin**), ever [nå·gɔnsin'; nɔn·sin']

någonting, something, anything [nå·gɔntiŋ']. 88.

några. See **någon.**

när, when [næ:r]

nära (inv.), near, close to [næ·ra']. 61.

närhet (**-en**), neighborhood [næ·rhe't]

  i närheten av, in the neighborhood of

närmare, nearer, closer [nær·marə']. 61.

närmast (**-e**), nearest, closest [nær·mast']. 61.

näs/a (**-an, -or**), nose [nä·sa']

näst (def., pl. **nästa**), next [näs:t]. 31.

O

och, and [ɔk:, coll. å:]

också, also [ɔk·så']

ofta, often [ɔf·ta']. 67.

oktober, October [oktω:bər]

om (conj.), if [ɔm:]

  som om, as if

om (prep.), about, during, on, in [ɔm:]

omkring, round, about, around [ɔmkriŋ:]

omtala (**tala om**), relate, tell. See **tala.**

omöjlig (**-t, -a**), impossible

  omöjligt (adv.), not possibly [ω·möj'li(g)]

on/d (**-t, -da**), angry, evil [ωn:d; ωn:t; ωn·da']. 56(c).

ont [ωn:t]

  göra ont i, hurt, have a pain in 76(d).

  ha ont i, have a pain in, hurt

onsdag (**-en, -ar**), Wednesday [ω:nsdɑg; coll. ω:nsta]. 85.

opp (coll.), up [ɔp:]. 65.

oppe (coll.), up, above [ɔp·ə']. 65.

oss, us [ɔs:]. 72.

P

papp/a (-an, -or), papa [pap·a‘]
par (-et, —), pair, couple [pɑ:r]
park (-en, -er), park [par:k; par·kər‘]
pengar (pl.), money [päŋ:ar]
penn/a (-an, -or), pen [pän·a‘]
person (-en, -er), person [pæʃω:n]
plock/a (-ade, -at), pick, gather [plɔk·a‘]
plötsligt, suddenly [plöt·sli(g)t‘]. 18, 20.
pojk/e (-en, -ar), boy [poj:kə; poj·kar‘]
prat/a (-ade, -at), chat [prɑ·ta‘]
precis, exactly [presi:s]
prinsess/a (-an, -or), princess [prinsäs·a‘]
pris (-et, —), prize, price [pri:s]
professor (-n, -er), professor [prωfäs·ɔr‘; prω′fäsω:rər]. 30(b).
  professor i, professor of
punkt (-en, -er), point [puŋ:kt]
på, on, in, at, to, of, during [på:]
påsk (-en), Easter [pɔs:k]

R

reda [re·da‘]
  ha reda på, know (about). See **hava.**
red/a sig (-de sig; rett sig), get along (on), manage [re·da‘]
redan, already [re·dan‘]
regn/a (-ade, -at), rain [räŋ·na‘] 76(d).
res/a (-te, -t), travel, go [re·sa‘]
rik (-t, -a), rich [ri:k]
rike (-t, -n), nation [ri·kə‘]
riktig (-t, -a), real [rik·tig‘]. 20.
riktigt, really [rik·tigt‘]. 18, 20.
  riktigt gott, heartily
rolig (-t, -a), pleasant [rω·lig‘; coll. rω·li‘]. 20.
  ha roligt, have fun, a good time
  vara roligt, be pleasant, amusing
rop/a (-ade, -at), call, shout [rω·pa‘]
rum (-met, —), room [rum:]. 20.
rygg (-en, -ar), back [ryg: ; ryg·ar‘]
råd (-et, —), counsel, advice [rå:d]
rädd (—, -a), afraid [räd:]
  vara rädd för, be afraid of
rädd/a (-ade, -at), rescue, save [räd·a‘]
räkn/a (-ade, -at), count [rä·kna‘]
röd (rött, röda), red [rø:d; röt: ; rø·da‘]

S

sade. See **säga.**
sag/a (-an, -or), saga, story [sɑ·ga‘]
sak (-en, -er), thing [sɑ:k; sɑ·kər‘]
sal (-en, -ar), living room [sɑ:l; sɑ·lar‘]
samm/a (-e), the same (one) [sam·a‘]. 69.
san/n (-t, -na), true [san:]
sanning (-en, -ar), truth [san·iŋ‘]
sats (-en, -er), sentence [sat:s; sat·sər‘]
se (såg; sågo; sett), see [se: ; så:g; så·gω‘; set:]
  se ut, look (like)
  få se, get to see, catch sight of
  se på, look at
sedan (conj. and prep.), since [se·dan‘]
sedan (coll. **sen**), afterwards, after that [se·dan‘; se:n]
sedan (sen), ago [se·dan‘; coll. se:n]
  för länge sedan, a long time ago
  för ett år sedan, a year ago

sen. See **sedan.**

sen (-t, -a), late [se:n]

senare (inv.), (the) latter; later [se·narə‘]

september, September [säptäm:bər]

sex, six [säk:s]

sexti(o), sixty [säk:stiω; coll. säk:sti]

sextionde, sixtieth [säk·stiɔndə‘]

sexton, sixteen [säk·stɔn‘]

sextonde, sixteenth [säk·stɔndə‘]

sid/a (-an, -or), side [si·da‘]

sig (inv.), himself, herself, oneself, themselves [si:g; coll. säj:]. 58.

simm/a (-ade, -at), swim [sim·a‘]

sin (sitt, sina,) his, her(s), its, their(s) [sin: ; sit: ; si·na‘]. 68(c).

sist (—, -a), last [sis:t]

till sist, at last

sitta (satt; sutto; suttit), sit [sit·a‘; sat: ; sut·ω‘; sut·it‘]

sitta kvar, remain (sitting)

bli sittande, remain sitting

sju, seven [ʃɯ:]

sjuk (-t, -a), sick [ʃɯ:k]

sjunde, seventh [ʃun·də‘]

sjunga (sjöng; sjöngo; sjungit), sing [ʃuŋ·a‘; ʃöŋ: ; ʃöŋ·ω‘; ʃuŋ·it‘]

sjutti(o), seventy [ʃut:iω; coll. ʃut:i]

sjuttionde, seventieth [ʃut·iɔndə‘]

sjutton, seventeen [ʃut·ɔn‘]

sjuttonde, seventeenth [ʃut·ɔndə‘]

själv (-t, -a), myself, yourself, etc. [ʃäl:v; ʃäl:vt; ʃäl·va‘]. 74.

sjätte, sixth [ʃät·ə‘]

sjö (-n, -ar), lake [ʃø: ; ʃø·ar‘]

ska (coll.). See **skola.**

skall. See **skola.**

skandinavisk (-t, -a), Scandinavian [skan′dinɑ:visk]

ske (-dde, -tt), happen [ʃe: ; ʃed·ə‘]

skog (-en, -ar), forest, wood [skω:g; skω·gar‘]

skol/a (-an, -or), school [skω·la‘]

gå i skolan, go to school

skola (skulle; skolat; pres. **skall** *or* **ska),** will, shall, am going to [skω·la‘; skul·ə‘; skω·lat‘; skal: ; skɑ:]. 95, 96; 52(b).

skratt/a (-ade, -at), laugh [skrat·a‘]

skrika (skrek; skreko; skrikit), scream, yell [skri·ka‘; skre:k; skre·kω‘; skri·kit‘]

skriva (skrev; skrevo; skrivit), write [skri·va‘; skre:v; skre·vω‘; skri·vit‘]

skulle, would, should [skul·ə‘]. See **skola.**

skynd/a (-ade, -at), hurry [ʃyn·da‘]

skynda sig, hurry

slag (-et, —), stroke, kind [slɑ:g]

vad slags, what kind of. 73.

slippa (slapp; sluppo; sluppit), get out of, escape [slip·a‘; slap: ; slup·ω‘; slup·it‘]

slott (-et, —), palace, castle [slɔt:]

slut (-et, —), end [slɯ:t]

i slutet på (av), at the end of. 85.

till slut, at last

vara slut, be at an end, be over

slut/a (-ade, -at), stop [slɯ·ta‘]

små. See **liten.**

snart, soon [snɑ:ṭ]

snäll (-t, -a), kind, good, nice [snäl:]

som (relative pron.), who, which, that [sɔm:]

som, as [sɔm:]
  som om, as if
somlig (-t, -a), some [sɔm·li(g)‘]. 89.
som/mar (-marn *or* **-maren, -rar),** summer [sɔm·ar‘]
  i sommar, this summer
  i somras, last summer
  om somrarna, during (in) the summers
somn/a (-ade, -at), fall asleep [sɔm·na‘]
i somras, last summer. See **sommar.**
son (-en, söner), son [så:n; sø·nər‘]
sova (sov; sovo; sovit), sleep [så·va‘; så:v; så·vω‘; så·vit‘]
spel/a (-ade, -at), play (instruments) [spe·la‘]
stackars (inv.), poor (pitiable) [stak·aʃ‘]
stad (-en, städer), city [stɑ:d; stä:dər]
  Coll. **stan** [stɑ:n], the city
  i stan, in the city
stann/a (-ade, -at), stop, stay [stan·a‘]
stiga (steg; stego; stigit), step [sti·ga‘]
  stiga upp, get up, arise
stol (-en, -ar), chair [stω:l; stω·lar‘]
stor (-t, -a), big, great, large [stω:r]. See **större, störst.**
strand (-en, stränder), shore [stran:d; strän:dər]. 35.
sträck/a sig (-te sig, -t sig), stretch oneself [sträk·a‘]
student (-en, -er), student [studän:t]
studentsk/a (-an, -or), student (woman), co-ed [studän:tska]
stug/a (-an, -or), cottage [stɯ·ga‘]
stund (-en, -er), while, short time [stun:d; stun·dər‘]
  om en stund, in a while
stå (stod; stodo; stått), stand [stå: ; stω:(d); stω·dω‘; stɔt:]
ställe (-t, -n), place [stäl·ə‘]
  i stället (för), instead (of)
stäng/a (-de, -t), shut [stäŋ·a‘]
större, larger, bigger, greater [stœr:ə]. 61.
störst (-a, -e), largest, biggest, greatest [stœʃ:t]. 61.
svar (-et, —), answer [svɑ:r]
svar/a (-ade, -at), answer [svɑ·ra‘]
  svara på, answer
svart (—, -a), black [svaṭ:]. 56(d).
svart tavla (svarta tavlan, svarta tavlor), blackboard [svaṭ: tɑ·vla‘]
svensk (-t, -a), Swedish (adj.) [svän:sk]
svensk (-en, -ar), Swede [svän:sk; svän·skar‘]
svensk/a (-an, -or), Swedish woman [svän·ska‘]
svenska (-n), Swedish (language) [svän·ska‘]
  på svenska, in Swedish
Sverige (Sverge), Sweden [svær:jə]
svår (-t, -a), difficult [svå:r; svå:ṭ; svå·ra‘]
syn/as (-tes, -ts), seem, be apparent, show [sy·nas‘]. 104.
syskon (pl., def. **syskonen**), brothers and sisters [sys·kɔn‘]
syst/er (-ern, -rar), sister [sys·tər‘]. 30(a).
så (conj.), so, as [så:]
  så att (så . . . att . . .), so that
  så . . . som . . ., as . . . as . . .
  See **lika, likaså, mindre.**

så (adv.), then [så:]

sådan (**-t, -a**), such [så·dan‘; coll. så:n]. 69.

sång (**-en, -er**), song [sɔŋ: ; sɔŋ·ər‘]

säga (**sade, sagt,** pr. **säger**), say [sä·ga‘, coll. säj·a‘; sɑ·də‘, coll. sɑ: ; sak:t; sä:gər, coll. säj:ər]. 51.

säk/er (**-ert, -ra**), sure, certain [sä:kər; sä·kra‘]

sälja (**sålde, sålt**), sell [säl·ja‘; sɔl·də‘; sɔl:t]. 51.

sällan, seldom [säl·an‘]

sällskap (**-et, —**), company, group, club [säl·skɑ‘p]

  i sällskap med, in the company of

sämre, poorer, worse [säm:rə]. 61.

sämst (**-a, -e**), worst, poorest [säm:st]. 61.

sän/da (**-de, -t**), send [sän·da‘]. 44(c).

säng (**-en, -ar**), bed [säŋ: ; säŋ·ar‘]

  till sängs, to bed

sängkam/mare (**-maren, -rar**), bedroom [säŋ·kam‘arə]

sätta (**satte, satt**), set, place [sät·a‘; sat·ə‘; sat:]. 51.

  sätta på sig, wear, put on

  sätta sig, sit down

söder, south [sø:dər]

  i söder, to the south

  söder om, south of

södra (def. adj.), southern [sø·dra‘]

sök/a (**-te, -t**), seek [sø·ka‘]

söndag (**-en, -ar**), Sunday [sön:dɑg; coll. sön:da]. 85.

  i söndags, last Sunday

  om söndag, next Sunday

T

ta. See **taga.**

tack, thank(s) [tak:]

  tack så mycket, thank you very much

tack/a (**-ade, -at**), thank [tak·a‘]

tag (**-et, —**), hold [tɑ:g]

  få tag i, get hold of

taga (coll. **ta**) (**tog; togo; tagit**), take [tɑ·ga‘; tɑ: ; tω:g; tω·gω‘; tɑ·git‘]

tak (**-et, —**), ceiling, roof [tɑ:k]

tal [tɑ:l]. 80.

  tals:

    dussintals, dozens (of)

    hundratals, hundreds (of)

    tjogtals, scores (of)

    tusentals, thousands (of)

tal/a (**-ade, -at**), speak, talk [tɑ·la‘]

  tala om, relate. 105.

  tala om för, relate to, tell

tand (**-en, tänder**), tooth [tan:d; tän:dər]. 35.

teat/er (**-ern, -rar**), theater [teɑ:tər]

  gå på teatern, attend the theater

tid (**-en, -er**), time [ti:d; ti·dər‘]

  nu för tiden, nowadays

  i tid, in time

  i en lång tid, for a long time

tidigt (adv.), early [ti·di(g)‘t]. 18, 20.

till, to, as, for [til: ; coll. te:]

  dotter till, daughter of

till, more [til: ; coll. te:]. 89.

till, until [til: ; coll. te:]

tillhör/a (**-de, -t**), belong (to) [til·hœ‘ra]. See **höra.** 44(b).

tills, until [til:s]

timm/e (**-en, -ar**), hour [tim·ə‘]

tio, ten [ti·ω‘; coll. ti·ə‘]

tionde, tenth [ti·əndə‘]
tisdag (-en, -ar), Tuesday [ti:sdɑg; coll. ti:sta]. 85.
  i tisdags, last Tuesday
  om tisdag, next Tuesday
tjog (-et, —), score [çå:g]
tjugo, twenty [çɯ·gω‘; coll. çɯ·gə‘]
tjugo/en (-ett), twenty-one [çɯ′gωen:]
tjugoförst/a (-e), twenty-first [çɯ′gωfœʂ·sta‘]
tjugonde, twentieth [çɯ·gəndə‘]
tolv, twelve [təl:v]
tolvte, twelfth [təl·ftə‘]
torsdag (-en, -ar), Thursday [tω:ʂdɑg; coll. tω:ʂta]. 85.
  i torsdags, last Thursday
  om torsdag, next Thursday
tre, three [tre:]
tredje, third [tre·djə‘]
tretti(o), thirty [trät:iω; coll. trät:i]
trettionde, thirtieth [trät·iəndə‘]
tretton, thirteen [trät·ən‘]
trettonde, thirteenth [trät·əndə‘]
trevlig (-t, -a), pleasant [tre·vlig‘]. 20.
  ha trevligt, have a pleasant time
tro (-dde, -tt), believe [trω:]
tråkig (-t, -a), dull, boring, unpleasant [trå·kig‘; coll. trå·ki‘]. 20.
  ha tråkigt, have an unpleasant time
  vara tråkig (-t, -a), be boring, be too bad
träd (-et, —), tree [trä:d, coll. trä:]
trädgård (-en, -ar), orchard, garden [trä·dgå‘ḍ; coll. trä·gå‘ḍ]. 20.
träff/a (-ade, -at), meet [träf·a‘]. 103.
trött (—, -a), tired [tröt:]. 56(d).
tung (-t, -a), heavy [tuŋ:]
tusen (inv.), a thousand [tɯ:sən]
två, two [två:]
tvätt/a sig (-ade sig, -at sig), wash [tvät·a‘]. 58.
ty (formal), because [ty:]
tyck/a (-te, -t), feel, think (consider) [tyk·a‘]
  tycka o′m, like
tyck/as (-tes, -ts), seem, appear [tyk·as‘]. 104.
tyngre, heavier [tyŋ:rə]. 61.
tyngst (-a, -e), heaviest [tyŋ:st]. 61.
tyst (—, -a), quiet, silent [tys:t]. 56(d).
tåg (-et, —), train [tå:g]
tänk/a (-te, -t), think [täŋ·ka‘]
  tänka på, think about, consider
tör (torde, past), is (was) likely [tœ:r; tω·ḍə‘]. 94, 96.

U

undan, aside, out of the way [un·(d)an‘]
under, during, under [un:dər]
underhålla, entertain [un·dərhəl‘a] See **hålla.** 105.
undr/a (-ade, -at), wonder [un·dra‘]
ung (-t, -a), young [uŋ:]
universitet (-et, —), university u′nivæʂ′ite:t]
  ligger vid universitetet, attends the university
upp (coll. **opp**), up [up: ; əp:]. 65.
uppe (coll. **oppe**), up, above [up·ə‘; əp·ə‘]. 65.
uppsats (-en, -er), essay, theme [up·sat‘s]

ur, out of [ɯ:r]
  ut ur, out of
ut, out [ɯ:t]. 65.
utan (prep., adv.), without [ɯ·tan‘]
utan, but (conjunction after negative statement) [ɯ·tan‘]
ute, out (outside) [ɯ·tə‘]. 65.
utom, outside [ɯ·tɔm‘]

V

vack/er (-ert, -ra), pretty, beautiful [vak:ər; vak·ra‘]. 59.
  vackrare, prettier
  vackrast (-e), prettiest
vad, what [vɑ:d; coll. vɑ:]. 73.
  vad för en (ett, ena), what (kind of)
  vad slags [slak:s], what kind of
vagn (-en, -ar), wagon [vaŋ:n; vaŋ·nar‘]
vakn/a (-ade, -at), wake up [vɑ·kna‘]
vandr/a (-ade, -at), wander [van·dra‘]
var (nn.), **vart** (n.), every, each [vɑ:r; vɑ:ṭ]. 87.
  var för sig, each one by himself. 87.
  var sin . . ., a . . . apiece. 87.
  var och en (nn.), everyone. 88.
  vart och ett(n.), everything. 88.
var (adv.), where [vɑ:r]. 65.
vara (var; voro; varit; pr. **är, äro),** be [vɑ·ra‘; vɑ:(r); vω·rω‘; vɑ·rit‘; æ:r *or* ä:, æ·rω‘]. 53.
varandra (poss. **varandras),** one another, each other [varan·dra‘]. 75.
varannan (n. **vartannat),** every other [varan·an‘]. 83(b).
varenda (vartenda, n.), every(one) [varen·da‘]. 88.
varför, why [vɑ:rfœr]
varje (formal), every [var·jə‘]. 87.
vart, where, whither [vɑ:ṭ]. 65.
vart (n.), each, every [vɑ:ṭ]. 87.
vatt/en (-net, vatten), water [vat:ən]
veck/a (-an, -or), week [vek·a‘]
  en gång i veckan, once a week
vem (poss. **vems),** who, whom (sg.) [vem:]. 73.
veta (visste; vetat; pres. **vet),** know [ve·ta‘; vis·tə‘; ve·tat‘; ve:t]. 51.
  få veta, learn, get to know
vi, we [vi:]
vid, at, beside, by [vi:d; coll. ve:]
vid (vitt, vida), wide [vi:d; vit: ; vi·da‘]. 56(a).
  vidare, wider
  vidast (-e), widest
vidare, on, farther [vi·darə‘]
  gå vidare, go on
viktig (-t, -a), important [vik·ti(g)‘]. 20.
vilja (ville; velat; pr. **vill),** want to [vil·ja‘; vil·ə‘; ve·lat‘]. 95, 96.
vilk/en (-et, -a), who, whom, which, what [vil·kən‘ (coll. vik:ən)]. 73, 77.
vilkendera (vilketdera, n.), which one (of two) [vil·kənde‘ra]. 73.
vint/er (-ern, -rar), winter [vin:tər; vin·trar‘]
  i vinter, this winter
  i vintras, last winter
  om vintrarna, during (in) the winters
vis (-et, —), manner [vi:s]
vis (-t, -a), wise [vi:s]

vis/a (-ade, -at), show [vi·sa‘]
viss (-t, -a), certain [vis:]
visst, I believe, surely [vis:t]. 66.
vit (-t, -a), white [vi:t; vit: ; vi·ta‘]
vår (-en, -ar), spring [vå:r]. 85.
  i vår, this spring
  i våras, last spring
vår (-t, -a), our, ours [vå:r; vå:ṭ; vå·ra‘]. 68.
väck/a (-te, -t), awaken, arouse [väk·a‘]
väd/er (-ret), weather [vä:dər]
väg (-en, -ar), way, road [vä:g; vä·gar‘]
vägg (-en, -ar), wall [väg: ; väg·ar‘]
väl, I suppose, surely [vä:l]. 66.
väl (adv.), well [vä:l]. 67.
vän (-nen, -ner), friend [vän: ; vän·ər‘]. 19.
vän/da (-de, -t), turn [vän·da‘]. 44(c).
  vända om, turn about, return
vänlig (-t, -a), friendly [vän·lig‘; coll. vän·li‘]. 20.
  vänligare, friendlier
  vänligast, friendliest
vänster (def. pl. **vänstra**), left [vän:stər; vän·stra‘]. See Lesson XVII, first footnote.
vänt/a (-ade, -at), wait, expect [vän·ta‘]
värld (-en, -ar), world [væ:ḍ; væ·ḍar‘]. 20.
värre, worse [vær:ə]. 61, 67.
värst (-a, -e), worst [væʃ:t]. 61, 67.
väster, west [väs:tər]
  i väster, to the west
  väster om, west of
västra (def. adj.), western [väs·tra‘] See Lesson XVII, first footnote.
väx/a (-te, -t), grow [väk·sa‘]

Y

yngre, younger [yŋ:rə]. 61.
yngst (-a, -e), youngest [yŋ:st]. 61.

Å

åk/a (-te, -t), ride [å·ka‘]
åk/er (-ern, -rar), field [å:kər; å·krar‘]
ålder (-n, åldrar), age [ɔl:dər; ɔl·drar‘]
år (-et, —), year [å:r]
  i år, this year
  i många år, for many years
  en gång om året, once a year
århundrade (-t, -n), century [å·rhun‘dradə]
årstid (-en, -er), season [å·ʃti‘d]
åt, to, toward, for [å:t]
åter (adv.), again, back [å:tər]
åtta, eight [ɔt·a‘]
åtti(o), eighty [ɔt:iω; coll. ɔt:i]
åttionde, eightieth [ɔt·iɔndə‘]
åttonde, eighth [ɔt·ɔndə‘]

Ä

äg/a (-de, -t), own [ä·ga‘]. 18.
äldre, older [äl:drə]. 61.
äldst (-a, -e), oldest [äl:st]. 20, 61.
älsk/a (-ade, -at), love [äl·ska‘]
älv (-en, -ar), river [äl:v; äl·var‘]
ämn/a (-ade, -at), intend, plan [äm·na‘]
än, than [än:]
än i, even to
än. 78.
  vem . . . än . . ., whoever
  vad . . . än . . ., whatever
ända, as far as [än·da‘]
  ända till, quite, up to
ändå, anyway [än·då‘]
ännu, yet, still [än·ɯ‘]

äpple (**-t, -n**), apple [äp·lə']

ära (**-n**), honor [æ·ra']

äta (**åt; åto; ätit**), eat [ä·ta'; å:t; å·tω'; ä·tit']

även (formal), also, even [ä·vən']. See **också.**

Ö

ö (**-n, -ar**), island [ø: ; ø·ar']

öga (**-t, ögon**), eye [ø·ga'; ø·gɔn']. 36(b).

önsk/a (**-ade, -at**), wish [ön·ska']

öppn/a (**-ade, -at**), open [öp·na']

ör/a (**-at, öron**), ear [œ·ra'; œ·rɔn']. 36(b).

öre (**-t, —**), coin. 100 öre = 1 krona [œ·rə']

öster, east [ös:tər]
  i öster, to the east
  öster om, east of

östra (def. adj.), eastern [ọs·tra']. See Lesson XVII, footnote 1.

över, after, over, past [ø:vər]

överallt, everywhere [ø'vəral:t]

överens (adv.), [ø'vəren:s]
  komma överens, agree, get along

ENGLISH–SWEDISH

The basic forms of words in English-to-Swedish translation exercises are listed. Refer to the Swedish–English vocabulary.

A

a, an, en, ett
able, be able, kunna
about, om
accompany, följa med
after, över
afternoon, eftermiddag
  this afternoon, i eftermiddag
again, igen
ago, för . . . sedan
all, all (-t, -a); hela
  all day, hela dagen
along, med
  go along, följa med
aloud, högt
also, också
although, fast
always, alltid
and, och
answer, svara
any, någon (något, några)
anyone, någon
  anyone else, någon annan
anything, något, någonting
  anything else, någonting annat
arm, arm
as, som, så
ask, fråga
at, vid, hos
  at all, alls
awaken, väcka

B

be, vara
  be called, heta
beautiful, vacker
  most beautiful, vackrast
become, bli(va)
beginning, början
believe, tro
belong, tillhöra
best, bäst
better, bättre
big, stor (-t, -a)
birthday, födelsedag
blackboard, svart tavla
book, bok
boy, gosse, pojke
brother, broder (bror)
build, bygga
but, men
buy, köpa
by, av

C

calendar, kalender
call, kalla
can, kan
car, bil
carry, bära
century, århundrade
child, barn
church, kyrka
city, stad
class, klass
classroom, klassrum
co-ed, studentska
coffee, kaffe
come, komma
concern, gälla
cost, kosta
couple, par
of course, förstås
crown, krona
country, land
  in the country, på landet

D

daughter, dotter
day, dag
diligent, flitig (-t, -a)
  most diligent, flitigast
  less diligent, mindre flitig
diligently, flitigt
  less . . ., mindre flitigt
  more . . ., flitigare
  most . . ., flitigast
dining room, matsal
do, göra
doctor, doktor
dog, hund
door, dörr
dozens (**of**), dussintals
drive, köra
during, under

E

each other, varandra
ear, öra
easy, lätt
eight, åtta
entertain, underhålla
evening, kväll
  this evening, i kväll
ever, någonsin
everything, allting, allt
every, var (vart, n.)
  every one, alla
  every other, varannan

F

face, ansikte
fall, höst
  last fall, i höstas
  this fall, i höst
farther, längre
father, fader (far)
February, februari
feel, må
few, få, några få
fifteen, femton
find, finna
  be found, finnas
fine, bra, fin
fish, meta
fly, flyga
foot, fot
for, för; i
  for many years, i många år
forget, glömma
(**the**) **former,** (den) förra
friend, vän
from, från, ifrån

G

gentleman, herre
getting, få
get up, stiga upp
girl, flicka
give, ge, giva
glad, glad
go, gå, resa
  go to school, gå i skolan
good-bye, adjö
grandfather (**maternal**), morfar; (**paternal**), farfar
grandmother (**maternal**), mormor; (**paternal**), farmor
greatest, störst
greet, hälsa

H

hand, hand
hang, hänga
hat, hatt
have, ha(va); **have to,** måste
he, han
head, huvud
hear, höra

heavier, tyngre
heaviest, tyngst
her (pron.), henne
her (adj.), hennes, sin
here, här; **over here,** hit
hers (poss.), hennes, sin
higher, högre
highest, högst
him, honom
his, hans, sin
hold, hålla
holiday, helgdag
home (adv.), hem
  at home, hemma
hope, hoppas
hour, timme
house, hus
how, hur
human being, människa
hurry, skynda
hurt, (det) gör ont, ha ont i. 76(d).

I

I, jag
if, om
ill, illa
in, i, in. 65.
it, det **(n.)** 26, 76; den **(nn.)** 26.

J

just . . . as . . ., likaså . . . som . . .

K

kind, slag
  what kind of, vad slags, hurudan
kind, snäll; **kindest,** snällast
knee, knä
know, känna **(be acquainted with)**; kunna **(lesson)**; veta **(knowledge)**

L

lack, fattas
lake, sjö
large, stor
  larger, större
  largest, störst
at last, till sist
(the) latter, (den) senare
lazy, lat
leave, resa, gå, avgå
left, kvar
  have left, ha kvar
leg, ben
less, mindre
  less . . . than . . ., mindre . . . än . . .
lesson, läxa
let, låta; låt **(imperative)**; **let us,** låt oss
lightest, ljusast
like, tycka om
likely, sannolik
  is likely to, lär
little, liten. 57(e).
  a little of everything, lite av varje
live, bo
long, lång, länge
  a long time ago, för länge sedan
  longer, längre
  longest, längst
loudly, högt
  less loudly, mindre högt
  more loudly, högre
love, älska
lower, lägre

M

the majority, de flesta
man, man
many, mång/en (-et, -a)

map, karta
Mr., herr
may, få; kan; må, måtte 95.
mean, betyda
meet, träffa
mend, laga
minute, minut
Miss, fröken
Mrs., fru
money, pengar
month, månad
  in a month, om en månad
more, andra, mer(a); till
mother, moder, mor
move, flytta
much, mycket
must, måste
my, min

N

name, namn
  his name is . . ., han heter . . .
need, behöva
new, ny
  newest, nyast
next, näst
no, ingen (intet, inga)
no one, ingen
no, nej
nose, näsa
not, inte
nothing, ingenting, intet (inget)
now, nu
nowadays, nu för tiden

O

o'clock, klockan
of, av, på
often, ofta
  more often, oftare
old, gammal
  older, äldre
  oldest, äldst
on, på
  at once, med detsamma
one, man
  the one, den ena
  the one who, den som
one's, ens, sin
only, bara
open, öppna
or, eller
other, annan
  each other, varandra
ought, böra
our, vår
ours, vår
out, ut, ute. 65.
over there, dit
own, egen (eget, egna)
own, äga

P

pain.
  have a pain in, ha ont i
palace, slott
parents, föräldrar
park, park
pay, betala
pen, penna
perhaps, kanske
permission, lov
  get permission, få lov
please, var snäll och . . .
  as you please, hur som helst
preferably, helst
prettier, vackrare
prettiest, vackrast
  . . . of all, allra vackrast
pupil, elev

Q

quarter, kvart
quiet, tyst

R

rather, hellre
read, läsa
reading, att läsa
remain, bli kvar, sitta kvar
remember, komma ihåg
rich, rik
room, rum
  classroom, klassrum
  dining room, matsal

S

same (adj.), samma; **(pron.)** densamma
Saturday, lördag
  next Saturday, om lördag
say, säga
  said to be, ska vara
school, skola
  go to school, gå i skolan
see, se
  get to see, få se
seems, tyckas
seldom, sällan
sell, sälja
sentence, sats
seventeen, sjutton
seventeenth, sjuttonde
several, flera
  for several years, i flera år
shall, komma att, skola
she, hon
shorter, kortare
shortest, kortast
should, skulle
show, visa
shut, stänga
sick, sjuk
sister, syster
sit, sitta
small, liten, små
  smaller, mindre
  smallest, minst
so, så, det
  so that, så att
sold, sålde
some, någon, somliga
someone, någon
something, någonting, något
son, son
soon, snart
sort, slag
  what sort of, vad slags
southern, södra
speak, tala
story, historia
student (man), student
student (woman), studentska
succeed, lyckas
such, sådan
summer, sommar
  in the summers, om somrarna
  last summer, i somras
  this summer, i sommar
Sunday, söndag
suppose.
  I suppose, väl, nog
Swede, svensk
Sweden, Sverige
Swedish (adj.), svensk
Swedish (language), svenska
swim, simma

T

take, ta, taga
talk, tala
taller, längre
tallest, längst

teacher (man), lärare
  teacher of, lärare i
teacher (woman), lärarinna
tell, tala om för; berätta; säga till
ten, tio
than, än
that, att (conj.)
that, den, det; den där, det där
the, de
theater, teater
  go to the theater, gå på teatern
their, deras, sin
theirs, deras, sin
them, dem
theme, uppsats
then, då
there, där; **over there,** dit
these, de här; dessa
they, de
think, tro (**believe**), tänka
this, denna, detta; den här, det här
those, de där, de
time, tid; gång
  at any time, när som helst
  for a longer time, längre
  in time, i tid
  two times, två gånger
tired, trött
to, till
today, i dag
tomorrow, i morgon
too, för
true, sann
try, försöka
twenty, tjugo
twice, två gänger
two, två

U

understand, förstå
university, universitet
  at the university, vid universitetet
us, oss

V

vacation, ferier
very, mycket
visit, besöka

W

walk, gå
wall, vägg
want to, vilja
wash, tvätta sig
we, vi
weather, väder
Wednesday, onsdag
  last Wednesday, i onsdags
week, vecka
well, bra, väl
what, vad
  what a, vilken
  what kind of, vad slags, hurudan
whatever, vad . . . än
when, när
whenever, när som helst, när
where, var (vart, **n.**)
which, vilk/en (-et, -a); vad för en . . .; som
while, stund
  a . . . ago, för . . . sedan
who, vem, vem som
who (relative pron.), som
whoever, vem . . . än
the whole, hela
whom, som (**relative**); vem; vilken
whose, vems, vilkens
why, varför

wider, vidare
widest, vidast
wife, hustru
will, komma, skola
willingly, gärna
window, fönster
winter, vinter
  in the winter, om vintrarna
wish, önska
with, hos; med
woman, kvinna
wonder, undra
work, arbeta
work, arbete
world, värld
worse, sämre, värre
would, skulle
write, skriva

Y

year, år
  this year, i år
yes, ja
yesterday, i går
yet, ännu
you, du, ni
you (objective), dig, er
young, ung
  younger, yngre
  youngest, yngst
your, er, din
yours, er, din

INDEX

The numbers refer to sections.

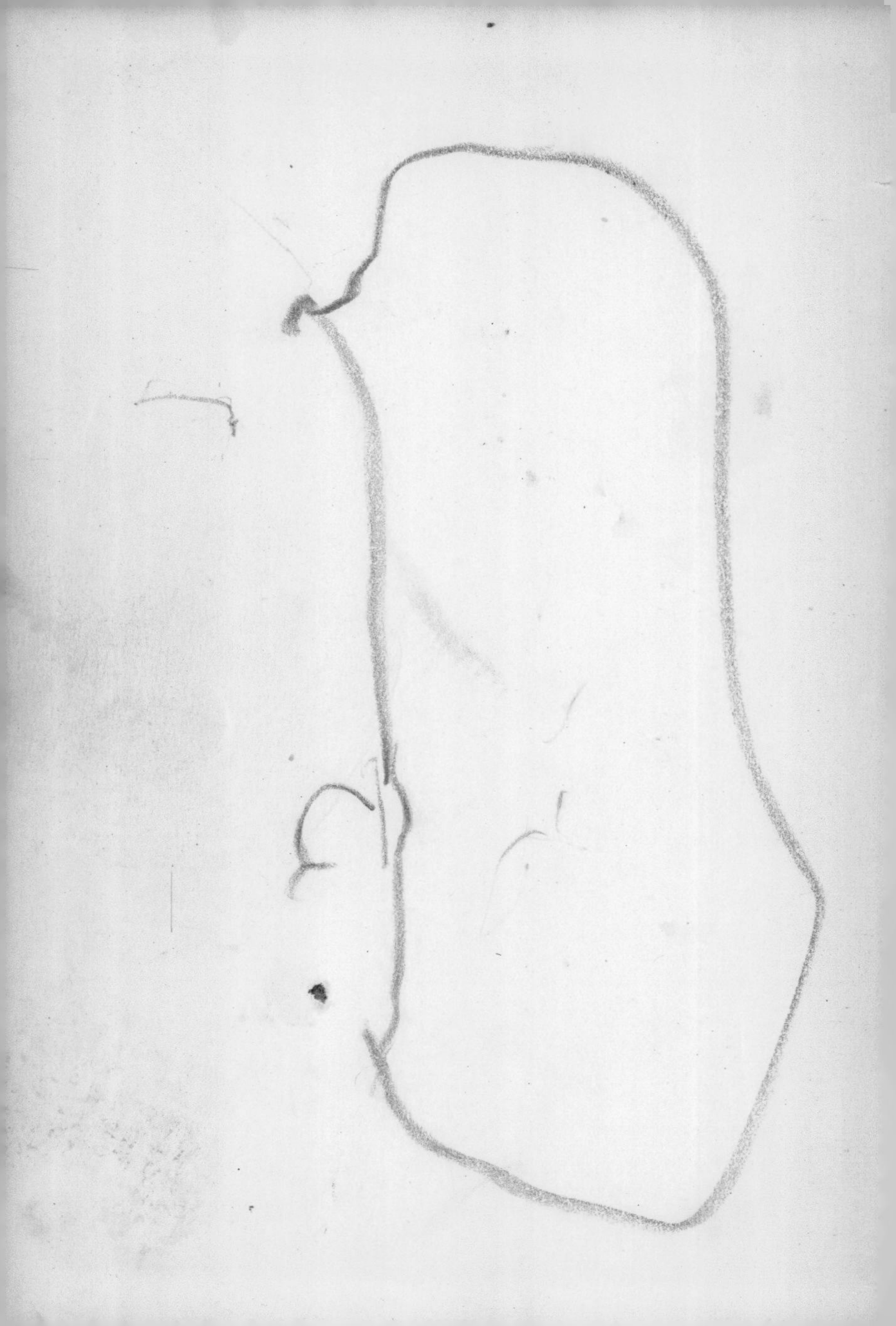